Comme Toots, son héroïne, **Fern Michaels** vit dans une ancienne maison de planteur en Caroline du Sud, avec cinq chiens et un sympathique fantôme qu'elle a baptisé Mary Margaret.

Elle a écrit une centaine de romans, dont la majorité sont des best-sellers aux États-Unis.

Par le biais de sa fondation, The Fern Michaels® Foundation, Fern offre des bourses d'études et a mis en place des crèches abordables pour de jeunes mères célibataires. Elle a par ailleurs contribué à équiper les chiens de la police locale de gilets pare-balles.

Du même auteur, chez Milady :

Les Marraines :
1. *Le Scoop*
2. *Exclusif*
3. *Dernière édition*

Fern Michaels

Le Scoop

Les Marraines – 1

Traduit de l'anglais (États-Unis) par Michèle Zachayus

Milady Romance

Milady est un label des éditions Bragelonne

Titre original : *The Scoop*

ISBN : 978-2-8112-0771-7

Bragelonne – Milady
60-62, rue d'Hauteville – 75010 Paris

E-mail : info@milady.fr
Site Internet : www.milady.fr

Chapitre premier

Charleston, Caroline du Sud

C'était un événement, pas de doute là-dessus. Non que des funérailles soient, en règle générale, un événement à proprement parler, mais quand quelqu'un de la stature de Leland St John mordait la poussière, ça le devenait. Le septuor à cordes jouant sous l'averse, selon l'une des dernières volontés de Leland, avait conféré à l'occasion la portée d'un dénouement notable, indépendamment de ce qui se passait ailleurs dans le monde. Puis il y avait la queue d'orage de l'ouragan Blanche, qui déversait des trombes d'eau sur le cortège funèbre réfugié sous le chapiteau bleu roi, ne faisant qu'ajouter à l'impression – prédominante – que c'était le cirque.

— Pressez-vous donc un peu, qu'on en finisse ! maugréa tout bas Toots Loudenberry. (Elle continua de marmonner et de grommeler entre ses dents tandis que le ministre du culte poursuivait son interminable bénédiction.) Personne n'est aussi bon que ça, et surtout pas Leland. Tout ce que vous savez sur lui, c'est ce que je vous ai dit, et je suis à peu près certaine de ne pas vous avoir raconté toutes ces conneries que vous débitez ! C'était un vieil homme riche et égoïste. Fin de l'histoire.

La fille de Toots se pencha vers elle et, d'un murmure, tenta de se faire entendre en dépit du voile épais qui lui couvrait la tête.

— Tu ne peux pas hâter un peu le mouvement ? Ce n'est pas comme si c'était la première fois que tu en passais par là. C'est le septième ou huitième mari que tu enterres, non ? Je suis sacrément soulagée que le pasteur ait dit son nom, ou je ne saurais même pas qui est en train de se faire rempoter six pieds sous terre. Je dois reconnaître, maman, que tu t'es surpassée avec toutes ces fleurs.

Toots Loudenberry releva le défi et avança, interrompant en pleine phrase le ministre du culte.

— Merci, mon révérend.

Elle aurait voulu ajouter qu'elle avait déjà posté son chèque, mais elle se retint et fit un pas de plus pour poser sur le cercueil en bronze sa rose fanée. Puis elle s'écarta afin que les autres puissent l'imiter en quittant à leur tour le couvert de l'abri provisoire, qui était ouvert sur les quatre côtés. Elle se retrouva dans une flaque jusqu'aux chevilles, lâcha un juron bien senti, puis gagna en pataugeant la limousine qui attendait pour la ramener chez elle.

— C'est tout toi, ça, Leland. Tu n'aurais pas pu attendre une semaine de plus, le temps que la saison des pluies se termine ? Et voilà, mes chaussures sont foutues. Mon chapeau aussi, tout comme mon tailleur. Dommage que tu ne saches pas combien il m'a coûté, d'ailleurs. Sinon, tu aurais patienté une semaine pour mourir. Tu as toujours été un gros égoïste. Et tu vois où ça t'a mené ? Tu es mort.

— Qu'est-ce que tu marmonnes, maman ?

Toots se glissa dans la limousine en se débarrassant d'un coup de talon de ses chaussures trempées. Son chapeau noir de veuve suivit le même chemin. Puis elle toisa sa fille, Abby, qui était trempée comme une soupe, et répondit :

— De tous mes époux, c'est Leland que j'aimais le moins. Je lui en veux de m'obliger à aller à ses funérailles dans ces conditions. Il fut ma seule et unique erreur. Mais une sur huit, je suppose que ce n'est pas si mal.

Abby tendit la main vers un paquet de serviettes en papier, près de la bouteille de champagne qui semblait aller de pair avec toutes les limousines.

— Pourquoi ne l'as-tu pas tout simplement fait cramer ?

Toots soupira.

— C'est ce que je voulais, mais Leland a précisé dans son testament qu'il désirait être inhumé, accompagné par la musique de ce satané orchestre à cordes. Il faut honorer les dernières volontés d'un mort. J'aurais eu l'air d'une sale ingrate si je n'avais pas respecté les siennes, même si c'était un pauvre type.

— Dis plutôt que, dans ce cas-là, son fric serait allé aux ours polaires de l'Arctique.

— Ça aussi, soupira Toots. (La femme qui était née Teresa Amelia Loudenberry, « Toots » pour ses amies, dévisagea sa fille.) Tu restes combien de temps, ma chérie ?

— J'ai un vol à 16 heures. J'ai laissé Chester à une fille qui garde les chiens, et Chester n'aime pas les dog-sitters. Il me reste juste assez de temps pour grignoter quelque chose à ton banquet funèbre, enfiler des habits secs et me sauver. La Californie m'appelle, tu n'entends pas ? Ne me regarde pas comme ça, maman. Je ne le connaissais même pas, ce type. Je l'ai croisé à ton mariage, et c'est à ça que se résumaient nos relations. Si je me souviens bien, tu as dit que c'était un charmeur. Je m'étais donc attendue à rencontrer un séducteur. Ce que je n'ai pas eu. Mais bon, moi, ce que j'en dis…

— J'aurais plutôt dû parler de charmeur de serpents, répondit Toots. Leland était comme un cadeau au paquet splendide qui, une fois déballé, se révèle tout à fait… quelconque. Du toc. J'étais stupéfaite quand je m'en suis rendu compte, mais bon, je l'avais épousé et je devais donc m'en accommoder. Il s'est éteint maintenant, et nous ne devrions peut-être pas dire du mal de lui. Je vais porter le deuil dix jours pour la forme, puis je vais continuer à vivre ma vie. Je vais me trouver un passe-temps, histoire de m'occuper. J'en ai ma claque de faire des bonnes actions. Les B.A., c'est à la portée de tout le monde ! Tout le monde peut jardiner et cultiver des roses uniques en leur genre. J'ai besoin de m'atteler à quelque chose qui fera la différence, quelque chose de stimulant, et d'y mordre véritablement à pleines dents. D'ailleurs, en parlant de dents… Leland portait un dentier. La nuit, il le laissait dans une tasse dans la salle de bains. Je n'ai jamais pu m'y habituer. Au lit, ce n'était pas une affaire non plus.

— Je n'ai pas besoin d'en savoir autant, maman.

— C'est juste histoire de parler, Abby. Je ne voudrais pas que tu penses que ta vieille maman est insensible. Tu dois admettre que j'ai eu sept mariages heureux. À la mort de Dolph, j'aurais dû raccrocher mon porte-jarretelles. Mais non ! J'ai laissé Leland me tourner la tête, me transporter au septième ciel, malgré son dentier. Parfois, la vie est tellement injuste.

» Mais trêve de jérémiades ! Dis-moi plutôt comment ça se passe là-bas en ce moment, sous le soleil de la Californie ? Dans ton boulot ? Quels sont les derniers ragots torrides ? Qui fait quoi à qui à Hollywood ?

Abby Simpson, la fille que Toots avait eue avec son premier époux, John Simpson, le grand amour de sa vie, travaillait comme reporter pour un tabloïd de seconde zone, *The Informer,* basé à Los Angeles. Elle était rédactrice assistante, autrement dit elle devait battre le pavé pour dégotter ses propres sujets d'article, puis broder dessus afin de satisfaire l'appétit insatiable du public pour les potins hollywoodiens.

— Rodwell Archibald Godfrey, surnommé « RAG » ou « Ragot » par nous autres sous-fifres, m'a appelée dans son bureau et m'a dit qu'il en voulait davantage. Or, s'il ne se passe rien, je ne peux pas provoquer les choses. Les journaux à gros tirage sont toujours les premiers à tenir des scoops. Je pense que c'était juste une façon de me signifier qu'il n'était pas satisfait de mon travail. J'ai postulé auprès d'autres quotidiens populaires, mais leurs équipes sont déjà au complet, et ils n'embauchent plus personne. Je fais de mon mieux. J'arrive tout juste à rembourser l'emprunt de mon appartement tous les mois, et, après ça, il me reste à peine de quoi acheter de la bouffe pour chien. Non, maman, tu ne peux pas m'aider. Je vais m'en sortir toute seule, alors n'en parlons plus, d'accord ? J'aurai bientôt ma chance, je le sens. Au fait, je t'ai apporté quelques numéros à paraître pour que tu les lises. Tu verras, mon nom figure dans chacun d'eux.

— Je n'arrive pas à me faire à l'idée que vous autres inventez tous ces trucs, et que ça finit par arriver pour de bon, dit Toots. Vous mettez sous presse des semaines à l'avance ce qui va se produire.

Abby éclata de rire.

— Ce n'est pas tout à fait comme ça que ça se passe, mais tu n'es pas loin de la vérité. Bon, nous voilà à la maison, et tu as des hôtes à recevoir ; tu sais vraiment comment célébrer des funérailles, maman.

— Comment célébrer un tel événement, ma chérie ? Le terme « funérailles » est tellement triste. Ça entraîne toutes sortes de pensées lugubres.

Abby rit de plus belle en descendant de la limousine, puis elle se dirigea vers le large perron de la résidence de sa mère.

Les deux femmes montèrent les marches quatre à quatre pour aller se changer avant d'accueillir les invités qui se présenteraient pour rendre un dernier hommage au cher disparu.

Toots inspecta son reflet dans le long miroir en pied, dans sa chambre. Décidément, elle avait une sale tête, mais une veuve n'était-elle pas censée avoir l'air légèrement hagarde ?

— Le noir n'est vraiment pas ma couleur, marmonna-t-elle pour elle-même en lançant en boule sa tenue de deuil sur le parquet de la salle de bains.

Elle passa une autre robe noire, ajouta un collier de perles, se brossa les cheveux, s'aspergea de parfum et se sentit alors assez fraîche et sémillante pour redescendre se mêler aux invités le temps d'une petite heure.

Enterrer les morts était terriblement chronophage, surtout les politesses d'usage qu'il fallait échanger après. Tout ce qu'elle aurait voulu, c'était se retirer dans son salon pour y lire la pile de tabloïds qu'Abby avait apportés avec elle. Toots n'aurait jamais osé l'admettre, mais elle était accro aux commérages de ce genre. Pour le moment, elle avait un devoir à accomplir et comptait bien s'en acquitter. Elle aurait toute la soirée pour lire ses potins chéris tout en s'enfilant un petit verre de vin. Elle boirait à la santé de Leland, et tournerait la page.

Il était temps de passer à autre chose. Justement, elle était très douée pour ça.

Chapitre 2

À la minute où le dernier invité franchit le seuil de la porte en emportant des restes de nourriture, une Toots en deuil monta les marches au galop et fonça dans sa salle de bains de cent mètres carrés pour se faire couler un bain. Il lui fallut pas moins de deux trajets jusqu'à l'immense jacuzzi pour y installer sa pile de tabloïds, quatre bougies parfumées, une bonne bouteille et son verre à pied préféré en cristal Baccarat. Elle marqua une pause d'une minute pour décider quels sels de bain elle désirait utiliser, jetant finalement son dévolu sur Jasmin du Sud dont le parfum de synthèse était relativement fidèle à celui de la fleur. Au fond, Toots était une « Belle du Sud » dans l'âme.

Elle se déshabilla, et laissa tomber ses vêtements sur la tenue trempée dont elle s'était débarrassée un peu plus tôt. Elle ne les mettrait plus jamais. En revanche, étant très tatillonne en matière de protocole, elle demanderait peut-être à sa gouvernante, Bernice, de les mettre de côté le temps que ses dix jours de deuil soient révolus. De cette façon, elle ne tricherait pas. Et dire qu'il lui faudrait porter du noir pendant encore dix jours, une couleur qui lui donnait vraiment l'air fadasse. Neuf, si l'on comptait la journée en cours. Et Toots n'allait pas se gêner pour la compter.

Elle huma l'arôme exquis qui se dégageait du jacuzzi. Merveilleux ! Elle s'immergea en douceur dans l'eau soyeuse, soupirant d'aise. Elle se laissa aller contre l'appuie-tête et savoura les quelques premiers instants d'un bain voluptueux avant de se redresser pour se verser un verre du champagne que Leland avait acquis par chargements entiers pour sa cave à vin.

— À ta santé, Leland, dit-elle en levant son verre, qu'elle vida d'un long trait.

Voilà, elle pouvait tourner la page. Elle avait accompli son devoir.

Toots se resservit, se pencha de nouveau en arrière et s'alluma une cigarette. Fumer était une habitude vraiment affreuse, mais elle s'en fichait complètement. Elle était bien trop âgée pour se soucier encore de ce qui lui était bénéfique ou nocif. Elle entendait vivre pleinement sa vie et n'allait pas perdre une seconde à réfléchir au fait que les cigarettes risquaient d'interférer avec cela. En outre, elle avait tous les vices possibles et imaginables. Elle adorait les vices, eux qui se prêtaient si bien aux conversations croustillantes. Elle aimait boire, fumer, était très friande de sucre et lisait en secret la presse à scandale. Elle s'était persuadée depuis longtemps qu'être végétarienne compensait toutes ses fâcheuses habitudes. Ce salaud de Leland l'avait toujours tannée pour qu'elle se débarrasse de ce qu'il appelait ses « manies dégoûtantes ».

— Va te faire foutre, Leland !

Toots en était à son troisième verre et à la page quatre du numéro qu'elle parcourait quand elle se rendit brusquement compte qu'elle ne se rappelait pas ce qu'elle venait tout juste de lire. Qu'est-ce qui n'allait pas chez elle ? Rien ne venait jamais interférer avec ses feuilles de chou bien-aimées. Jusqu'à présent. Elle ferma les yeux et tenta de cerner ce qui parasitait ainsi son univers.

Dans sa tête, quelque chose, quelque part, la turlupinait. Elle avait déjà rayé Leland. Abby allait bien, au moins pour le moment. Avait-elle la sensation de partir à la dérive ? Avait-elle besoin d'un homme à la maison ? Non, certainement pas ! Alors qu'est-ce qui la tracassait ? Les neuf jours de deuil auxquels elle allait s'astreindre ? Ridicule ! N'importe quelle femme digne de ce nom supporterait ces neuf journées en sortant petit-déjeuner, déjeuner et dîner. Il suffisait d'ajouter à cela un brin de shopping, et tout irait bien pour elle.

À son quatrième verre de champagne, Toots décida qu'elle avait besoin de… non, qu'elle avait envie de foutre le bordel. Elle avait besoin de pimenter sa vie. Ses pensées la ramenèrent à l'époque de sa jeunesse, quand ses amies et elle pétaient encore le feu. Des amies qu'elle n'avait vraiment pas assez revues au cours de ces vingt dernières années. Elles s'envoyaient des e-mails et des cartes de Noël, se téléphonaient, mais parfois la vie les éloignait les unes des autres. Il était peut-être temps de toutes les rappeler pour les inviter à lui rendre visite. C'étaient, après tout, les marraines d'Abby. Tout le monde trouvait bizarre que sa fille ait trois marraines. Surtout ce merdeux de Leland. Elle, elle ne trouvait pas cela bizarre du tout. Et ses amies non plus.

Toots scruta le fond de la bouteille. Vide ! Elle s'extirpa de la baignoire, se sécha à l'aide d'une serviette aussi grande qu'une tente, se repoudra, se glissa dans une robe d'intérieur noire – on était en deuil ou on ne l'était pas – et gagna en titubant le mini-bureau d'appoint aménagé dans sa chambre. Ce n'était pas un bureau à proprement parler, juste une petite table où elle s'installait pour rédiger des notes aux gens dont elle n'avait strictement rien à battre, honorer les quelques factures que son gestionnaire ne devait pas connaître, et se servir de son portable pour consulter X fois par jour les sites des potins people.

Toots alluma son portable et entreprit de taper un e-mail à son amie Mavis, qui vivait dans le Maine, dans une petite maison en bois près de l'océan.

« Je voudrais que tu viennes me voir, Mavis. Tu débordais toujours d'idées. Quand est-ce que tu peux arriver ? Au fait, je viens d'enterrer Leland aujourd'hui, et j'ai le cafard. »

Cinq minutes plus tard, le portable signala d'un « bip » la réception d'une réponse sur sa messagerie.

« Navrée, Toots, je ne peux pas m'offrir un voyage comme ça. Ni laisser ma chienne Coco. Ces jours-ci, c'est véritablement ma seule amie. Je suis désolée que ton chien Leland soit mort. Je ne savais même pas que tu en avais un. C'est terrible quand on perd son animal de compagnie. Navrée, Toots, j'aimerais bien te revoir, mais ma retraite ne couvrira pas les frais d'un tel voyage en ce moment. »

Toots cilla. Comme c'était bizarre que Mavis croie que Leland était un chien ! Elle se demanda d'où pareille idée lui venait, puis se fit la réflexion que son amie n'avait pas tort. Après tout, un mari était un animal de compagnie comme un autre. Elle répondit aussitôt :

« Je t'enverrai un billet de première classe, pour toi et Coco. Leland était mon mari. »

En retour Mavis envoya :

« MDR, j'avais oublié que tu t'étais remariée ! Dommage, trop triste. Mais tu t'en remettras, Toots, comme toujours. J'accepte ton offre avec plaisir et j'ai déjà hâte de te revoir. Ça fait bien trop longtemps. Les autres viennent aussi ? »

Toots saisit avec fougue sa réponse :

« J'y travaille en ce moment même. Je t'en dirai plus demain. »

Elle adressa ensuite un e-mail à Sophie, qui avait épousé un coureur de jupons. Ce dernier avait désormais, à en croire le dernier message en date de Sophie, un pied dans la tombe et l'autre sur une peau de banane. Les trois amies savaient bien que Sophie haïssait son conjoint et qu'elle s'occupait de lui – plus ou moins – uniquement en raison des 5 millions de la police d'assurance qu'elle avait contractée en son nom quelques années plus tôt.

« Je reste juste le temps qu'il faut pour encaisser le pognon, ensuite je me tire ! » disait-elle.

« Sophie, je t'écris cet e-mail pour t'inviter. Si tu as un créneau de libre dans ton agenda, je suis disposée à t'envoyer un billet d'avion. Ça fait bien trop longtemps déjà qu'on ne s'est plus revues. J'ai quelque chose en tête que les autres et toi devriez trouver intéressant. Ce sera comme au bon vieux temps. »

Sa réponse fut si rapide que Toots en fut surprise.

« Je ne peux pas le laisser seul ici. Ce vieux rapace met vraiment trop longtemps à mourir. Je n'ai pas payé ce monceau de primes d'assurance pendant toutes ces années pour m'en voir retirer tous les bénéfices au dernier moment. En outre, je veux qu'il en bave tous les jours en se demandant si je vais continuer à lui donner ses médicaments et à le nourrir. Ce que je fais, bien sûr. Quel genre de personnes serais-je, sinon ? »

Toots compatissait complètement.

« Pas d'inquiétude, Sophie, je déléguerai une infirmière à domicile pour ton mari vingt-quatre heures sur vingt-quatre et sept jours sur sept. Alors, tu viens ? Au fait, j'ai enterré Leland aujourd'hui. »

Sophie riposta du tac au tac :

« OK, je vais réorganiser mon emploi du temps – qui n'en est pas vraiment un. Donne-moi juste ma date de départ. Qui est Leland ? »

« Je te dirai, pour la date de départ. Leland était mon mari. Je dois me conformer à cette histoire de deuil de dix jours. Neuf si tu comptes aujourd'hui. Et c'est bien ce que je fais, tu me connais ! Tu pourras m'observer à l'œuvre et voir de quoi il retourne. Comme ça, tu sauras comment te comporter toi aussi quand le minable que tu as épousé mordra la poussière. Le deuil, c'est délicat. Il ne faut pas se rater, sinon ça jase dans tous les sens. »

« C'était quel numéro, Leland ? » s'enquit Sophie. « Je crois bien que tu as eu plus de maris qu'Elizabeth Taylor. »

Toots s'empressa de répondre :

« C'était le numéro 8, et je ne me remarierai plus jamais. Je t'en dirai plus demain. Il faut que je contacte Ida. Elle, elle va être coriace. Tu te souviens combien nous nous détestions tout en prétendant le contraire ? Je crois que ça lui tape encore sur les nerfs que j'aie épousé le type qu'elle convoitait. Si je ne le lui avais pas soufflé sous le nez, c'est elle qui serait veuve à l'heure qu'il est. J'ai essayé de lui dire que ce mec n'était qu'un raté, une nullité – sauf qu'il était plein aux as. »

Sans attendre d'autre message de la part de Sophie, elle enchaîna avec Ida, allant droit au but :

« Ida, c'est Toots. Je t'envoie cet e-mail pour t'inviter à me rendre visite. Mavis et Sophie ont accepté de venir, et ce sera comme au bon vieux temps. J'ai un plan, Ida, et je voudrais que nous nous impliquions toutes les quatre. J'espère que tu ne me gardes pas encore un chien de ta chienne. Il est temps pour nous d'oublier toutes ces vieilles histoires stupides. Crois-le ou pas, je t'ai fait une fleur en te volant Machin-Chose. Même tout son fric ne suffisait pas à faire oublier à quel point il était assommant. Cela dit, il était gentil et attentionné. Alors, qu'en dis-tu ? Au fait, j'ai enterré Leland aujourd'hui. Je suis en deuil, encore neuf jours à tirer. »

La réponse d'Ida fut laconique :

« J'en suis ! Dis-moi quand tu veux me voir arriver. Oh, snif pour Leland ! »

Toots se frotta les mains et referma son portable. Elle avait le vent en poupe, elle le sentait. Quant à ce fameux plan qu'elle concoctait… elle n'avait pas l'ombre d'une idée sur la question. Pour l'instant. Elle en trouverait bien une. Elle en trouvait toujours une.

Chapitre 3

Aussi loin qu'elle s'en souvenait, Toots s'était toujours réveillée à 5 heures du matin en semaine. Mais là, au dixième et dernier jour de deuil, elle se réveilla à 3 heures, plus excitée qu'elle ne l'avait été depuis des lustres. Sophie, Mavis et Ida allaient arriver au saut du lit ce matin-là. Ç'allait être sa journée « bouge tes fesses ! »

Par la force de l'habitude, elle fit rapidement son lit. Elle laisserait Bernice, sa gouvernante et amie, se soucier ensuite de faire le ménage et de passer l'aspirateur. Ce jour devait représenter pour elle un nouveau départ. Elle voulait vivre comme une femme qui aurait la moitié de son âge, et non comme une vieille schnock quelconque qui enterrait ses maris successifs comme autant de trésors antiques, en passant ensuite le restant de ses jours à entretenir la flamme du souvenir. Ça, non, très peu pour elle !

Ravie de pouvoir enfin rejeter ses tenues de deuil, Toots opta pour un chemisier d'un rose vif et une jupe rouge cerise. Elle mesurait un peu plus d'un mètre soixante-dix et, par chance, ne s'était pas voûtée comme bien des femmes de son âge ; sa chevelure châtaine aux reflets roux conservait son lustre. Naturellement, elle faisait une couleur, mais ça, c'était son petit secret. Elle se coiffa, optant pour une queue-de-cheval assez lâche.

Pas mal pour soixante-cinq balais! se dit-elle en s'inspectant dans son miroir en pied.

Trois de ses maris lui avaient dit qu'elle avait de faux airs de Katharine Hepburn – encore qu'elle aurait été bien embêtée si elle avait dû préciser lesquels. Peu importait, de toute façon. Elle sourit à son reflet. Sa tenue était un rien criarde, mais, après dix journées de noir, elle comptait s'habiller aux couleurs de l'arc-en-ciel. Plus de mari, donc il n'y aurait plus besoin de noir. Avec cette idée à l'esprit, Toots débarrassa son armoire de tout ce qui était noir pour le balancer dans le panier à linge. Elle en ferait don à des œuvres de bienfaisance. Cela fait, elle descendit dans la cuisine, sa pièce préférée de toute la maison.

Les lattes du vieux parquet en pin resplendissaient comme autant de lingots d'or. Au lever du soleil, Toots savait que les fenêtres qui venaient d'être lavées étincelleraient tels des diamants. Bernice et elle avaient passé la journée de la veille à frotter les vitres à l'aide de vieux journaux et de vinaigre blanc. Des carpettes rouge et vert émeraude aux couleurs de Noël jonchaient le sol. Des bibliothèques rouges, que Leland avait jugées tape-à-l'œil et de mauvais goût, s'alignaient le long de trois des murs. Contre le quatrième se dressait une cheminée constituée de grandes pierres que Toots elle-même avait rapportées des montagnes de la Caroline du Nord. Leland avait qualifié son œuvre de « camelote ». Elle lui avait alors rappelé que c'était chez elle, et qu'il était libre d'aller vivre dans la maison d'hôtes si ça lui chantait. Ce vieux salopard avait préféré ne pas bouger, bien entendu. Mais, après cela, il l'avait bouclé. Et voilà qu'il était mort et enterré. Toots pourrait repeindre les murs en mauve si le cœur lui en disait.

Chassant de son esprit toute pensée relative à son défunt époux, Toots se fit du café et pêcha ses cigarettes dans le tiroir où elle dissimulait sa réserve secrète de barres chocolatées. Quand le café eut fini de passer, elle en remplit sa tasse fétiche. Cigarettes et café en main, elle sortit s'asseoir sur la véranda, à l'arrière de la propriété.

Elle adorait ce moment de la journée. Les oiseaux s'éveillaient, et le pot-pourri de leurs gazouillements était comme une musique. Les fleurs et les taillis portaient encore le délicat glacis de la rosée. Le terreau fraîchement labouré du jardin voisin embaumait l'air du petit matin, rappelant à Toots que l'été arrivait à grands pas. Le bouquet de jasmin à floraison nocturne qu'elle avait cueilli la veille au soir ornait un vase posé sur une console en osier, remplissant ses sens de son odeur entêtante. Dieu, ce qu'elle aimait cet endroit ! Elle ne pouvait pas même imaginer vivre ailleurs, où que ce soit dans le vaste monde.

Prenant une grande gorgée de café, Toots passa en revue tout ce qu'il lui restait à faire. La veille, Bernice et elle avaient trimé dur pour astiquer la maison du sol au plafond. Pete, son jardinier et ami de longue date, avait débarrassé les parterres fleuris des mauvaises herbes, taillé les buissons, tondu le gazon puis coupé les feuilles mortes des deux chênes de Virginie. Les mangeoires des colibris étaient de nouveau remplies, des grains séchés étant disséminés alentour pour dissuader les écureuils de les vider. Mais ça, c'était une cause perdue. Toots faisait cela chaque année et ne voyait pas de raison de s'arrêter de sitôt. Elle avait une routine, à laquelle elle aimait se raccrocher la plupart du temps, mais elle se découvrait d'autres aspirations, quelque chose qu'elle n'avait pas réussi à faire taire depuis le décès de Leland. Tout ce qu'elle y comprenait, au mieux, c'était qu'une sorte d'impatience déferlait dans ses veines. Était-ce donc ça, vieillir ? Ça consistait à se sentir perdue, sans plus savoir ce que l'on veut ? Non, non et non ! Elle ne s'apitoierait pas sur son sort en se laissant aller à croire ces bêtises.

Ses meilleures amies au monde étaient en route pour venir la voir. Broyer du noir n'était pas à l'ordre du jour. Elle aimait voir le bon côté des choses et se rappeler tout ce qui lui permettait de s'estimer heureuse. À soixante-cinq ans, elle avait une santé de cheval, à en croire le bilan qu'elle avait passé trois mois plus tôt. Elle avait une fille superbe qui semblait prospérer à Los Angeles. Ses plus chères amies étaient toujours en vie. Elle avait plus d'argent que la holding financière d'investissement JPMorgan Chase, du moins jusqu'à ce jour, et, selon elle, ça n'était pas près de changer. La vie était belle.

Elle reprit une gorgée de son café refroidi, alluma une autre cigarette et inhala les toxines avant d'expirer l'âcre fumée dans la fraîcheur matinale. Ida en resterait sur le cul, comme dans *White On Rice* de Dave Boyle, quand elle découvrirait que son amie Toots fumait encore. Ida était d'avis que tout ce qui, dans la vie, procurait du bien-être était en fait mauvais pour la santé. À l'en croire, respirer était mauvais pour la santé. Selon Mavis, Ida avait une affliction que les spécialistes baptisaient « TOC », ou « troubles obsessionnels compulsifs », quoi que ça puisse bien être. Personne ne souffrait donc plus de bonne vieille constipation ? Pourquoi fallait-il maintenant réduire les moindres pathologies à des acronymes ?

Un nouveau départ, songea Toots en retournant dans la cuisine remplir sa tasse. *Du genre flambant neuf*…

Sans conjoint pour qui s'en faire – non qu'elle s'en soit beaucoup souciée –, Toots se retrouvait livrée à elle-même pour la première fois depuis très longtemps. Elle n'était pas certaine d'apprécier cette idée tant que ça, au fond. Elle avait toujours eu à proximité de la famille éloignée ou – brrr ! – un mari à affronter. Avec Abby sur la côte Ouest et ses amies disséminées un peu partout dans le pays, Toots comprit que ce qu'elle éprouvait était un sentiment de perte, le fait que plus personne n'ait besoin d'elle. Et merde ! Quelqu'un avait toujours besoin de quelque chose. Elle trouverait simplement un nouveau besoin à combler et vivrait sa vie de bon cœur.

N'étant pas femme à se morfondre, Toots prit encore deux gorgées de café et fuma trois cigarettes supplémentaires avant de se préparer un bol de céréales – c'était une inconditionnelle des Froot Loops, ces trucs ronds et colorés – généreusement saupoudrées d'une rasade de sucre et arrosées de lait entier. Elle éclata de rire en pensant à ce qu'elle se représentait comme ses manies pernicieuses.

— Qu'est-ce que vous fabriquez à cette heure-ci dans ma cuisine en train de rire comme une tarée ? lança Bernice, campée sur le seuil de la porte d'entrée d'où elle observait son employeuse cinglée, celle qu'elle aimait plus qu'elle n'avait jamais aimé son défunt mari.

Toots faillit sauter au plafond.

— Bon sang, Bernice, tu m'as flanqué une de ces frousses ! Je n'ai pas entendu la porte d'entrée s'ouvrir.

Je pourrais te poser la même question. Pourquoi es-tu là si tôt ?

— Nous avons beaucoup à faire aujourd'hui. Vous l'avez dit vous-même hier soir. Toutes vos amies chichiteuses seront bientôt là. Je ne voudrais pas qu'elles s'imaginent que vous ne vivez pas comme une reine. Mais me voilà à vos ordres. Vous vous rappelez comment vous m'avez appris à dire cela après le décès de votre troisième mari ?

Toots fit la grimace. Elle ne se rappelait rien de tel, mais acquiesça néanmoins.

Bernice était davantage une amie qu'une employée. Lorsque Toots l'avait informée de la venue imminente de ses amies, Bernice ne s'en était nullement réjouie. Ne voulant pas qu'elle se sente délaissée, Toots lui avait demandé de lui prêter main-forte pour accomplir quelques tâches supplémentaires, dans l'espoir qu'elle aurait ainsi l'impression de faire partie de la bande. Mais Bernice agissait comme si elle venait d'être piquée par un essaim d'abeilles hargneuses. Et elle marmonna quelque chose qui ressemblait à « boniche ».

— Oh, arrête un peu, tu veux ? Tu te comportes comme une gamine ! Tu n'es pas obligée de rester dans le coin quand les filles seront là. Je suis certaine que tu auras plein d'autres activités pour meubler ton temps.

Bernice et Toots savaient toutes deux que c'était un gros mensonge. Pour toute famille, Bernice avait un fils qu'elle n'avait pas revu depuis quatre ans et dont elle n'avait plus entendu parler depuis lors, un fils qui sillonnait prétendument le monde à la recherche de ses racines.

— Si vous n'étiez pas mon employeuse, reprit Bernice avec un soupçon de son humour familier, je vous dirais bien de lécher mon vieux cul tout fripé.

— Ah ouais ? Et si tu n'étais pas mon employée préférée, je te rétorquerais que tu es virée ! Là, tu vois ?

— Vous avez vidé la cafetière ? s'enquit Bernice.

— Oui, et alors ? répliqua Toots d'une voix chantante. Tu fais la police du café, ce matin ?

— Vous savez que j'aime boire au moins trois tasses avant de me mettre au travail. Préparez donc une autre cafetière pendant que je me fais du pain grillé.

— Chef, oui chef ! sourit Toots.

C'était leur routine du matin. Bernice était du genre légèrement possessive, mais dans un bon sens du terme quand ça touchait à son amitié avec sa patronne. Au fond, Toots savait qu'elle baisserait les bras et se laisserait mourir si jamais Bernice l'abandonnait. Elle se consolait en se disant qu'une fois que son amie en viendrait à connaître les filles durant leur séjour, elle se raviserait. Elles auraient tout leur temps pour papoter et faire connaissance.

Le téléphone sonna, alarmant Toots. Au fil de huit mariages, elle avait appris que les coups de fil tôt le matin ou tard le soir n'auguraient rien de bon. Elle hésita avant de décrocher, puis se rappela qu'il n'y avait plus de maris à enterrer.

— Allô ? dit-elle d'un ton alerte.

— Maman, tu es vraiment réveillée de si bonne heure ou tu feins de l'être ? demanda Abby.

— Je pourrais te poser la même question. Puisque tu es sur la côte Ouest, ça signifie probablement que tu décompresses après une nuit de travail. Alors, de quoi s'agit-il ? Pourquoi est-ce que tu m'appelles à cette heure indue ? Tu vas bien, n'est-ce pas ? ajouta Toots, angoissée.

— Tout dépend de ce que tu appelles « aller bien ». Est-ce que je suis en bonne santé ? Oui. Est-ce que j'ai payé mon emprunt, ce mois-ci ? Oui. Est-ce que Chester va bien ? Oui aussi.

Abby soupira. Chester était le berger allemand qu'elle avait adopté trois ans plus tôt, le jour de Noël. Abby l'appelait son « doux bébé d'amour », mais Chester ne réagissait jamais à ce petit nom.

Toots connaissait sa fille, et elle savait qu'Abby n'appellerait pas à cette heure du jour, ou du petit matin en l'occurrence, à moins que quelque chose ne l'inquiète vraiment.

— Quel est le problème, alors ? C'est un homme ? Si tu as rencontré un autre imbécile qui a besoin qu'on le prenne en main, moi, je saute dans le prochain vol !

Abby traita la raillerie par le mépris.

— Maman, je viens d'avoir des nouvelles troublantes. On dirait que ce bon vieux Ragot a des soucis. Tout le personnel savait qu'il avait des problèmes de jeu. Ce qu'on ignorait, c'était à quel point. Hier après-midi nous avons eu une réunion du personnel ; il nous a dit qu'il mettait *The Informer* sur le marché. Il a prétexté qu'il était fatigué de travailler, alors que nous savons tous que c'était en fait pour régler ses dettes de jeu. Il passe pratiquement tous ses week-ends à Las Vegas. Je ne sais pas ce que je vais faire pour dégotter un autre job. Comme il était dans une de ses humeurs vindicatives, il a ajouté qu'une des conditions à la mise en vente du journal serait probablement le départ de tous les anciens employés. Je ne fais qu'évacuer le stress en t'appelant, tu sais, maman.

— Oh, ma chérie, c'est affreux ! D'après tout ce que tu m'as raconté à son sujet, il pourrait tout simplement se tirer une balle. Tu m'as aussi dit qu'il menaçait de vendre, de temps en temps, mais qu'il ne passait jamais à l'acte. Cramponne-toi jusqu'à ce que tu aies quelque chose d'un tout petit peu plus précis pour continuer. Simple curiosité : as-tu la moindre idée de ce qu'il demande pour le journal ? ajouta Toots, frappée d'une idée subite.

— Je ne sais pas, maman. Je suis certaine que, si c'est vraiment mis en vente, *Globe* ou *The Enquirer* le reprendra pour une bouchée de pain. Et, dans ce cas, ils ont l'embarras du choix pour reformer une équipe ou même prendre le relais. C'est juste que ça me fout en rogne que les travers d'un patron me coûtent mon job, à moi comme à une poignée d'autres. Rien qu'à l'idée de devoir sans doute pointer au chômage et toucher des allocations, je suis furieuse !

— Tu pourrais revenir à la maison, Abby. *The Post and Courier* t'embaucherait en un clin d'œil. Tu le sais bien.

Amanda Lawford, propriétaire et éditrice de *The Post and Courier*, avait travaillé avec Toots sur une dizaine au moins de commissions communes, lui répétant que, si jamais Abby décidait de revenir à Charleston, elle lui donnerait un job et l'affecterait aux affaires criminelles. Abby n'avait pas été intéressée. Cette fois, cependant, ce serait peut-être différent.

— Merci, maman, mais non merci. J'ai vingt-huit ans. La dernière chose que je veux, c'est bien de rentrer au bercail la queue entre les jambes. En outre, Amanda Lawford me veut dans les parages juste pour que je sorte avec son geek de fils !

Toots rit aux éclats.

— Tu as raison là-dessus. Quand je tombe sur lui, il me demande toujours de tes nouvelles.

— Dis-lui « bonjour » de ma part la prochaine fois que tu le verras. Ce n'est pas un mauvais bougre, c'est juste que ce n'est pas mon type d'hommes. De plus, je ne pourrais jamais sortir avec un gus prénommé Herman ! Ça me rappelle la série que je regardais étant gamine.

— *Les Monstres* !

Toots rit en se remémorant sa fille scotchée devant les rediffusions de la vieille série télé ; autant qu'elle sache, Abby n'avait jamais raté un épisode.

— Ouais, c'était ça. Alors, c'est pour quand, l'arrivée de toutes mes marraines ? Je n'arrive pas à croire que tu aies bel et bien orchestré leur venue en même temps. J'ai l'impression de ne pas les avoir revues depuis une éternité.

— Reviens à la maison et tu pourras les embrasser, Abby. Elles adoreraient te revoir aussi, tu sais, l'encouragea Toots. Je t'achèterai un billet.

— Le moment est mal choisi. Comme tout ça est sur le point de nous péter à la figure, je doute que prendre des vacances serait dans mon intérêt. Sans compter que j'en reviens tout juste, de la maison.

— Ta chambre t'attend si tu changes d'avis. Bernice prend un vif plaisir à la rafraîchir chaque jour au cas où tu te déciderais à nous rendre une visite impromptue.

— Merci, maman. Tu es la meilleure, mais, pour l'instant, j'avais juste besoin que tu me consoles. Je trouverai bien une solution. Je peux toujours bosser pour le *Los Angeles Times*. Je reçois des e-mails de mon ex-rédacteur en chef au moins une fois par mois ; il essaie toujours de me persuader de revenir.

— Écrire des papiers sur des politiciens guindés et le gouvernement ne te rendrait pas heureuse, dit Toots.

Elle entendit Abby soupirer.

— Si on en arrive là, je l'envisagerai. J'ai des factures à régler et, non, je ne te laisserai pas les payer pour moi, alors inutile d'aborder le sujet, d'accord ?

Toots sourit malgré elle. Abby était exactement comme son père, animée d'une farouche indépendance.

— Tout ce que tu voudras, ma chérie. Sache simplement qu'on peut t'aider si ça devient trop dur.

— Comment j'ai fait pour avoir la chance de me retrouver avec une mère comme toi ? fit Abby.

— Le hasard du tirage, ma puce, conclut Toots.

Elle espérait qu'Abby se souviendrait de cette expression dans six mois.

Chapitre 4

Toots s'affairait dans la cuisine, ouvrant et fermant des tiroirs.

— Où est mon carnet d'adresses ? Je sais qu'il est là, quelque part.

— Il est sur votre bureau, dans votre chambre, dit Bernice, entre deux bouchées de pain grillé. Souvenez-vous, vous le laissez toujours là.

— Mais bien sûr ! s'exclama Toots. Tu as raison. Où avais-je la tête ?

— Dans les nuages, railla Bernice.

— Arrête un peu ! lança Toots par-dessus son épaule en fonçant à l'étage.

Tandis qu'elle mettait la main sur son carnet d'adresses, effectivement posé sur son bureau, elle entendit Bernice marmonner dans sa barbe. S'esclaffant, elle secoua la tête. À l'arrivée de Bernice, Abby n'était encore qu'un bébé. À l'époque, lorsqu'elle avait répondu à l'annonce que Toots avait publiée dans le journal, au New Jersey, Bernice elle-même venait tout juste de perdre son mari et avait un jeune fils à charge. Quand John Simpson, le grand amour de Toots et le père d'Abby, avait péri dans un accident de voiture, toutes deux avaient alors laissé derrière elles le New Jersey sans un regret. Bernice n'avait pas hésité une seule seconde lorsque Toots lui avait demandé de venir avec elle à Charleston. Abby avait cinq ans. Où s'étaient envolées toutes ces années ?

Bernice connaissait Toots mieux que ses huit époux réunis. Elle était restée à ses côtés, traversant avec elle les bons moments comme les mauvais. Tout amie intime qu'elle soit devenue, Bernice avait toujours conscience de son rang d'employée. Toots, quant à elle, lui vouait une confiance aveugle.

Toots feuilleta son carnet jusqu'à ce qu'elle tombe sur le numéro de son beau-fils, Christopher Clay. Elle consulta l'horloge et s'avisa qu'il était probablement trop tôt pour passer un coup de fil. Et zut ! Si Christopher ressemblait un tant soit peu à son père, il devait se lever avec les poules. Toots composa le numéro en dépit du décalage horaire de trois heures. C'était important. Au diable les convenances ! Alors qu'elle attendait que ça sonne à l'autre bout de la ligne, elle s'efforça de se remémorer où Garland, le père de Christopher, se situait sur son échelle des maris. Le quatrième, peut-être. Quand ils s'étaient mariés, Christopher était scolarisé en pensionnat.

Toots se rappelait avoir craint que Chris ne voie en elle une malveillante marâtre, mais ça n'avait nullement été le cas. La première épouse de Garland était décédée alors que son fils était encore au berceau, et Chris avait été ravi à la perspective d'avoir une « vraie mère ». D'entrée de jeu, tous deux s'étaient très bien entendus. Encore maintenant, Toots le considérait comme son fils. Quand Garland était mort en lui léguant tout, elle avait aussitôt transféré les millions à Chris, qui commençait à peine des études de droit. Elle avait conservé la résidence où ils avaient vécu simplement parce qu'en ce temps-là

Chris ne s'était pas senti prêt à assumer les responsabilités incombant à un propriétaire. Le moment venu, elle lui transmettrait également la résidence. Toots gardait de très bons souvenirs de leur vie commune. Elle espérait que Christopher aussi.

— Il vaudrait mieux que ce soit important, grogna une voix enrouée au bout du fil.

— Christopher, bonjour ! s'exclama-t-elle gaiement. C'est Toots, comment ça va, mon chéri ?

À Hollywood, tout le monde était le « chéri » de tout le monde.

À l'autre bout de la ligne, la voix désincarnée s'esclaffa.

— J'aurais dû me douter que c'était toi, Typhon Toots ! Toi seule es assez dingue pour m'appeler en pleine nuit... enfin, au petit jour.

Chris l'avait affublée de ce sobriquet, « Typhon Toots », la semaine où il avait terminé ses études diplôme en poche et où elle avait organisé une fête pour deux cents de ses amis en quelques heures à peine.

Toots sourit. Elle avait toujours admiré et respecté son beau-fils, se réjouissant qu'ils soient restés proches malgré le passage des années. Elle savait qu'elle pouvait compter sur lui en toutes circonstances. Lorsque Abby avait décidé d'emménager à Los Angeles, savoir que Chris serait là, en coulisse, pour veiller sur elle avait soulagé Toots d'un immense poids. Chris était d'un naturel aussi sérieux et responsable que son père l'avait été.

— Écoute, je suis navrée de t'appeler si tôt, mais c'est important. Autrement, je ne t'embêterais pas. J'ai besoin de conseils juridiques, Chris, et j'ai tout de suite pensé à toi. Sans compter que tu es à Los Angeles, ce qui a emporté le morceau.

—Merci pour le vote de confiance, Toots. Que se passe-t-il à L.A. ?

—C'est Abby, répondit-elle. Elle a des problèmes.

—Oh non ! Pourquoi tu ne m'as rien dit ?

—Je te le dis maintenant. Et, Christopher, ce n'est pas une question de vie ou de mort. Du moins pas à ce stade. (Toots songeait bien à étouffer Rodwell Archibald Godfrey, mais elle garda cela pour elle.) Soyons clairs, Abby est en vie et en bonne santé, ou je ne serais pas en train de te parler au téléphone. Mais elle a des problèmes au travail.

—Elle rédige toujours des papiers pour ce torchon ?

Toots répondit avec une douceur non dénuée de fermeté :

—Oui, Christopher, elle écrit toujours pour ce torchon. Elle aime son boulot et se moque bien de l'avis des autres.

—Inutile de prendre sa défense, Toots. Je suis un avocat spécialisé dans le monde du spectacle, et nous ne nous situons pas très haut sur l'échelle juridique non plus. Alors dans quelle sorte de pétrin Abby s'est-elle fourrée ?

Voilà qui était mieux. Et ça lui rappela pourquoi elle avait épousé Garland. Il avait l'esprit vif et toutes ses dents. Tel père, tel fils.

—Le propriétaire du journal a besoin de rembourser ses dettes de jeu. Il a annoncé à son personnel qu'il allait vendre.

Christopher gloussa.

—Qu'est-ce que ça a à voir avec Abby ? Ne veut-elle pas travailler pour quelqu'un d'autre ? Elle est douée,

Toots. Elle pourrait trouver une place dans n'importe quelle rubrique de n'importe quel grand journal.

— Je le sais bien, je suis sa mère ! Abby adore bosser pour les tabloïds, que veux-tu, ajouta Toots d'un ton vif et brusque. Navrée, Chris, je suis un peu grincheuse, en ce moment. Je ne voulais pas te grogner dessus ! La vente du journal serait apparemment assujettie au licenciement de l'équipe actuelle, Abby y compris. Ce serait une des conditions. À en croire Abby, c'est dû à la mesquinerie et à la vindicte du patron, et j'aurais tendance à être de son avis. Mais il faut dire que je ne connais rien au fonctionnement de la presse.

— Toots, je te vois venir et, en ma qualité d'avocat, je vais te conseiller de rester en dehors de ça. Au plan financier, *The Informer* est un fiasco. Il figure très bas sur la liste des succès de la presse à scandale. Je suis sûr qu'Abby n'aura pas manqué de te le dire. Je n'ai pas la moindre idée de son tirage, mais…

— Sache-le au plus vite. Offre-leur le double du prix de la mise en vente. Pas de questions, Chris. C'est comme ça.

— Ce n'est pas un bon investissement, Toots. Je te déconseille fortement de t'engager sur cette voie-là. Tu viens de dire que tu ne connaissais rien au fonctionnement de la presse. Si tu es décidée, je ne t'en empêcherai pas, mais je te réponds franchement et ouvertement que c'est une piètre tactique. Et je n'ai aucune envie non plus de t'offrir mes services de courtier. Tu y as vraiment bien réfléchi, Toots ? Que pense Abby de tout ça ?

Elle était sûre qu'il allait lui poser cette question !

— J'en ai considéré tous les aspects, Chris. (Toots inspira profondément, avant d'expirer un grand coup.) Pour le moment, Abby ne se doute pas de mes intentions.

— Et je suppose que tu ne comptes pas lui en faire part, commenta Christopher, non sans aigreur.

Il n'appréciait pas du tout cette conversation. Vraiment pas.

Manquait-elle à ce point de finesse ? Eh bien, oui ! Elle était mère et savait ce qu'elle avait à faire pour sa fille. Toute femme, toute mère saine d'esprit entreprendrait tout ce qui était en son pouvoir pour favoriser la carrière de son enfant. Et si c'était précisément le genre d'excitation peu scrupuleuse à laquelle elle aspirait… pourquoi pas ? Elle avait déjà hâte d'en parler à Sophie, à Mavis et à Ida.

— Tu supposes bien, mon chou.

— OK, Toots. Accorde-moi un jour ou deux, le temps que je donne le coup d'envoi.

— Tu es un chic type, Chris, tout comme ton père. Je savais que je pouvais compter sur toi.

Dix minutes plus tard, Toots était redescendue et se versait une énième tasse de café. Brillait au fond de ses yeux une petite lueur qui n'y avait plus dansé depuis… bien longtemps.

— Bernice, j'ai une bonne bouteille de scotch dissimulée quelque part. Trouvons-la et trinquons !

Elle fouilla dans tous les buffets et découvrit le whisky près des produits d'entretien, sous l'évier. Bernice tendit sa tasse vide.

— Et si vous me disiez à quoi nous trinquons ?

Toots eut soudain peur de porter la poisse à son projet éventuel si jamais elle en parlait avant que le fait soit accompli. Elle avait toujours été superstitieuse.

— Oui... Non ! Je n'en suis pas certaine. Peu importe. (Elle leva bien haut sa tasse.) Buvons à de nouveaux départs et à des fins heureuses !

Les deux femmes trinquèrent, renversant un peu de café et de liqueur sur le parquet ciré de frais. Bernice laissa tomber un bout d'essuie-tout, essuyant la tache du pied.

— J'aime bien ta façon de nettoyer, ma chère Bernice, mais ces dames de la haute verraient d'un mauvais œil cette méthode bien particulière. Moi, personnellement, je m'en fiche... Et je me dis que ces dames nous qualifieraient toutes deux de tocardes, ajouta Toots en se versant ainsi qu'à Bernice une nouvelle rasade généreuse de scotch.

— Ce n'est pas le raisonnement que vous vous teniez hier quand vous me faisiez trimer comme une mule.

— Oh, Bernice, arrête de te plaindre ! Je ne t'ai pas fait trimer comme une mule. Tu as le boulot le plus peinard de tout Charleston, assena-t-elle en vidant sa tasse cul sec.

— Ne vous emballez pas, Toots.

Toutes deux éclatèrent de rire devant l'absurdité de leur situation. L'une comme l'autre savaient que la vie ne pouvait pas être plus belle. C'est juste qu'elles adoraient se faire tourner en bourrique afin, pour reprendre l'expression de Bernice, de « mieux se tirer l'une l'autre par la barbichette ».

— Donc, maintenant que nous voilà déjà bien éméchées, voulez-vous bien me dire pourquoi nous buvons du scotch à 5 heures du matin ? s'enquit Bernice.

— Non, mais sache juste une chose : il se pourrait bien que j'aille faire un tour sur la côte Ouest. Bientôt. Genre, après-demain.

— Et vos amies ? Vous ne pouvez tout de même pas me laisser là pour les accueillir et les divertir à votre place ! Je ne les connais même pas !

Bernice s'agita, tout en émoi, telle une poule qui a pondu un œuf.

— Elles viendront avec moi, naturellement. Tu pourras nous accompagner aussi, si tu le désires, tu sais bien, Bernice. Je ne te laisse pas en dehors du coup.

— Très peu pour moi, non madame ! Je refuse de monter à bord d'un avion. Ça ne fait pas partie des attributions de mon poste. Je vais rester ici et m'assurer que Pete n'oublie pas de garder les mangeoires bien remplies. Merci beaucoup.

— Oh, Bernice, vis un peu ta vie ! L'existence est trop courte pour que tu laisses la peur te cantonner au plancher des vaches.

— Toots, j'ai soixante-dix ans. Si Dieu avait voulu que je vole, Il m'aurait donné des ailes. J'ai vécu jusque-là les deux pieds sur terre et je compte bien continuer comme ça. Je n'ai jamais pris l'avion de toute ma vie. Arrivée à ce stade, je ne pense pas que ça change quoi que ce soit. Et je ne vois vraiment pas en quoi ça améliorerait mon existence d'ailleurs, ajouta Bernice, attachée à défendre sa phobie de toujours.

Toots réfléchit à ce que sa gouvernante venait de lui dire. Du point de vue de Bernice, elle supposait que c'était frappé au coin du bon sens.

— Tu as probablement raison, mais n'empêche que tu pourrais l'envisager.

— N'empêche que rien du tout. Ce n'est pas naturel. Si les gens devaient voler, ce seraient des oiseaux.

Chaque fois que le sujet revenait sur le tapis, Bernice recourait au même argument, se moquant de se répéter.

— Je suppose que tu as raison là-dessus aussi, mais tu ne sais pas ce que tu rates. Il reste tellement de lieux que j'aimerais visiter. En fait, j'ai l'intention de me partager entre la côte Est et la côte Ouest. C'est devenu très en vogue chez les seniors, du moins les seniors fortunés et en bonne forme.

Si elle parvenait à racheter *The Informer*, elle serait obligée d'adopter ce mode de vie.

— Vous êtes certainement très qualifiée pour ça, répondit Bernice d'un ton acerbe.

— Le fait est. Maintenant, passons à ma liste « bouge tes fesses ! » et voyons en vitesse ce qu'il reste à faire. J'ai toujours du shopping de prévu. Je pense que je demanderai à Pete de me conduire puisque j'ai… un peu bu.

— Eh bien moi, en tout cas, j'ai besoin de me reposer une minute. À une heure aussi matinale, la gnôle passe mal. Nous aurions dû manger plus consistant, d'abord. Allez faire les boutiques. Je vais changer les draps pour vos invitées pendant ce temps-là.

— Bonne idée. Grâce au Ciel, Wal-Mart ne ferme jamais ! Si tu penses à quelque chose qui ne figure pas sur la liste, passe-moi un coup de fil sur mon portable, lança Toots par-dessus son épaule.

Attrapant au vol son sac à main et les clés de sa Lincoln, elle sortit par la porte arrière sans un mot de plus et se lança à la recherche de son jardinier.

Deux heures plus tard, le soleil brillait à travers la fenêtre de la cuisine tandis que Toots déchargeait quatorze sacs de commissions sur le plan de travail. Elle survola sa liste, cochant chaque produit à mesure qu'elle le sortait d'un sac.

— Bon sang, il se trame quelque chose avec Ida ! lança-t-elle à voix haute.

Bernice traversa la cuisine telle une brise estivale.

— Vous êtes déjà de retour ?

— Oui, 6 heures du matin est l'heure idéale pour faire ses courses. Il n'y a pas la queue aux caisses. Regarde un peu tout ça.

Toots montrait trois sacs pleins de produits désinfectants et antigermes.

Bernice fourragea dedans.

— C'est pour quoi, tout ça ? On a déjà plein de produits d'entretien.

Légèrement médusée, Toots secoua la tête.

— Ida a dit qu'il lui faudrait quelques trucs pendant son séjour. Ce doit être à ce sujet que Mavis m'avait prévenue. À propos de la phobie d'Ida concernant les germes. Elle a appelé ça des « TOC », des « troubles obsessionnels compulsifs ».

Bernice prit une boîte dont l'étiquette portait une photo de ce qui ressemblait à un téléphone portable.

— Qu'est-ce que c'est que ce gadget de bimbo écervelée ?

— On appelle ça la désinfection UV. Il suffit apparemment de passer ces UV sur une zone contaminée, et c'est censé exterminer tous les germes en dix secondes. La bactérie E-coli, le staphylocoque doré, la salmonelle, les germes de la grippe ou du rhume, ce genre de petites bêtes. À entendre Mavis, Ida ne viendrait jamais si je ne lui en achetais pas.

— Vous pensez qu'elle va le passer sur la lunette des toilettes ? Seigneur, il faudra que je la désinfecte toutes les deux minutes !

Toots rit.

— Probablement, mais je ne pense pas que tu doives te soucier des phobies d'Ida. J'ai acheté tout ce qui pouvait exister, et bien plus encore. De plus, cette maison ne pourrait pas être plus propre qu'elle ne l'est déjà. Alors, s'il reste un petit germe ici ou là, quelle importance ? Ida devra faire avec, un point c'est tout.

— Je suppose, fit Bernice en se mettant à transférer sur les étagères du garde-manger les conserves et les aliments de base que Toots avait achetés. Je ne vois pas pourquoi on a besoin de tant de nourriture. Vous avez déclaré vous-même que vous alliez partir pour la côte Ouest entre filles. Qui va manger tout ça ? demanda-t-elle en désignant d'un geste des étagères déjà trop remplies.

— En fait, Bernice, je fais des réserves juste au cas où je serais retenue en Californie plus longtemps que prévu. Tu sais, plus qu'une dizaine de jours. À ce stade, je n'ai pas la moindre idée de la durée de mon séjour là-bas, alors j'aimerais partir l'esprit en paix, en sachant que Pete et toi ne manquerez de rien en mon absence. Le congélateur est archiplein.

Toots se demanda si elle ne mettait pas la charrue avant les bœufs. Probablement que oui, mais elle avait le sentiment que son « projet » impliquerait davantage qu'une simple série d'allers et retours rapides d'une côte à l'autre.

Elle serait peut-être bien avisée de parer à toutes les éventualités en demandant à Christopher de se renseigner pour l'acquisition d'un jet et l'embauche d'un pilote à plein temps afin qu'elle n'ait pas à renoncer à sa maison de Charleston. La perspective la fit rayonner. *Oui, c'est jouable !* se dit-elle.

— Vous m'avez rapporté ces roulés à la framboise que j'adore ?

— Est-ce que ça m'est déjà arrivé d'oublier ? Comment tu peux manger ces trucs absurdes sans prendre un seul gramme, ça, ça m'échappe.

— Je fais comme vous, Typhon Toots. Je fume, je bois et je profite des montées d'adrénaline que j'ai en voyant grimper les valeurs boursières ! Ça donne un coup de fouet à mon métabolisme. Ne le répétez à personne, parce qu'on ne vous croirait pas, mais c'est la vérité vraie ! ricana Bernice.

— Je n'en doute pas.

Tu parles !

Chapitre 5

Par chance, l'agent de voyage de Toots avait pu réserver des vols pour Sophie, Mavis et Ida, à moins d'une heure d'intervalle les uns des autres. La veille au soir, Toots en avait discuté au téléphone avec Sophie et Mavis, leur expliquant tout en détail. Toutes trois avaient convenu qu'elles ne verraient aucun inconvénient à patienter à l'aéroport jusqu'à ce que le vol d'Ida atterrisse.

Avant qu'elle parte pour l'aéroport, Bernice fit promettre à Toots de ne pas toucher à une goutte de quoi que ce soit d'alcoolisé jusqu'à ce qu'elle revienne sans encombre avec les filles. Comme si elle avait besoin qu'on le lui dise… mais c'était la façon qu'avait Bernice de veiller sur son employeuse, et Toots prenait garde de ne rien dire qui puisse la contrarier dans la mesure où elle avait passé la matinée à cavaler partout pour préparer l'arrivée des invitées.

Quarante minutes plus tard, Toots engagea sans peine sa Range Rover dans la voie d'accès à l'aéroport international de Charleston. Elle aurait bientôt son propre jet et n'aurait plus besoin de passer par les compagnies aériennes commerciales. C'était du moins ce qu'elle planifiait. Avisant le service de voiturier, elle se rangea le long du trottoir et confia ses clés à l'agent – un garçon svelte aux cheveux noirs qui devait avoir dix-huit ans à peine et mesurait déjà plus d'un mètre quatre-vingts.

Elle lui fit jurer de ne pas fumer une seule des cigarettes qu'elle avait laissées sur le siège passager, lui disant que ça retarderait sa croissance. Il jura qu'il s'abstiendrait. Toots compta les trois paquets de Marlboro Light, juste pour être sûre.

Dans l'aéroport, elle repéra les terminaux d'arrivée et fonça droit dessus. Mavis était la première à atterrir. Toots voulait être en évidence afin que Mavis l'aperçoive à la minute où elle franchirait le cordon de sécurité. Elle se demanda si son amie se réjouissait autant qu'elle de leurs retrouvailles.

Sachant que Mavis voyageait avec Coco, son chihuahua, elle s'était assurée par téléphone que garder le chien avec elles le temps d'attendre Sophie et Ida ne poserait aucun problème. On avait confirmé que ce serait toléré tant que le petit chien resterait dans son panier de transport.

Sans ce panier, Toots n'aurait pas reconnu Mavis. Même si elles se parlaient au téléphone une fois par semaine, s'envoyaient des e-mails tous les jours ainsi que des cartes d'anniversaire et de vœux pour Noël, cela faisait pratiquement six ans qu'elles ne s'étaient plus revues. Et ce que Toots voyait maintenant se dandiner vers elle n'était plus l'amie chère dont elle avait gardé le souvenir. Mavis avait pris au moins cinquante kilos depuis sa dernière visite.

Mavis repéra Toots qui patientait derrière les cordons de velours. Elle lui fit signe, ses bras grassouillets s'agitant en rythme.

— Toots ! Par ici ! lui cria-t-elle, s'arrêtant à mi-parcours pour reprendre son souffle.

Toots s'arma d'un grand sourire de façade, puis lui fit signe en retour.

— Presse-toi un peu, ma fille ! J'ai hâte de te serrer dans mes bras !

Quand Mavis dépassa enfin les cordons derrière lesquels les amis et les familles étaient autorisés à patienter, elle soufflait comme un bœuf. De la sueur perlait sur son front et sa lèvre supérieure. Elle tira de sa poche un mouchoir pour s'essuyer le visage.

— Seigneur, ce qu'il fait chaud ici ! J'ignore comment tu fais.

Toots étreignit son amie, lui claquant une bise sur la joue. Un autre plan germait dans son cerveau, qui était déjà en surchauffe. Elle sourit. Mavis avait besoin d'elle, ce qui la rendait folle de joie. Toots adorait que les gens aient besoin d'elle.

— Après quelque temps, on s'y fait. Je suis si heureuse que tu aies pu venir, Mavis. J'ai une grande surprise pour toi, mais je ne peux rien te dire tant que Sophie et Ida ne seront pas arrivées elles aussi.

— Ouaf, ouaf !

— Ce doit être Coco, dit Toots en jetant un coup d'œil dans le panier de transport.

Mavis s'efforçait de parler normalement, mais elle était encore essoufflée.

— En effet, et elle a soif. Pas étonnant, la pauvrette ! Trouvons les toilettes des dames, je verrai ensuite si j'arrive à te questionner suffisamment le temps de guetter Sophie et Ida.

— C'est juste au coin. (Toots désignait le salon d'attente.) Et tes bagages ?

Toots jeta un coup d'œil au petit sac de toile marron passé en bandoulière sur l'épaule de Mavis. Elle n'avait sûrement pas que ça.

— Je n'ai que ça. J'aime voyager léger. J'ai juste trois tenues de toute façon. Ma retraite ne me permet pas beaucoup de fantaisies. Et les impôts fonciers me tuent. J'espère que tu as une machine à laver et un sèche-linge, souffla Mavis.

— Bien sûr, quelle question ! (Toots lui prit le panier du chihuahua puis passa à l'épaule son fourre-tout.) Vas-y. Je garde tes affaires pendant ce temps.

Mavis hocha la tête et s'éloigna d'un pas lourd en direction des toilettes.

Des voyageurs aux bagages de toutes les couleurs, de toutes les tailles et de toutes les formes émaillaient le terminal. Toots captait des bribes de conversations çà et là, le vagissement occasionnel d'un nourrisson, tandis qu'elle patientait devant la salle d'attente. Coco aboya sur un jeune homme qui traversait l'aéroport à toute allure au volant de l'équivalent d'une voiturette de golf surmontée d'un gyrophare jaune. Le « bip bip bip » avait dû effrayer le petit chien. Des relents de fritures d'oignons et de vieilles graisses filtraient d'un point de restauration rapide, saturant l'air avec tant de persistance que Toots en eut l'estomac retourné. Comment pouvait-on ingurgiter ces cochonneries de fast-food ? Voilà bien un mystère qui la dépassait. Un bol de Froot Loops avec une bonne dose de sucre et un peu de crème allégée suffisait amplement à son bonheur.

Tout en attendant Mavis, Toots avait le cerveau en ébullition. D'abord, elle contacterait une amie, propriétaire de la boutique *Opulente Liz,* et achèterait des vêtements ; Mavis en aurait besoin une fois qu'elles seraient en Californie, si du moins elle acceptait de faire le voyage. Puis elle louerait les services du meilleur gourou en matière de perte de poids afin d'aider son amie à retrouver la ligne. Naturellement, elle devrait s'assurer que Mavis était en état de supporter des activités physiques un tant soit peu énergiques avant qu'on la soumette à un programme d'entraînement. Il lui suffirait de passer un coup de fil à Joe Pauley, son médecin attitré, pour une visite à domicile le soir même. Vu qu'ils étaient amis pour la vie, elle savait que Joe ferait ce qu'elle lui demandait.

Mavis émergea des toilettes, fraîche comme une rose. Ou un tournesol, peut-être. Après tout, c'était une femme massive, et aucune autre fleur plus imposante que le tournesol ne venait à l'esprit de Toots.

Nouveaux jappements montant du panier à chien.

— Allons faire un petit tour vite fait du côté de la zone réservée aux animaux domestiques, ensuite, nous pourrons revenir attendre Sophie, suggéra Toots.

Elle enleva le minuscule chihuahua de son panier, laissant la chienne lui lécher un peu le visage affectueusement, avant de la passer à Mavis.

— Par ici, dit-elle en désignant une aire, au-dehors, où d'autres canidés ainsi que quelques chats se détendaient les pattes aux côtés de leurs propriétaires.

Dix minutes plus tard, elles étaient de retour dans le salon de transit.

— Allons boire quelque chose, suggéra Toots.

— Ça me va. Un milk-shake au chocolat bien épais ne me ferait certainement pas de mal. Tout ce qu'on proposait à bord, c'étaient du soda et des bretzels. J'étais pourtant certaine qu'on aurait droit à un sandwich au moins, ou quelque chose, grommela Mavis.

Toots eut soudain la certitude viscérale que, si elle voulait aider son amie, elle devait commencer maintenant.

— Mavis, ma chérie, je ne sais pas comment te le dire, mais tu me connais, je n'ai jamais été du genre à tourner autour du pot. La dernière chose dont tu aies besoin en ce moment, c'est bien d'un milk-shake au chocolat. Je ne t'ai jamais vue avec un tel embonpoint, et ça m'inquiète.

Voilà ! C'était dit.

Mavis prit une grande inspiration et hocha la tête.

— Je sais. J'ai failli me dégonfler parce que j'ai bien cru ne pas pouvoir m'asseoir à bord de l'avion. Il a fallu qu'on me donne un extenseur pour que je boucle ma ceinture de sécurité. J'étais tellement mortifiée. Je n'arrive pas à prendre en main mes habitudes alimentaires. Ça a commencé avec une glace par-ci, deux ou trois beignets par-là, puis je suis passée à deux ou trois paquets de chips par jour en plus du reste. (Mavis baissa les yeux.) Et tu vois où ça m'a menée.

Toots eut les larmes aux yeux en entendant le dilemme auquel son amie avait été confrontée – si du moins on pouvait parler de dilemme à propos d'un surpoids de cinquante kilos. Il aurait plutôt fallu parler d'une attaque cardiaque imminente.

— Si tu veux perdre du poids, tu sais que je t'aiderai autant que je le pourrai.

Toots n'allait pas lui dire qu'elle avait déjà un plan en tête. Elle aurait besoin du concours de Sophie et d'Ida pour garder Mavis loin du réfrigérateur – et sur les starting-blocks.

— Alors j'accepterai toute l'aide que tu peux m'offrir. Je suis toute seule avec Coco. Comme tu vois, elle est minuscule et n'a pas besoin de beaucoup d'exercice, ou de nourriture. La plupart du temps, je lézarde sur ma chaise longue avec elle à mes côtés. Je mate les feuilletons à la télé, et Coco se précipite sur les miettes que je laisse. Ça fait des lustres que je n'ai plus les moyens de lui acheter de la bonne nourriture pour chien. Je me suis dit que ce qui allait dans mon estomac serait bien bon pour elle aussi, mais, quand je vois de quoi j'ai l'air, je n'ai plus qu'une envie, c'est de me rouler en boule dans un coin et mourir. C'est là que je repense à Coco, à Abby et à vous, les filles, et que je me remets à manger des salades pendant une semaine. Le problème, c'est que, peu à peu, je reprends mes mauvaises habitudes.

— Mavis, je devrais te botter le cul ! Pourquoi ne m'as-tu pas dit que c'était aussi dur pour toi ? Tu sais bien que j'ai des millions sur mon compte en banque. Non, des milliards ! Je ne vivrai jamais assez longtemps pour dépenser tout cet argent.

— Tu en fais assez, Toots. Grâce à toi, on me livre tous les ans un vrai sapin de Noël avec de beaux paquets ornés à déposer au pied. Sans parler du reste, comme cet ordinateur portable que tu m'as envoyé. Je sais que tu as aussi remboursé l'emprunt de mon appartement, alors ne me vexe pas en me mentant.

C'est vrai, songea Toots, mais elle n'avait pas vu de raison valable de le crier sur les toits.

Mavis le savait, et c'était tout ce qui importait. Toots savait également que c'était une question d'amour-propre. Mavis n'aimait pas qu'on lui fasse l'aumône, alors Toots s'en était simplement tenue à ce que son amie accepterait, à son sens, sans piquer une crise et freiner des quatre fers. Si elle avait su que la situation était aussi grave cependant, elle en aurait fait beaucoup plus. Mais tout cela allait changer. Elle appellerait Henry Whitmore, son vieil ami et directeur de la banque de Charleston, pour ouvrir un compte au nom de Mavis. Et si ça ne plaisait pas à l'intéressée, tant pis. Elle finirait bien par s'y faire.

Les choses vont changer, Mavis Hanover, et si tu n'es pas contente, eh bien, pour citer Bernice, « tu n'as qu'à lécher mon vieux cul tout fripé ! »

Toots repéra un salon sport et détente, près des terminaux de sortie. Des postes de télévision à écran plat étaient suspendus au plafond, chacun diffusant une chaîne sportive différente. Un groupe d'hommes s'esclaffait bruyamment, mais les deux amies repérèrent une banquette à trois places, près de la sortie.

Elles se glissèrent sur la banquette au cuir souple, posant le panier de Coco près de Toots puisque Mavis occupait pratiquement toute la place. Une serveuse en chemise rose vif et short noir – Tammy, d'après son badge – vint prendre leur commande.

— Nous allons prendre chacune une petite bouteille d'eau gazeuse avec une tranche de citron vert.

— Rien à manger ? demanda la serveuse avec l'accent traînant caractéristique de Charleston.

Toots se demanda si elle était légalement en âge de boire – alors, de servir de l'alcool… La jeune fille fit tinter ses bracelets en notant leur commande sur son calepin. Elle avait au moins cinq boucles d'oreilles à chaque lobe, ainsi que d'autres piercings.

Toots regarda Mavis, qui en salivait presque.

— Si, nous aimerions aussi deux salades vertes sans assaisonnement, avec des tranches de citron en supplément.

— Je suppose que je suis déjà au régime ?

— Ouais, mais ça ne sera pas si dur, en fait. Moi qui suis végétarienne, j'ai rarement faim.

Toots n'allait pas lui parler de sa dépendance au sucre.

— Si tu le dis, acquiesça Mavis.

Elles passèrent la demi-heure suivante à rattraper le temps perdu et à évoquer leurs souvenirs.

— Tu te souviens quand les seins d'Ida sont tombés du décolleté de sa robe, au bal de promo ? lança Mavis. Après cet épisode, j'ai bien cru qu'elle ne se montrerait plus jamais.

Le souvenir fit sourire Toots.

— Je crois bien que j'aurais réagi de la même façon. Dire qu'elle était la reine du bal, et tout ça. Voir la paire de chaussettes roulées en boule dans ton corsage atterrir par terre en plein couronnement n'est pas le plus agréable des souvenirs. C'était marrant, cela dit. Sophie en a fait pipi dans sa culotte, tant elle riait. On n'en a jamais reparlé avec Ida. Nous étions pleines d'ardeur, pas vrai ?

— Ça, c'est sûr ! approuva Mavis.

— Je n'échangerais pas ces souvenirs contre tout l'or du monde.

À part quelques-uns peut-être, mais ça, elle le garderait pour elle.

— C'est étonnant, après toutes ces années, que nous soyons encore amies. Je n'arrive pas à imaginer ma vie sans vous, les filles. Ou sans Abby. Seigneur, si elle n'existait pas, je ne sais pas si nous serions restées aussi proches ! Du fait que nous autres n'avons jamais eu d'enfants.

— Nous sommes toutes parties de notre côté vivre notre vie, c'est vrai. Les e-mails, c'est génial, non ? Je vois d'ici ce que seraient nos factures de téléphone sans cela. C'est si rapide, en plus ! s'exclama Toots.

— Certains de mes anciens étudiants m'envoient aussi des e-mails. J'en ai même une qui présente sa candidature au Sénat. J'ai tellement hâte de voir si elle sera élue.

— J'espère pour toi qu'elle le sera. Et j'espère qu'elle reconnaîtra quel fantastique professeur d'anglais elle a eu avec toi.

Mavis gloussa.

— Ça, je ne sais pas, mais ça ferait certainement chaud à mon vieux cœur de voir quelqu'un que j'ai un peu contribué à éduquer accéder au rang de sénateur. Dieu sait que la politique actuelle ne me vaut rien de bon ! Je vis dans la hantise de voir mon assurance-santé supprimée. Qu'est-ce que je deviendrais si ça devait arriver ?

Toots tendit le bras pour poser la main sur celle de son amie.

— Tu n'auras plus à te soucier de quoi que ce soit si on en arrive là, alors ne t'inquiète plus pour ça.

Ses bracelets tintant par-dessus le brouhaha des postes de télévision et du groupe de consommateurs tapageurs au bar, Tammy revint avec l'addition.

Toots tira un billet de 20 dollars de son porte-monnaie et le glissa dans le carnet de cuir. Elle sourit à la jeune serveuse avant de consulter sa montre sertie de diamants.

— Le vol de Sophie doit arriver d'une minute à l'autre. Je crois que je vais filer aux tableaux d'affichage pour m'en assurer. Je ne voudrais pas que Sophie débarque et erre un peu partout en s'imaginant que je l'ai oubliée. Pourquoi ne te commanderais-tu pas un thé ou du café en m'attendant ? Inutile que tu trimballes Coco dans son panier d'un bout à l'autre de l'aéroport.

Toots se dit que c'était une façon plutôt sympa de dire à son amie qu'elle était tout simplement trop grosse pour arpenter l'aéroport sans stress.

— Ça me paraît une bonne idée, même si je préférerais mon milk-shake.

— Ne t'avise surtout pas de le commander ! Bon, reste là et profite du décor. Je reviens tout de suite.

— Si tu insistes, répondit Mavis avec le sourire. Ne t'inquiète pas, je promets de ne pas manger en cachette.

— Bien. (Toots prit un autre billet de vingt de son porte-monnaie.) Pour le café.

En réalité, Toots voulait préparer Sophie à l'obésité de Mavis afin qu'elle n'ait pas l'air aussi choquée qu'elle-même l'avait été en la voyant marcher avec tant de peine du portail de débarquement à la zone d'arrivée – soit une courte distance.

Alors que Toots s'empressait d'aller accueillir Sophie, elle ne se rappelait pas avoir été aussi heureuse. Ses amies étaient là, et elles avaient besoin d'elle – ou du moins, Mavis était dans ce cas.

En cet instant précis, Toots vivait dans un monde parfait.

Jusqu'à ce qu'elle voie Sophie émerger des hordes débarquant de l'avion.

Seigneur ! Elle allait avoir fort à faire. Et dire qu'elle allait gérer un journal en plus de tout le reste. Enfin, peut-être.

— Tootsie ! brailla Sophie, la hélant du sobriquet qu'elle seule avait le droit d'utiliser.

Une fois de plus, Toots s'arma d'un grand sourire de circonstance.

— Sophie Manchester, quel plaisir de te revoir !

Toots enlaça le corps osseux de son amie. Si elle pesait quarante-cinq kilos tout habillée, c'était le bout du monde. Mavis était obèse, et la pauvre Sophie avait tout l'air d'un squelette ambulant.

— Tu es éblouissante, dit Sophie. Comme toujours, naturellement. Alors, où est Mavis ? Tu m'as dit qu'elle arriverait avant nous ?

Ne voulant pas mentionner le poids de Sophie, ou plutôt sa carence en ce domaine, Toots se retrouva momentanément sans voix. Comment prévenir Sophie que Mavis était devenue grosse comme une baleine sans lui faire sentir qu'elle-même avait l'air d'un chat mouillé ?

— Je l'ai laissée dans le salon de transit.

Ce fut tout ce qu'elle parvint à lui répondre.

— J'ai hâte de la revoir enfin, après tout ce temps. Heureusement qu'Internet existe ! Autrement, je serais complètement larguée. Avec Walter à l'article de la mort, c'est tout ce qui me rattache encore au vaste monde. On aurait pu croire que ce vieux fossile aurait cassé sa pipe depuis longtemps. Mais non, il est bien trop entêté pour mourir. Chaque jour je me réveille en souhaitant que lui ne se réveille pas.

Toots aurait voulu lui répondre que c'était une chose terrible à dire, mais elle seule savait ce que Walter lui avait infligé. En ce qui concernait Toots, le « vieux fossile » s'était déjà bien trop attardé sur cette Terre. Mais, en cet instant, elle n'allait pas livrer à son amie le fond de sa pensée.

— Il succombera peut-être durant ton absence, dit-elle.

— Il succombera ? (Sophie ricana.) Je veux que ce vieil étron meure. Tu m'entends ? Qu'il m-e-u-r-e ! épela-t-elle. « Succomber » paraît encore trop bon pour lui.

— Comment a réagi Walter quand tu lui as dit que tu t'absentais ?

Toots avait tenu parole en s'arrangeant pour envoyer une infirmière à domicile vingt-quatre heures sur vingt-quatre, sept jours sur sept, auprès du mari de Sophie. Cette dernière ne lui avait toujours pas fait part de la réaction de Walter, en effet.

— Tu veux vraiment le savoir ? Je ne lui ai même pas dit que je partais. J'ai pensé que, s'il était nerveux ou qu'il appréhendait mon départ – à supposer qu'il sache ce que c'est que l'appréhension –, ça précipiterait les choses. Genre infarctus massif ou autre.

Toots ne put s'empêcher de rire. Walter était un odieux vieillard, sans conteste possible.

— À propos d'infarctus… Mavis n'a jamais été aussi grosse, alors ne sois pas choquée quand tu la verras. Reste naturelle. Je lui ai demandé de suivre un régime ici, durant son séjour. Elle a accepté, mais quelque chose me dit que ça ne va pas être facile. J'ai d'autres plans pour l'aider, à commencer par un bon bilan de santé, alors ne lui dis rien à propos de son poids, à moins qu'elle n'en parle la première. Elle a cet adorable petit clébard avec elle. Concentrons-nous sur son chihuahua.

Brièvement, Toots se demanda si elle pourrait donner les restes de Mavis à Sophie. Histoire de faire d'une pierre deux coups. Elle trouverait le moyen d'aider Sophie à se remplumer un peu. Sophie avait toujours été la plus jolie des quatre amies. Avec d'épais cheveux noirs brillants et des yeux marron en amande, elle avait eu une plastique à tomber. Maintenant, tout ce que Toots aurait à faire serait de déterminer quel serait le moyen élégant d'empêcher Mavis de s'empiffrer tout en persuadant Sophie de s'y mettre. Cette idée la fit sourire.

Elles récupérèrent les quatre valises de Sophie au comptoir des bagages. Toots se félicita d'avoir pris la Range Rover au lieu de la Lincoln.

Elle tira derrière elle le plus gros des deux sacs tandis que Sophie se débattait avec les deux bagages les plus petits.

— Là. (Toots regarda en direction du salon de détente.) À présent, n'oublie pas : pas un mot sur son poids.

Toots zigzagua habilement dans la foule des voyageurs, glanant au passage diverses bribes de conversations dans une dizaine de langues tandis qu'elles gagnaient le coin détente. Le groupe d'hommes tapageurs au bar avait été remplacé par un groupe de femmes tout aussi bruyantes – sinon plus. Au milieu du brouhaha, Toots guida Sophie vers la banquette où attendaient Mavis et Coco.

Sophie dissimula sa surprise devant l'aspect physique de leur amie, mais Mavis, elle, ne se gêna pas.

— Ma fille, tu as l'air d'une brindille ! Ça t'arrive de manger ?

Elles s'étreignirent et se firent la bise avant que Sophie réponde :

— Oui, ça m'arrive, mais pas suffisamment. M'occuper de ce vieux bouc me prend tellement de temps que je n'en ai plus pour m'alimenter. (Sophie toisa Mavis de pied en cap.) À te voir aussi épanouie, j'en déduis que la nourriture, ou plus exactement le manque de nourriture, n'est pas un problème pour toi.

— Sophie ! l'admonesta Toots.

— Pas de problème, Toots, je sais que je suis grosse et que j'ai besoin de perdre toute cette graisse. Sophie pourra peut-être m'apprendre un truc ou deux.

— Je n'aurais jamais cru que nos rôles seraient inversés. Tu te souviens de ma période « grosse » durant notre troisième année de licence ? demanda Sophie en tirant un siège près de la banquette. Je croyais que je n'arriverais jamais à me délester de ces quinze kilos superflus. Ce n'est pas facile à perdre, surtout à notre âge.

— Ne me décourage pas, Sophie. Je viens de promettre à Toots que j'allais me mettre au régime. J'ignore si j'en suis capable ou pas, mais, bon sang, je vais faire de mon mieux !

Mavis lorgna la commande que la serveuse apportait à la table d'en face : une assiette débordant de frites avec des bouts de bacon, le tout surmonté de fromage fondu.

— Si ça ne marche pas, je mourrai grosse et heureuse !

— T'as pas intérêt ! Dis-moi un peu, tu as oublié tous ces petits joggings nocturnes que nous faisions d'un bout à l'autre du parc ? Si ma mémoire est bonne, Mavis chérie, c'était toi la petite merdeuse maigrichonne qui trottinait à mes côtés pour m'encourager en me rappelant que Billy Bledsoe ne valait pas toutes ces beuveries tard le soir, rappela Sophie.

— Je m'en souviens très bien. Et, pour être maigrichonne, je l'étais ! Eh bien, je ne sais pas si je redeviendrai jamais aussi mince que je l'étais au lycée, mais perdre une partie de cette graisse ne me gênerait pas. C'est si embarrassant ; parfois, je prendrais bien un couteau pour trancher dans le lard !

— Perds du poids, et je me renseignerai pour la chirurgie réparatrice, s'engagea spontanément Toots. Du moins, si ta santé le permet, et si tu le désires.

Mavis secoua la tête.

— Je ne sais pas si j'irai jusque-là, mais c'est à envisager. Promettez-moi juste une chose, toutes les deux.

Elle regarda Toots, puis Sophie.

— Quoi que ce soit, c'est promis, assura la première.

— Tout ce que tu voudras, renchérit la seconde.

— Quoi que vous fassiez, ne gardez pas à la maison de crèmes glacées, de chips, de gâteaux et de tartes. Si je tombais sur un demi-litre de glace à la cerise Cherry Garcia, je ne serais pas sûre d'y résister. Ce sont ces quatre trucs qui m'ont fourrée dans la panade.

— Je veillerai à ce qu'il n'y ait rien de tentant pour toi au frigo. Maintenant… (Toots jeta un autre coup d'œil à sa montre)… je ferais mieux d'aller voir si le vol d'Ida est arrivé. Si je ne suis pas là pour l'accueillir et dérouler le tapis rouge, elle va se mettre en rogne.

Elle fouilla dans son porte-monnaie, lança un autre billet de 20 sur la table puis donna les clés de voiture à Sophie.

— Apportez-les au voiturier et attendez-nous là. Ida et moi pourrions avoir besoin de quelques minutes seul à seul.

— Je ne peux pas croire qu'elle t'en veuille encore de lui avoir volé Machin-Chose il y a tant d'années, dit Sophie. Vous remettez ça systématiquement sur le tapis chaque fois que vous vous revoyez.

— Ida s'y attend, répondit Toots. Je ne voudrais pas me mettre à la décevoir maintenant.

— C'est vrai, renchérit Mavis.

— Ouaf, ouaf! commenta le panier.

— Apparemment, Coco est d'accord. Bon, il vous suffit maintenant de suivre les indications jusqu'à la sortie. Je vous retrouverai à la voiture. À propos, c'est une Range Rover au cas où le jeune voiturier vous poserait la question.

Toots laissa ses amies au salon, sachant que Mavis confierait à Sophie qu'elle avait une surprise pour elles toutes. En attendant, elles passeraient leur temps à chercher à déterminer la nature exacte de la surprise en question. La scène la fit sourire.

Dix minutes plus tard, quand elle vit Ida débarquer de l'avion, Toots faillit tourner de l'œil. Mavis et Sophie avaient des problèmes de poids, c'est certain. Ida, en revanche... Mais c'était quoi, son problème, au juste?

Elle observa son amie qui négociait soigneusement son trajet au milieu des passagers en plein débarquement, attentive à rester le plus loin possible de tout contact humain. Ida n'était ni grosse ni maigre. Elle était d'un physique irréprochable. Des cheveux aux belles touches argentées, encore que coiffés de façon banale. Toots songea que sa vieille amie était splendide, avec ses traits parfaitement réguliers. Toots s'était toujours dit qu'elle-même était trop grande, avec des lèvres trop épaisses, mais ce n'était pas le moment de commencer à faire le bilan de ses petits travers physiques en comparaison de son ancienne rivale. Pour l'heure, il y avait des problèmes plus pressants. Par exemple, savoir pourquoi Ida portait des gants en latex et un masque de chirurgien.

Sa voix étouffée par le masque, Ida demanda :

— Teresa, c'est bien toi ?

— Bien sûr que c'est moi. Tu croyais que c'était qui, King Kong ? Je n'ai pas changé à ce point, si ?

Nous y voilà, songea-t-elle, *toutes ces satanées insécurités qui me reviennent en pleine face comme un amant infidèle pris en flagrant délit !*

— Je n'en suis pas sûre. Laisse-moi te regarder.

Toots se pencha pour étreindre Ida et lui permettre de mieux la dévisager. Ida faillit en tomber à la renverse.

— Ne me touche pas !

— Quoi ? s'exclama Toots, certaine d'avoir mal entendu.

— Filons d'ici. Tu as tous les produits dont Mavis t'a dit que j'aurais besoin ? Ne me dis pas qu'elle ne t'a pas dit ce qui n'allait pas avec moi, car elle m'a rappelée dès que vous avez raccroché, hier soir.

Eh oui, en plus du facteur « germes », Ida était toujours une sale chipie brusque et bourrue. Toots comptait la guérir pour de bon, et fissa.

Elle l'attrapa par la main.

— Suis-moi, et ne t'avise surtout plus de me dire de ne pas te toucher !

Chapitre 6

— Bernice, annonça Toots, tu t'es encore surpassée. Je ne me souviens plus depuis quand j'avais fait un aussi bon repas.

Elle-même étant végétarienne, avec une Mavis au régime, une Sophie qui avait grand besoin de se remplumer et une Ida terrifiée à l'idée d'ingérer des germes en même temps que ce qu'on lui servait à table, elle avait appelé Bernice pour la prévenir des singulières exigences alimentaires de ses amies. Cette dernière avait réussi à établir un menu à la hauteur de toutes les attentes. Du saumon poché et une salade de cresson pour Mavis, une belle côte de bœuf à la new-yorkaise et un écrasé de pommes de terre pour Sophie, et enfin une poêlée de légumes cuits à la vapeur pour Ida.

Jouant à la fois le rôle de soubrette, de chef et de marmiton, Bernice se contenta de hocher la tête, puis elle entreprit de débarrasser. Avec un petit sourire en coin, elle demanda :

— Est-ce que ces dames aimeraient passer au dessert et au café ?

— Naturellement. Nous les prendrons dehors, sur la terrasse. (Toots vit Bernice lever les yeux au ciel. Si elle voulait jouer les servantes exploitées, Toots était partante.) Que le café soit bien chaud, surtout. Et, pour moi, ce sera un café crème avec du lait entier ; je suis sûre que Mavis voudra le sien noir et qu'elle fera l'impasse sur le dessert. Ida ? Sophie ?

Mavis fut la première à réagir :

— Je ne veux pas de café, mais j'aimerais avoir un aperçu de ce que vous proposez en dessert. Je sens venir la crise de manque, c'est au-dessus de mes forces !

— Bien sûr, fit Toots, conciliante. Bernice, prends des fruits frais pour Mavis et découpe-les en tout petits morceaux.

Toots ne put s'empêcher de sourire, car elle savait qu'en temps normal Bernice lui aurait rétorqué de « lécher son vieux cul tout fripé » ou lui aurait fait un doigt d'honneur. Pour le moment, elle prenait garde de bien se tenir.

L'air humble, les yeux baissés, Bernice répondit :

— Oui, patronne.

— Sophie ? Ida ? Dessert et café ? demanda Toots aux deux autres, assises en face d'elle.

— Par l'enfer, bien sûr que je veux du dessert ! s'exclama Sophie en souriant. Depuis mon arrivée, on n'arrête pas de me répéter que je n'ai que la peau sur les os !

Dieu merci, elle ne s'infligeait pas délibérément ce trouble du comportement alimentaire, se dit Toots. C'est simplement que, l'an passé, elle s'était tellement laissé accaparer par Walter qu'elle en avait oublié de prendre soin d'elle. Mais tout cela était sur le point de changer.

— Ida ? insista Toots.

— Ça ira, merci.

À la minute où Ida avait mis un pied dans la maison, elle avait demandé à se rendre dans la chambre qu'on lui avait réservée ; là, prenant son produit désinfectant aux UV que Toots lui avait acheté, elle avait entrepris d'en asperger toute la pièce, jusque dans les moindres recoins. Apparemment, cette inspection en règle l'avait pleinement satisfaite car elle ne s'était pas plainte. Du moins, pas encore. La petite salle de bains que Toots en personne avait récurée à l'ammoniaque avait également répondu à ses critères d'exigence. Ida avait besoin de consulter. Et pas qu'un peu ! C'était une urgence psychiatrique. Toots se dit qu'elle devrait demander une lettre de référence au docteur Pauley.

Tandis que ses invitées prenaient leurs marques dans les chambres qui leur étaient attribuées, elle avait appelé le docteur, et ils avaient convenu qu'il passerait faire un saut le soir même. Elle avait également parlé à Henry Whitmore. Il lui faxerait les documents nécessaires afin qu'elle puisse ouvrir un compte bancaire à Mavis. Ces détails réglés, il ne lui restait plus qu'à recontacter Christopher pour voir si la vente avait pu se conclure. Elle pria pour que ce soit le cas. Abby n'aurait jamais à savoir que sa mère venait de se porter acquéreur de *The Informer,* car elle avait spécifié à Christopher qu'elle devait en demeurer le « propriétaire passif ». Les grandes entreprises faisaient cela tout le temps, après tout. Abby ne connaîtrait jamais son nouveau patron. Toots nourrissait de grandes ambitions pour l'avenir de sa fille en tant que reporter people.

Dix minutes plus tard, elles s'installèrent sur ce que Toots appelait toujours « la terrasse » alors qu'il s'agissait en fait du perron de l'entrée, qui se prolongeait pour faire tout le tour de la maison. Les vieilles maisons de Charleston présentaient cette particularité. Elles étaient dotées de solariums, de petites et de grandes vérandas, mais Toots se référait simplement à cette zone de la maison comme à « la terrasse », et le terme était resté.

Quand, des années auparavant, elle avait acheté la propriété de style plantation coloniale, elle n'avait pas engagé de décorateur, au contraire de nombre de ses amies. Elle s'était contentée d'acquérir des meubles qui lui plaisaient et, ce faisant, avait instauré à l'intérieur comme à l'extérieur une atmosphère accueillante et sans chichis. De vieux fauteuils en osier étaient disposés autour de plusieurs tables, de façon que deux personnes aussi bien que vingt puissent converser confortablement sans trop d'efforts. De pittoresques pots en terre acquis auprès de divers artistes locaux accueillaient toute une gamme de plantes vertes, de fougères et de fleurs hautes en couleur. Un éclairage discrètement aménagé dotait le perron d'un chaleureux éclat tamisé. Toots adorait les senteurs mêlées qui saturaient l'atmosphère à cette heure du jour, quand le monde se préparait à goûter une soirée de détente – ou qu'il le devrait. Elle considérait que les soirées étaient le moment idéal pour revenir en pensée sur les événements de la journée, bons ou mauvais. Cependant, ce soir, elle devait se concentrer sur ses invitées et sur ce qui les attendait le lendemain.

Bernice servit le dessert et le café avec autant d'aplomb que précédemment : une mousse au chocolat agrémentée de copeaux de chocolat et de sa crème fouettée, un large assortiment de fruits pour Mavis ainsi que pour celles qui préféreraient faire l'impasse sur cette orgie de sucre.

— Depuis quand nous ne nous étions plus retrouvées comme ça ? demanda Mavis entre deux bouchées d'ananas.

— Ça remonte à six ans, répondit Toots, quand Abby a décroché son diplôme. Puis, lorsqu'elle a décidé de partir s'installer en Californie, vous avez toutes volé à ma rescousse, vous vous rappelez ? Ce fut le pire jour de ma vie, ajouta-t-elle, se souvenant du sentiment de vide et de tristesse qui l'avait accablée quand sa fille avait quitté le nid familial.

C'était alors que ce satané Leland était entré dans sa vie, cherchant à la séduire. Idiote qu'elle était, elle l'avait laissé faire puis, poussée par la culpabilité, elle l'avait épousé. Merde ! Où diable avait-elle eu la tête ?

— Toots ! s'énerva Sophie. La Terre appelle Toots !

— Je parie qu'elle est en train de planifier son prochain mariage, lança Ida.

Celle-ci redevenait celle que toutes connaissaient et aimaient, et non la phobique des microbes qui refusait de serrer ses amies contre elle ou de les embrasser.

— Oh, la ferme ! Je pensais à Abby, précisa Toots pour justifier son moment de distraction.

— Tu aurais dû lui demander de venir, à elle aussi, déclara Mavis. Je ne sais pas vous, mais ça fait trop longtemps que je n'ai plus revu ma filleule.

— Je l'ai invitée, mais son travail l'accapare trop. En fait, je voulais vous en parler. Le boss d'Abby, le proprio de *The Informer*, a des dettes de jeu. Je n'ai pas tous les détails, mais il semblerait qu'il vende son journal afin de régler ce qu'il doit. Abby m'a dit qu'une des conditions à cette vente serait peut-être le licenciement de l'ensemble des employés.

— Ce n'est pas juste, commenta Sophie en sirotant son café. Elle n'a pas la possibilité de lui coller un procès ? Pour discrimination ou un truc de ce genre ?

Toots secoua la tête.

— Je ne le lui ai pas demandé. (Elle prit une grande inspiration.) C'est précisément ce dont je désirais discuter avec vous. Je sais que chacune d'entre nous a bien d'autres préoccupations pour le moment, mais je suis presque sûre que tout ça peut être remis à quelques semaines ou… quelques mois.

Elle marqua une pause, laissant à ses amies le temps de digérer cette information, avec l'espoir qu'elles se doutaient déjà qu'elle cherchait à les entraîner vers un avenir bien meilleur. Pas tant au plan pécuniaire d'ailleurs – à l'exception de Mavis, naturellement. Non, ce serait plutôt une chance de connaître le frisson d'une excitation bien réelle. Toots désirait pimenter son existence comme celle de ses amies, et ce ne serait pas un mal. Elle allait détenir et gérer un tabloïd : à elle les frissons exaltants de la chasse au scoop ! À elles quatre, en fait ! Si, du moins, ses amies voyaient cela du même œil qu'elle, si elles étaient prêtes à relever le défi et disposées à venir s'installer en Californie provisoirement. Tout ça faisait beaucoup de « si ».

— Je te connais trop bien, Teresa, répondit Ida. Tu mijotes quelque chose. Tu agis toujours en douce. Je suis bien placée pour le savoir, ajouta-t-elle en référence au passé.

— Oh, oublie un peu ça qu'on passe à autre chose ! Si tu voulais Jerry, c'était uniquement parce que Toots le voulait aussi ! Regarde la réalité en face, c'est elle qui l'a eu et pas toi. Si je ne m'abuse, c'est toi la veinarde, en définitive. Certes, il a légué tous ses millions à Toots. Et après ? Elle le méritait bien après avoir enduré sa mesquinerie et ses problèmes de libido pendant toutes ces années. Si tu veux mon avis… (Sophie leva une main fine.) Je sais que tu n'en veux pas, mais je vais te le donner quand même. Si tu veux mon avis, Toots t'a fait une faveur en te le soufflant. Alors, oublie ça. Et tu as aussi besoin de surmonter la phobie des germes que tu as en ce moment. Tu te rends compte qu'il y a des traitements pour les gens comme toi ?

Toots put à peine se retenir de rire. On pouvait toujours compter sur Sophie pour appeler un chat « un chat ».

— C'est ce que tu penses ? se récria Ida, indignée.

— Je ne le pense pas, je le sais. Ça fait des années que vous vous bouffez le nez avec ça, toutes les deux. J'en ai ras-le-bol, moi ! Ce n'est pas comme si tu ne t'étais jamais mariée. Combien de fois, déjà ? lança Sophie, interrogeant Mavis du regard.

— Je ne me souviens pas. Entre Toots et elle, j'ai perdu le compte. Je crois bien que c'est une sorte de compétition entre elles.

— Trois, si vous devez le savoir, riposta Ida.

— La bonne blague ! Je dirais plutôt cinq, moi. Je ne suis pas sénile au point d'avoir oublié ces deux crétins de Géorgie, là. Ceux que tu prétendais être apparentés à Jimmy Carter. Ceux dont tu ne voulais jamais parler. Ils n'étaient pas cousins ? ajouta Toots à l'adresse de son ancienne rivale, un grand sourire aux lèvres.

Ida avait horreur qu'on lui rappelle son passé « moins-que-parfait », et Toots le savait.

— Sache, pour ta gouverne, que j'ai fait annuler ces deux mariages. Et, non, ils n'étaient pas cousins. Enfin, c'étaient des cousins… très éloignés, ils n'étaient vraiment pas proches de toute façon. Jusqu'à ce que j'arrive, ils ne se connaissaient même pas, précisa Ida avec cette superbe qui n'appartenait qu'à elle.

Sophie ricana.

—Je me demande s'il leur est jamais arrivé de comparer leurs expériences te concernant.

Ida se leva.

—Moi, ce que je me demande, c'est pourquoi je vous supporte encore. Tout ce que vous savez faire, c'est vous moquer du monde et lancer des blagues salaces.

—Assieds-toi, Ida. Nous te taquinons, et tu le sais. Cesse d'agir en oie blanche. Nous sommes tes amies, ou l'aurais-tu oublié ? la défia Toots.

Ida s'exécuta de mauvaise grâce, se rasseyant tout au bord d'un tabouret.

—Comment est-ce que je pourrais l'oublier, tu n'arrêtes pas de me le rappeler. Je sais que nous sommes amies, mais, en vérité, depuis que tu m'as volé Jerry, eh bien disons que ma vie n'a plus été la même. J'ai tenté de trouver un... substitut... pour le remplacer, si tu dois le savoir. Il m'a vraiment brisé le cœur. Et toi aussi, ajouta Ida, deux sillons de larmes ruisselant sur ses joues.

Toots se dit qu'Ida avait raté sa vocation. Elle aurait dû être actrice. Cette reprise sentait le réchauffé. Il fallait un nouveau scénario à Ida. À la condition qu'elle interrompe suffisamment ses exaspérantes récriminations, Toots allait leur offrir, à toutes les trois, la chance de leur vie.

Elle tendit un mouchoir à Ida tandis que Sophie allumait une cigarette et que Mavis avalait le dernier morceau de fruit du plat.

—J'ai une proposition que j'aimerais soumettre à votre appréciation, les filles. Ce n'est pas encore gravé dans le marbre, mais mon petit doigt me dit qu'il s'agit d'une simple formalité. (Voyant qu'elle avait toute l'attention de ses trois meilleures amies, elle poursuivit sur sa lancée.) Ça concerne Abby.

Là, elles étaient carrément captivées. Elles n'étaient certes pas irréprochables, mais il n'y avait pas meilleures marraines qu'elles.

— Elle est malade ? demanda Ida.

— Je parie qu'elle va se marier ! s'écria Sophie, exubérante.

— Elle est lesbienne ? renchérit Mavis d'une petite voix timide.

— Non, non et non. (Toots lança un regard interloqué à Mavis.) Pourquoi tu poses ce genre de questions ?

— Je ne sais pas. Abby ne rajeunit pas. Elle ne semble jamais sortir spécialement avec quelqu'un en tout cas. Je voulais juste poser la question. Ce n'est plus un drame, pas comme du temps de notre jeunesse. Tu te souviens de Sheila Finkelstein ? Elle est lesbienne. Il y a des années, je l'ai revue avec sa partenaire au ciné à New York, une fois où j'y avais amené mes étudiants. Depuis le lycée, je m'en doutais. Il y avait quelque chose, chez elle, vous savez, rien qu'à la façon dont elle nous regardait nous changer pour le cours de sport. Je ne me suis jamais sentie à l'aise avec elle.

— J'aurais pu me passer d'apprendre ça, commenta Toots. Cela dit, je me souviens d'elle. Et ses préférences sexuelles ne m'ont jamais empêchée de dormir.

Toutes quatre éclatèrent de rire à s'en tenir les côtes, comme au bon vieux temps. Ces vieilles copines avaient certes leurs travers, mais elles étaient unies par les liens indéfectibles de quasiment cinquante ans d'amitié.

Il leur en faudrait bien cinquante autres pour les détricoter.

Chapitre 7

— La Californie ? couina Sophie. Je suis censée faire quoi avec Walter, moi ? Il est à l'article de la mort ! Du moins, c'est ce que je pense. Je prends peut-être encore mes désirs pour des réalités, si ça se trouve. La Californie !

— Oui, la Californie. Cesse de te mettre la rate au court-bouillon, Sophie ! Ce bon vieux Walter pourra passer l'arme à gauche aussi aisément en ta présence qu'en celle d'une infirmière. Si ça se produit, tu pourras toujours retourner là-bas pour les funérailles. Comme dit Abby, crame-le, et l'affaire sera conclue. Tu toucheras ton chèque d'assurances, et tout ça ne sera déjà plus qu'un mauvais souvenir.

— Oui, mais je pensais que ce serait juste une petite visite, des mini-vacances. J'avais besoin d'un break, soutint Sophie. (Elle alluma une cigarette.) Et s'il meurt pendant mon séjour en Californie ?

— Alors ton vœu sera exaucé avec 5 millions de dollars à la clé. À toi de voir si tu veux en être ou pas.

Toots dévisagea ses amies réunies autour de la table du salon. Après le dessert et le café, elles étaient repassées à l'intérieur, où Toots avait trouvé la bouteille de scotch à moitié vide. Des tasses également à moitié vides encombraient la table. Sophie utilisait la sienne comme cendrier. Perchée tout au bord de sa chaise, Ida paraissait prête à bondir d'une seconde à l'autre tandis que Mavis lorgnait la coupe de fruits, au centre.

—Navrée, dès qu'on mentionne le nom de Walter, ça me remémore toutes ces années de galère, sans compter que ça a du même coup le don de m'énerver.

Les amies hochèrent la tête. Elles comprenaient parfaitement.

—Voilà mon plan : nous aurons besoin de rester sur la côte Ouest six mois au bas mot si nous voulons atteindre notre objectif, qui est de faire de *The Informer* une source d'information digne de ce nom. Les autres tabloïds règnent sur le marché depuis des années. Il est temps qu'ils aient à affronter une saine compétition.

Toots prit une gorgée de scotch, qui lui brûla l'œsophage et la fit frémir.

—Ça paraît bien, mais qu'est-ce que tu comptes faire, au juste ? répondit Sophie. La presse, c'est la presse, peu importe que ce soit à Hollywood ou au plan national. À ce niveau-là, tu ne peux pas réussir. Développer des sources d'informations dans pareille entreprise risquerait de prendre des années. Tu as besoin d'un informateur dans la place, de taupes qui soient fiables, de balances qui haïssent leurs prétendus « meilleurs amis pour la vie » et qui les trahissent pour de l'argent.

—Rappelle-toi que c'est de Hollywood que nous parlons. Des nouvelles qui, ailleurs, ne seraient pas considérées comme sérieuses et fondées le sont là-bas. Par exemple, tu te souviens de la disparition d'Helen Heart ? D'après les tabloïds, elle avait fait un saut en Europe pour y subir des opérations de chirurgie esthétique alors qu'en réalité elle était en cure de désintox à Malibu. Si, globalement, ce n'est pas important à l'échelle du monde, ça l'est en revanche beaucoup pour ceux qui sont dans le business. Aimerais-tu engager une ivrogne vieillissante pour ton prochain blockbuster ? Je ne crois pas. Donc, pour répondre à ta question, le type de nouvelles sur lequel nous travaillerons n'est pas important dans le sens où ça n'affectera pas le monde entier, mais ça affectera en revanche la carrière d'Helen Heart et d'autres comme elle. Les grands pontes du milieu lisent ces canards quand bien même ils ne l'admettront jamais. Abby me l'a dit. Elle sait.

— Je ne comprends pas, dit Ida. Qu'est-ce que tu peux faire que l'ancien propriétaire ne pouvait pas ?

— C'est là qu'Abby intervient. Elle a des contacts. Elle m'a annoncé à plus d'une occasion qu'elle avait toujours les toutes dernières nouvelles avant les autres reporters, mais ce vieux Ragot refusait de la croire, et, dès le lendemain, ça s'étalait à la une de *The Enquirer* ou du *Globe.* Abby m'a dit que c'était arrivé souvent. Suffisamment pour qu'elle en vienne à se demander si son patron ne touchait pas des pots-de-vin. J'ignore absolument ce qu'elle entendait par là. Les histoires que rédige Abby fourmillent d'informations, mais ça ne vaut pas les gros titres, selon elle, même si j'ai tendance à ne pas être de son avis. J'aime lire tout ce qui est de sa plume.

— Moi aussi, dit Sophie.

— Je suis très fière de ma filleule, peu importe ce qu'elle écrit, renchérit Mavis. C'est une auteure vraiment talentueuse. Si elle le voulait, elle pourrait écrire un roman. Et ce serait probablement un best-seller. Rien de comparable à ce truc de mauvais goût de Jackie Collins. Je n'ai jamais aimé ses bouquins.

— Alors pourquoi tu les lis ? la questionna Ida.

— Elle prétend que ses personnages s'inspirent – de loin – de gens bien réels. Je m'efforce toujours de déterminer qui cela peut être. Non que je les connaisse, mais c'est intéressant. Je ne crois pas non plus à toutes ces scènes de sexe débridé. Quel genre de femmes a en une seule nuit des relations sexuelles avec cinq hommes ?

— Une pute, avança Toots.

— Une salope ! s'exclama Sophie. Ou alors une fille qui veut bien démarrer dans les affaires. Ça arrive tout le temps.

— Et comment tu le sais ? demanda Ida, visiblement agitée.

— Je ne le sais pas de source sûre, mais ça se produit depuis la nuit des temps. Les gens utilisent souvent le sexe comme monnaie d'échange. (Sophie regarda tour à tour Ida et Toots.) Pas vrai ?

— Si tu insinues que j'ai fait un truc de ce genre dans le passé, tu te goures. Même s'il y a eu des fois où j'étais plutôt contente que mon cher et tendre ne puisse pas, disons, se montrer à la hauteur ! rit Toots. Du coup, je n'ai jamais eu à me plaindre : je n'ai jamais subi de relations sexuelles avec un homme qui n'était plus dans la fleur de l'âge.

— Pourquoi est-ce qu'on finit toujours par parler de cul ? s'irrita Ida.

— Parce qu'aucune de nous n'a de vie sexuelle, répondit Sophie avec un grand sourire. Du moins, à ma connaissance.

Elle lorgna ses trois amies, se demandant si l'une d'elles aurait la chance de pouvoir la contredire.

Rien du tout.

— Ça en dit long sur nous, pas vrai ? les défia Toots. Nous ne sommes pas si vieilles que ça, pourtant. C'est décidé, nous allons à Los Angeles. Je pense qu'il est temps que nous changions de statut. Alors ? Vous êtes partantes ?

Elle dévisagea ses amies, guettant leur réponse. Les mains sur les cuisses, elle croisa les doigts.

— Tant que je peux emmener Coco, j'en suis. Je demanderai à Phyllis, ma voisine, de fermer ma maison pour l'été. Mieux, elle pourra s'en servir quand tous ses petits-enfants viendront la voir pendant les vacances. Elle se plaint toujours d'être à l'étroit lorsqu'ils arrivent. Ce sera parfait comme ça ! s'exclama Mavis en tapant dans ses mains boudinées et en affichant un sourire d'une oreille à l'autre.

— Ida ? demanda Toots.

— Je ne sais pas. Il y a mon état… (Ida baissa les yeux sur ses mains gantées de latex.)… euh, mon problème. Je sais bien que vous pensez que c'est irrationnel, mais c'est plus fort que moi. Je ne serais pas un atout pour le journal ou pour vous trois, alors je ferais aussi bien de rentrer chez moi quand vous partirez.

— C'est donc un « non » ? intervint Sophie. Tu refuses même d'essayer ? Tu tiens à passer le restant de tes jours à porter du latex, à suffoquer derrière un masque et à puer l'eau de Javel ?

Cette bonne vieille Sophie, toujours à foncer droit au but… Toots sourit. Voilà ce dont Ida avait besoin : d'une saine dose de réalité. En la matière, Sophie était imbattable avec ses remarques futées à l'humour bien aiguisé.

Ida se tourna face à Toots, les yeux baignés de larmes.

— Qu'est-ce que je peux faire, Teresa ? Je ne veux pas être comme ça. J'ai tenté de lutter, mais c'est un combat perdu d'avance. Et, avant que tu poses la question, j'ai consulté trois psys différents, concéda-t-elle en écartant ses mains gantées.

Ida s'était laissé persuader de se débarrasser de son masque de chirurgien lorsque Sophie avait menacé de lui tirer une balle dans chaque rotule. Toots se disait que c'était plus ou moins un début dans la réadaptation d'Ida. Après avoir bu un peu trop de scotch, Ida avait avoué que son obsession pour les microbes lui était venue quand Thomas, son dernier époux en date, avait succombé à une infection alimentaire après avoir mangé de la viande contaminée à la bactérie E-coli. Le remède de ses amies à ce mal était tout trouvé : elles lui avaient spontanément conseillé d'arrêter de manger de la viande.

— Je ne peux pas prendre la décision à votre place, les filles. Soit vous voulez m'accompagner, soit vous ne voulez pas. Je mentirais si je prétendais que ça m'est égal : votre décision a de l'importance. Je n'aimerais rien tant que m'embarquer dans cette aventure avec les marraines d'Abby, mes très chères amies de toujours. Et je vous garantis que ce sera effectivement une aventure, mais, si vous ne pouvez pas, ou si vous ne le voulez pas, je comprendrai, conclut Toots d'un ton froid.

Qu'elle soit damnée si elle s'abaissait à supplier !

— Au diable tout ça ! Si Walter claque, je file à New York lui cramer le cul et toucher mon fric ! Tu peux compter sur moi, répondit Sophie sur une note un brin trop joyeuse.

Toots sourit de toutes ses dents. Elle pouvait toujours compter sur Sophie.

— J'en suis aussi, gloussa Mavis, visiblement influencée par tout le scotch ingurgité.

Toots se rappela soudain qu'elle s'était promis de l'emmener dans la boutique *Opulente Liz* pour renouveler sa garde-robe. Elle pourrait peut-être, en la cajolant gentiment, persuader Bernice de s'en charger.

— Oh et puis merde ! Si vous vous sentez capables de supporter mes petites manies, je suppose que je pourrais toujours tenter la Californie, moi aussi…, avança Ida d'un ton hésitant.

Toots se dit que sa vieille amie avait tout l'air d'un lapin terrorisé. Elle frappa dans ses mains d'approbation.

— Bon, alors, c'est entendu. Demain, nous passerons la journée à prendre toutes les dispositions utiles et nécessaires nous permettant de suspendre nos affaires courantes. Ensuite, direction la Californie ! Marché conclu ?

Captant tour à tour le regard de chacune des trois femmes, elle tendit la main, paume tournée vers le ciel. C'était leur poignée de main secrète depuis l'époque du lycée.

Mavis accola sa paume à la sienne, Sophie posa la main par-dessus la leur, puis Ida fit précautionneusement de même au-dessus, avec ses doigts gantés de latex.

Après avoir compté jusqu'à trois, elles levèrent les bras au ciel en s'écriant de concert :

— Marché conclu !

Toots et Sophie allumèrent toutes deux une cigarette. Mavis tendit la main vers une des pommes du compotier, et Ida but une autre gorgée de scotch, scellant leur accord.

Toots annonça d'une voix grave et solennelle qu'elles étaient sur le point de devenir les « *informers* » secrètes du journal du même nom. Tout ce qu'il lui manquait, c'était de s'entendre confirmer de la bouche de Christopher que son offre de rachat de *The Informer* avait bien été acceptée, auquel cas elles seraient désormais hissées au rang d'authentiques indics. Elle avait hâte de prévenir Abby que ses marraines allaient venir lui rendre visite.

— Maintenant que nous avons convenu de partir emménager provisoirement à Los Angeles, l'une de nous va avoir besoin de fournir un prétexte valable pour expliquer qu'on soit toutes là-bas. La première semaine est couverte, c'est moi qui m'en charge. Je vais dire à Abby que je vous ai persuadées de venir la voir puisqu'elle n'était pas en mesure de faire le voyage. La deuxième semaine, je pense que nous pourrions nous offrir une cure thermale. J'inviterai Abby à se joindre à nous, même si je sais qu'elle n'en fera rien. Pour l'instant, je n'ai pas planifié les choses au-delà de quinze jours. Et je ne suis pas certaine à cent pour cent que ça va marcher. Abby est une petite maligne. Elle se rendra compte bien assez tôt qu'il y a anguille sous roche.

— Pourquoi tu ne lui dis pas la vérité, tout simplement ? suggéra Sophie.

— C'est ce que je devrais faire en effet, mais je ne peux pas. Pas encore, du moins. Punaise, je ne suis même pas sûre que son paumé de boss ait accepté mon offre ! J'étais pourtant certaine que j'aurais des nouvelles à l'heure qu'il est.

Toots s'inquiétait quelque peu à l'idée de brûler les étapes, mais, au pire, elles passeraient de bons moments avec Abby, s'offriraient une cure thermale haut de gamme puis s'arrêteraient là pour l'instant. Elle pourrait toujours recourir à une solution de rechange et resserrer les rangs le temps de déterminer un autre moyen de faire progresser la carrière d'Abby.

Le téléphone sonna, ce qui mobilisa leur attention sur Bernice ; elle décrocha à la deuxième sonnerie, puis tendit le combiné à Toots.

— C'est pour vous.

— Allô ? Oui ? Vraiment ? Mais bien sûr. Autant que ça ? C'est vrai que j'avais dit de doubler l'offre. Bien. Et, Christopher, n'oublie pas, Abby ne doit pas en avoir vent. Je te verrai après-demain.

Elle raccrocha avant de lever le poing en l'air.

— Bernice, écoute un peu ça ! Me voilà officiellement propriétaire et éditrice de *The Informer* ! Enfin, je le serai dès que nous serons arrivées en Californie, que j'aurai signé les papiers et donné l'argent. Que dis-tu de ça ? s'exclama-t-elle avec éclat.

Maugréant et marmonnant entre ses dents à propos des cinglées qui ne savaient pas ce qu'elles faisaient, Bernice reposa le combiné en place.

— Que le Seigneur ait pitié de nous.

— Et nous voilà promues au rang de journalistes stagiaires de second plan, pas vrai ? renchérit Sophie.

— Pas encore, mais fais gaffe à ce que tu dis. J'ai comme l'étrange pressentiment que nous sommes sur le point de lancer une nouvelle carrière, fit observer Toots.

Elle ne pouvait s'empêcher de s'imaginer Leland se retournant dans sa tombe en voyant le prix qu'elle venait d'accepter de payer pour un torchon de tabloïd. Dix millions de dollars... Le double de sa valeur. Toots n'était pas du genre à céder facilement. Quoi qu'il advienne, elle tirerait profit de ce maudit canard. La prudence voulait qu'elle garde pour elle les tenants et aboutissants financiers de l'affaire. Elle verserait aux filles un salaire monstre pour tout ce qu'elle aurait à leur demander. Ensuite, quoi qu'il arrive, elle improviserait le moment venu. Elle avait toujours été douée pour ça.

Qui aurait cru que Toots, Teresa Amelia Loudenberry, deviendrait un jour la fière patronne d'un authentique – enfin, quelquefois – journal ? Elle voyait d'ici les manchettes : « Une riche veuve sauve un torchon de la faillite ! »

— Je peux me charger des corrections grammaticales, proposa Mavis. Je suis prof à la retraite, après tout.

— Naturellement. Ça ne m'était jamais venu à l'esprit, mais j'imagine qu'il y a des relecteurs pour ce genre de choses, dit Toots. N'oubliez quand même pas que, pour l'instant du moins, tout ça doit rester entre nous.

— Et moi ? lança Sophie. Je pourrais contrôler la véracité des faits, le moment venu.

— Sophie, ne sois pas bête ! Les tabloïds se moquent bien de vérifier des faits. Ils brodent à tout va et mettent ensuite sous presse. Purement et simplement. N'est-ce pas, Teresa ? s'enquit Ida, très pragmatique.

— Je pense que ça ne se réduit pas tout à fait à ça, mais, en gros, je dirais que tu viens joliment de résumer l'essentiel. Je suis d'avis, pour ma part, qu'il s'agit de miettes de vérité, embellies pour rendre les choses plus excitantes et susciter l'intérêt du public. C'est du moins ce qu'Abby m'a expliqué quand je lui ai demandé où elle dégottait tous ses sujets d'articles.

— Vous savez, dit Ida en regardant les autres, j'ai bossé pour un photographe lorsque j'ai emménagé la première fois à New York. Je suis bien certaine qu'il vous faudra des clichés pour illustrer vos papiers.

— Ida, les temps ont changé depuis que tu prenais des photos sur le vif avec ce Kodak Brownie ou je ne sais quelle antiquité. Est-ce que tu as entendu parler du numérique par hasard ? Ou de Photoshop ? Comment crois-tu que les tabloïds publient des photos d'humains accouplés à des aliens ? Ce sont des images retouchées. Tu peux faire ça ?

— Je peux apprendre. Je ne suis pas stupide, Sophie, rétorqua Ida avec une grimace.

— Je n'ai pas dit ça. Tu veux prendre des photos ? Tu vas devoir te salir les mains. Tu ne pourras pas arpenter les trottoirs de Los Angeles avec tes gants en latex en t'attendant à ce que toutes les starlettes de Hollywood prennent la pose pour toi. Elles vont te dévisager comme si c'était toi la foldingue, le spécimen rare à prendre en photo.

— Sophie marque un point, dit Toots en décochant un regard appuyé aux gants d'Ida.

— Vous avez toutes les deux raison. Jusqu'à ce que je maîtrise ce trouble du comportement, je ne pourrai pas cavaler partout dans une ville sale gorgée de Dieu sait quelles sortes de germes et espérer être votre photographe attitrée. Je bosserai au bureau. Du moins, si ça vous convient.

— Écoute, tirons cela au clair avant d'aller plus loin. Nous allons toutes partager la même galère. Nous nous y mettrons où et quand il faudra, mais une chose que vous devez toutes savoir au préalable, c'est que, quelles que soient les circonstances, Abby ne devra jamais faire le rapprochement entre *The Informer* et nous.

Nous travaillerons en coulisse, pour ainsi dire. Je n'ai pas encore réglé tous les détails pour le moment, mais ça viendra. Je vous le promets.

— Nous avons beaucoup à faire d'ici demain. Mavis, il te faut une nouvelle garde-robe. Je me suis arrangée pour que Liz, une de mes amies qui se trouve être la propriétaire d'un magasin de vêtements à Charleston, rouvre ce soir pour toi, après la fermeture.

— Toots ! Tu n'es pas obligée de faire ça ! Tant que j'ai sous la main une machine à laver et une essoreuse, je suis partante. Vraiment, il me suffit en vérité d'avoir de l'eau et un endroit où laisser mes affaires sécher. En outre, bredouilla Mavis sous le coup de l'embarras, je doute que ton amie ait ma taille.

— Cesse d'être aussi négative. Les machines à laver et les essoreuses, ce n'est pas comme les portables. Les hôtels n'en fournissent pas à leur clientèle. La boutique de Liz propose exclusivement des grandes tailles. Elle a tout ce dont tu auras besoin, jusqu'aux sous-vêtements. Et puisque en un sens tu repars de zéro avec ton nouveau régime et tout ça, ne va pas t'acheter ces vieilles culottes de grand-mère, hein ! Je veux voir des petits lots affriolants, sexy et hauts en couleur. Du rouge et du noir. Tu es une belle femme, Mavis, et il est grand temps que tu l'admettes.

Toots savait d'expérience que, quand on a meilleure allure, on se sent tout de suite bien mieux. À la minute où elle-même s'était débarrassée de ses tenues de deuil, elle avait eu l'impression d'avaler une grande bouffée d'air frais. Une fois que Mavis se ferait à l'idée de prendre soin d'elle, sur le plan mental comme physique, Toots savait qu'elle n'aurait plus besoin qu'on l'encourage dans cette voie. Elle se suffirait amplement à elle-même.

Sans donner à Mavis une chance de répondre, Toots se tourna vers Ida :

— Nous nous débrouillerons avec les gants en latex quelque temps encore. Tu peux dire que tu as une affection cutanée du genre psoriasis ou eczéma. Il faut que tu me promettes d'accepter l'aide que je t'offre. Le docteur Pauley sera là vers minuit pour faire passer un bilan à Mavis.

Elle interrogea celle-ci du regard, pour s'assurer que ça ne lui posait pas de problème. Mavis acquiesça, et Toots leva le pouce en signe d'approbation.

— Il connaît un docteur à Los Angeles qui s'est spécialisé dans les TOC. Dès demain matin, il te contactera pour te donner un rendez-vous. Ça te va, Ida ? insista Toots.

Ida hocha la tête.

— Oui, il était temps que je surmonte ça. Je ne ferai pas de promesses, cela dit. Tout ce que je peux faire, c'est essayer.

— Je n'en demande pas plus, répondit Toots.

— Et moi ? lança Sophie.

Toots secoua la tête.

— Toi, mon amie, tu déconnes complètement ! Tu as besoin de reprendre un peu du poids que tu as perdu et de te préparer aux funérailles de Walter. J'ai plein d'expérience en ce domaine. Donc, quand l'heure sera venue, je veillerai à ce que tu sois prête à te comporter comme si tu étais véritablement en deuil. Comme j'ai fait don de mes tenues noires à des organismes caritatifs, il te faudra investir pour faire tes propres débuts sur la scène du veuvage. Ce n'est pas aussi facile que ça en a l'air.

— Du noir ? Des tenues de deuil ? Tu plaisantes, c'est ça ? À la seconde où on jettera la dernière pelletée de terre sur le cercueil de Walter, je fais la bringue ! Le deuil, très peu pour moi ! Je me fous comme d'une guigne des attentes de la bonne société. Ça ne vaut pas un pet de lapin ! Je fêterai la disparition de ce vieux schnock. Sans compter que je serai plus riche de 5 millions aussi.

— Bien dit, mon amie. Bon ! On a du pain sur la planche. Pour citer ma chère amie Bernice, remuons nos vieux culs tout fripés, et que le spectacle commence ! On a encore beaucoup à faire d'ici à minuit.

Les quatre femmes se regardèrent. Elles savaient que leur vie était sur le point de changer. De façon radicale.

Chapitre 8

L'argent est roi.

Sur un coup de tête, Toots loua un jet privé pour leur saut en Californie puisqu'elle savait qu'obtenir des réservations au pied levé tiendrait de l'impossible. Prendre leur propre avion leur donnerait en outre une chance d'accorder leurs violons. Mais l'argument massue, c'était bien sûr que le pilote avait promis qu'elles pourraient cloper pendant les cinq heures de vol.

Toots leva la main, rappelant aux autres qu'Abby n'était pas née de la dernière pluie.

— Une seule bourde, et on est cuites ! Elle ne nous le pardonnerait jamais, alors gardez ça dans un coin de la tête, mesdames.

Au fond, Toots se sentait déloyale d'agir ainsi dans le dos de sa fille pour se porter acquéreur de *The Informer*. Mais sa fibre maternelle, elle, estimait qu'il était de son devoir de faire tout son possible pour assurer le bonheur et le bien-être de sa fille. Claquer 10 millions de dollars en pariant sur un tabloïd défaillant était certes un peu osé mais bon : à situation exceptionnelle, mesures exceptionnelles. Toots était peut-être vieille mais pas stupide. Avec l'aide de ses amies, elle était sûre de pouvoir faire en sorte que ça marche, pour Abby et pour elle, tout en donnant aux filles un nouveau souffle. Il lui restait simplement à régler les détails – les milliards de détails – jusqu'au dernier.

Sophie se leva et s'étira.

—Je ne sais pas vous, mais moi, ça suffira pour ce soir. Toutes ces discussions sur le travail et le sexe m'ont épuisée. Je vais rêver de Brad Pitt.

—Il est heureux en ménage avec Angelina Machin-Truc et il a six gosses. Tu devrais avoir honte de toi, commenta Ida.

—Mais non, mon rêve n'en sera que plus excitant!

Sophie serra Toots dans ses bras, se pencha pour embrasser Mavis sur la joue puis, avant qu'Ida puisse l'en empêcher, lui fit en plein sur les lèvres un gros bisou bien baveux.

—Pense à tous ces germes dans tes rêves. Bonne nuit, les filles.

Ida tira d'un coup sec un paquet de lingettes antibactériennes de sa poche de pantalon et entreprit de s'essuyer la bouche avec tant de vigueur que Toots eut la conviction qu'elle venait de se faire du même coup un gommage cutané.

—Je file aux toilettes.

Ida s'éclipsa si vite que Toots eut l'impression que Scotty venait de la téléporter à bord de l'*Enterprise.*

—Elle est rapide, celle-là, observa Mavis. Je suis ravie de ne pas être à sa place. À tout prendre, je préfère la graisse à la phobie des microbes. J'ai besoin d'une douche avant de passer mon examen médical. Je suis légèrement éméchée, au cas où vous ne l'auriez pas remarqué.

Elle lutta pour s'extirper de son siège. Une fois qu'elle réussit à se remettre debout, elle se dirigea d'un pas incertain vers le couloir qui menait à sa chambre.

— J'avais remarqué, Mavis ! lui lança Toots. Tu es sûre de ne pas avoir besoin d'aide ?

— J'irai mieux sitôt que j'aurai pris une douche froide. Ça faisait des années que je n'avais plus rien bu d'alcoolisé. Je dois avouer, Toots, que ça m'a plu.

— À moi aussi ! Crie si tu as besoin de moi. Je vais faire du café avant que Joe arrive.

La dernière chose dont elle avait besoin, c'était que Joe les prenne pour un ramassis de poivrotes, ses amies et elle.

Les filles étant respectivement occupées à dormir, à se désinfecter et à prendre une douche, Toots refit du café frais, en but deux tasses et se grilla trois cigarettes. Elle dénicha du désodorisant sous l'évier et en aspergea la cuisine ainsi que la salle à manger avant d'allumer une bougie parfumée haute qualité. Comme si ça allait duper Joe.

Maintenant, elle n'avait plus qu'à l'attendre.

En entendant frapper à la porte de derrière d'une main légère, Toots sursauta. Le docteur Pauley, Joseph Pauley… Joe, pour les intimes. Elle se dépêcha d'aller lui ouvrir. Le fond de l'air était frais cette nuit-là, ce qui était inhabituel en cette période de l'année. Toots espéra qu'on n'allait pas vers un été frisquet, puis se rappela que, si tout fonctionnait comme prévu, elle passerait l'été et l'automne sous le soleil brûlant de la Californie.

— Toots, je ne ferais ça pour aucun de mes autres patients. J'espère que tu en as conscience.

Elle s'écarta pour laisser entrer son vieil ami qui passa dans la cuisine.

— N'importe quoi ! Je connais au moins une dizaine de patients pour qui tu fais des visites à domicile, alors n'essaie pas de me faire gober ces conneries.

Le docteur Pauley était son médecin traitant depuis qu'elle avait emménagé à Charleston plus de vingt ans auparavant. Il avait au moins soixante-quinze ans, mais en paraissait à peine plus de soixante. Il avait une épaisse crinière blanche, des yeux bleus perçants auxquels rien n'échappait, et il mesurait dans les un mètre quatre-vingts, sans une once de graisse. Toots le trouvait beau et élégant. Dès leur première rencontre, il lui avait tapé dans l'œil. Une fois qu'ils étaient devenus amis – et Toots avait conscience que ça n'irait pas plus loin –, elle l'avait traité comme ce frère aîné qu'elle n'avait jamais eu. Elle se plaisait à penser que Joe faisait partie des « gens bien ».

— Je peux toujours essayer, pas vrai ? sourit-il. (Déposant sa sacoche en cuir marron sur le plan de travail, il jeta un coup d'œil alentour.) Alors, où est ma nouvelle patiente ?

— Elle devrait descendre dans une minute. Elle s'appelle Mavis. Nous sommes amies depuis le lycée. N'hésite pas à lui prescrire tout ce dont elle a besoin. Elle n'a que l'assurance-santé et une petite retraite pour vivre. Surtout, adresse-moi les honoraires et les factures. Je ne veux pas qu'elle s'inquiète du coût de cette visite, ni de ce que les labos factureront en fonction des besoins ou des médocs.

— Je peux m'en charger. Bon, juste histoire de te mettre au courant, je ne pourrai pas faire grand-chose sans la faire venir au cabinet. Je vais lui prélever un échantillon sanguin pour une numération globulaire complète et vérifier son taux de cholestérol. Je vais aussi procéder à un test lipidique, relever sa tension artérielle et sa fréquence cardiaque, mais c'est à peu près tout ce que je peux faire ici. Si j'estime que sa santé est en danger, je ne te mentirai pas. Je ne suis pas qu'un vieux charlatan, tu sais.

— Je sais beaucoup de choses, Joe. Et tu n'es certainement pas un charlatan. Combien de temps te faudra-t-il pour avoir les résultats du labo ? Je veux qu'elle commence à s'entraîner le plus tôt possible.

— Je les aurai demain à la première heure, mais, avant de se lancer dans des exercices physiques, elle devra passer un test d'effort. Je le préparerai pour demain matin. Je t'appellerai en cas de problème qui l'empêcherait de le passer dans l'immédiat. Un test ordinaire ne fonctionnera pas pour elle ; il faudra qu'elle subisse ce qu'on appelle une épreuve chimique d'effort. C'est pour les gens qui ne peuvent plus marcher bien loin sans s'essouffler, et je pars du principe que c'est son cas.

Mavis entra dans la cuisine, embaumant White Diamonds, le parfum d'Elizabeth Taylor.

— Vous parlez de moi ? s'enquit-elle.

— En effet. Mavis, je te présente Joe, mon docteur et mon ami. Ça ne te pose pas de problème, tu es bien sûre ? Si tu as le sentiment qu'on te force la main ou si tu te sens gênée, c'est le moment ou jamais d'en parler.

Toots haussa les sourcils d'un air interrogateur.

— J'en ai besoin, Toots ; ça n'aurait pas pu mieux tomber. Si je grossis encore, je vais mourir, et qui s'occupera de Coco, alors ? (Mavis se tourna vers le médecin.) Ravie de faire votre connaissance, Joe.

Ils échangèrent une poignée de main.

— Moi de même. Bon, ma jeune dame… (Il la dévisagea et vit briller une petite lueur au fond de ses yeux.) J'espère que les aiguilles ne vous font pas peur.

Une demi-heure plus tard, Mavis ayant été auscultée sous toutes les coutures, le docteur Pauley prit congé en promettant d'appeler dès qu'il aurait les résultats des tests et serait en mesure de faire passer l'épreuve d'effort à sa nouvelle patiente.

— Maintenant, l'heure du shopping a sonné, dit Toots en attrapant son sac à main sur le plan de travail. J'adore faire les magasins.

Bernice lui avait opposé un refus catégorique, décrétant qu'elle préférerait mourir plutôt qu'être vue dans une boutique de mode grandes tailles ; Toots n'avait qu'à y emmener son amie elle-même. Ce à quoi Toots avait répliqué : « Va te faire voir, Bernice ! »

— Tu n'as pas à faire ça, Toots. Quand j'aurai perdu toute cette graisse… (Mavis pinça une de ses impressionnantes poignées d'amour.)… il me faudra de nouveau racheter des vêtements de toute façon.

— Alors nous retournerons faire les boutiques. De plus, une fois que nous serons à L.A., tu n'auras plus le temps de laver et de sécher ces trois tenues tous les jours. Nous serons trop occupées. Liz adore les chiens, alors va chercher la laisse de Coco. Et moi j'adore faire du shopping, au cas où je ne te l'aurais pas déjà dit ! s'exclama Toots, tout excitée.

— Eh bien, tant mieux, parce que, moi, ça m'horripile, ronchonna Mavis. Lorsqu'on est aussi corpulente que moi, c'est franchement embarrassant.

— Oh, arrête un peu ! Va chercher Coco et filons. On a des milliers de choses à faire avant demain matin.

Le trajet jusqu'à la boutique s'effectua en silence, les deux femmes restant plongées dans leurs pensées. Quinze minutes plus tard, Toots gara la Lincoln dans une ruelle étroite, derrière un ensemble de petites boutiques, sur une place réservée aux clients privilégiés.

— Nous y voilà. Viens, j'ai hâte qu'on s'y mette.

Toots fit le tour jusqu'à la portière du côté passager pour aider Mavis à s'extraire du véhicule.

— Rappelle-toi, ce n'est qu'un début. D'ici à un an, tu adoreras faire du shopping autant que moi.

— J'en doute, mais je suis ouverte aux nouvelles expériences, surtout quand mes trois meilleures amies et ma filleule y sont mêlées. Dieu sait que j'ai besoin d'excitation dans ma vie ! Liz doit être une amie très chère pour rouvrir ainsi son magasin si tard rien que pour nous deux.

Sur le siège arrière, Coco glapit dans son panier.

— Liz est une dame exceptionnelle. Je m'occupe de Coco.

Toots sortit le petit chihuahua du panier, fixa le mousqueton de la laisse sur son collier serti de strass, le déposa sur le trottoir puis prit Mavis par la main.

— Que la fête commence !

Mavis partit dans un franc éclat de rire.

— Je n'ai jamais couru les boutiques à une heure pareille. Je n'arrive toujours pas à croire que ton amie ait rouvert cette nuit rien que pour moi.

— À quoi servent les amies, sinon ? Autant t'y faire tout de suite. L'existence que tu menais dans le Maine, c'est déjà de l'histoire ancienne.

Mavis pila.

— Je ne veux pas que ma vie change de cette façon, Toots. J'aime le Maine. Depuis la mort d'Herbert, j'y ai mes racines. Je ne m'imagine même pas aller vivre ailleurs.

Toots s'arrêta net elle aussi. Était-ce leur premier accroc ?

— Dans ce cas, pourquoi as-tu accepté d'aller en Californie ?

— Ce n'est pas comme si j'allais y rester pour toujours, pas vrai ?

— Certes, mais je ne sais pas combien de temps durera notre séjour là-bas. Comme je disais, Mavis, sois prête à voyager souvent. Il faut que tu sois réglo avec ça dès le départ.

— Je le suis, je le suis ! Le changement est toujours un peu effrayant, voilà tout. Comme je te disais, moi, j'ai vécu dans le Maine depuis qu'Herbert est mort, et ça fait quoi, quinze ans ? Le temps passe très vite quand on vieillit.

— Et nous perdons justement notre temps à en parler. Viens, allons voir ce que Liz a en lingerie fine et sexy.

Mavis secoua la tête. Coco trottinant à leurs côtés, elles entrèrent dans le magasin de vêtements à l'éclairage tamisé.

Chapitre 9

La boutique était agencée de façon à privilégier un sentiment d'intimité et de confidentialité. Il n'y avait pas d'étiquettes sur les articles, pas de tables d'exposition-vente proposant des ristournes inouïes, ni de bons de remise de cinquante pour cent. Partout où elle posait les yeux, Mavis voyait bien que la clientèle de Liz avait conscience d'aborder de la confection chic et haut de gamme pour femmes corpulentes. Il n'y avait pas de mannequins rachitiques pour présenter des articles qui seraient allés à de petits anges de trois ans, de portants avec des tenues taille trente-deux-trente-quatre, ni d'affiches avec des mannequins genre Barbie arborant des vêtements haute couture. Mavis songea que la boutique évoquait certains dressings de célébrités, qu'elle avait vus sur la chaîne câblée Style, sauf que, chez Liz, c'était dix fois plus grand.

Une petite femme mesurant à peine plus d'un mètre cinquante et ne dépassant pas les cinquante kilos les accueillit.

— Vous devez être Mavis. Je suis Liz.

La dame menue portait une jupe noire droite et un chemisier d'un blanc éblouissant, avec une veste à damier noir et blanc. Ses pieds minuscules étaient chaussés de bottes en cuir rouge qui la rehaussaient de sept ou huit bons centimètres.

Mavis lança un regard interrogateur à Toots, qui gloussa.

— Je sais ce que tu es en train de te dire.

Mavis se rappela ses bonnes manières.

— C'est très aimable à vous de rouvrir rien que pour moi. C'est juste que cela me gêne qu'il soit si tard. J'espère ne pas vous priver de votre famille, enchaîna-t-elle sans reprendre son souffle.

— Je vous en prie, et non, vous ne me privez pas de quoi que ce soit. Quand Toots m'a dit que vous étiez de ses amies et que vous aviez besoin de rénover votre garde-robe, j'ai bondi sur l'occasion.

Elle parlait d'une voix légère et mélodieuse, très agréable à l'oreille.

— Liz aime habiller les gens. Elle a travaillé comme styliste pour certaines des stars les plus adulées de Hollywood. Il y a quelques années, ajouta Toots.

C'était plus que « quelques années » mais, à leur âge, elle se disait que vingt ans, ça correspondait à peu près à ça.

— Oh, vraiment ! Qui habilliez-vous, si je peux me permettre ?

Mavis raffolait de tout ce qui avait trait à Hollywood. Presque autant que Toots raffolait de ses tabloïds.

— Doris Day comptait parmi mes favorites. Elle me donnait carte blanche quand il s'agissait de sa garde-robe privée. Travailler pour elle, c'était un rêve.

— Me voilà impressionnée. Je suis prête à essayer tout ce qui pourrait m'aller selon vous. Je suis tellement grosse, j'ai honte de m'être laissée aller comme ça.

Toots confia le changement de look de Mavis aux mains très capables de Liz. Elle s'installa sur une banquette tendue de velours bleu, devant les cabines d'essayage, tandis que les deux femmes y entraient et en sortaient d'un air affairé.

Trois heures plus tard, le coffre rempli de sacs et de cartons, Toots et Mavis rentrèrent à la maison, grisées par leur séance nocturne. Elles transférèrent leurs achats à l'intérieur, les larguant à l'entrée.

La voix vibrant encore d'excitation malgré la fatigue, Mavis dit :

— Je n'ai jamais eu autant d'habits de toute ma vie. (Elle se laissa choir sur un fauteuil confortable, Coco lovée sur son ample giron.) Je ne veux même pas savoir combien tout cela coûte. Ça me ferait probablement mourir d'une attaque.

— Ah, c'est pour ça que tu t'es dépêchée de retourner à la voiture quand Liz a commencé à faire le total ! Crois-moi, ça vaudra jusqu'au dernier cent lorsque tu verras combien tu as meilleure allure et combien tu te sens mieux. Une fois que tu te mettras à perdre du poids, nous recommencerons.

Ravie de voir l'effet qu'avait leur excursion de minuit sur Mavis, Toots se promit en secret de faire la même chose avec toutes les filles, que ce soit ou non dans leurs moyens. Le sourire éclatant qu'avait eu Mavis en essayant des dizaines de tenues avait en effet valu jusqu'au dernier cent que Toots venait de dépenser cette nuit-là, et plus encore.

— Je ne sais pas. Je me débrouille bien avec du fil et une aiguille. Je ferai les retouches nécessaires à mesure que je maigrirai.

— Mais non, voyons ! Tu ne feras rien de tel. Je suis riche, Mavis. À tel point que c'en est indécent ! Je ne vivrai jamais assez longtemps pour dépenser les intérêts que j'engrange, alors oublie un peu tes histoires de retouches. Il va juste falloir que tu t'habitues au fin du fin, à ce que la vie a de meilleur à offrir. Si ça ne te plaît pas…

—Je n'ai qu'à lécher ton vieux cul tout fripé ? rétorqua Mavis avec le sourire.

—Exactement !

—Ce ne serait pas le top de mes activités préférées, alors… pour l'instant, en tout cas… tu peux me présenter comme une parente pauvre, et j'accepterai tes largesses.

—Bien, parce que t'imaginer en train de m'embrasser le derrière n'est pas joli joli.

Les deux femmes partirent d'un éclat de rire retentissant.

—Il est tard, Mavis. Si tu allais te coucher ? Tu as une épreuve d'effort à passer demain matin, et moi, j'ai encore des détails à régler.

—Je ne me rappelle même pas m'être autant amusée qu'aujourd'hui, Toots. Merci, grâce à toi, je revis ! Je me fais l'effet d'une Cendrillon au bal, sans son prince charmant.

Mavis se leva sur des jambes chancelantes pour embrasser son amie.

—En ce qui me concerne, les princes charmants, c'est très surfait, sourit Toots, surprise de se sentir aussi bien.

—C'est vrai ? Eh bien, moi, en tout cas, je suis vannée. Je n'aurais jamais cru que le shopping soit une activité aussi physique. Bonne nuit, Toots.

—Bonne nuit, Mavis.

L'heure suivante, Toots passa trois coups de fil, puis avala un bol énorme de Froot Loops avec deux fois plus de sucre que de lait. Le premier appel fut pour le

Beverly Hills Hotel. Il leur faudrait un point de chute le temps qu'elle détermine exactement comment gérer son tout nouveau torchon de tabloïd de troisième zone. Elle réserva quatre des célèbres bungalows de l'hôtel, réclamant spécifiquement que l'un d'eux soit celui où Elizabeth Taylor avait passé sa lune de miel avec six de ses huit maris. Toutes quatre auraient leur intimité dans le plus grand luxe. L'heure venue, elle ferait ensuite l'acquisition d'une maison. Si tout se déroulait comme prévu.

Elle achèterait peut-être une des vieilles tanières d'Aaron Spelling. L'heure venue, elle consulterait son site immobilier préféré. Elle adorait se piquer au jeu, s'imaginant souvent comment elle se proposait de redécorer les immenses villas qu'elle « achetait » en ligne.

Oh oui, elle allait bien dormir, cette nuit.

Chapitre 10

Abby Simpson était aussi belle que les stars dont elle parlait à longueur d'article, voire davantage si elle en croyait les papotages de ses collègues quand ceux-ci pensaient qu'elle n'écoutait pas. Elle détestait les cancans au déjeuner et jugeait la comparaison absurde. Au contraire, Abby s'ingéniait à minorer son charme en raison même de ces commérages. Dans sa profession, elle avait très vite appris que beauté et intelligence n'étaient pas la combinaison idéale. En tout cas, pas à L.A. Avoir hérité de son père des cheveux blonds qui frisaient naturellement et des yeux bleu clair était presque une malédiction. Si l'on ajoutait à cela une silhouette menue aux courbes harmonieuses, ce n'était guère étonnant qu'on la confonde fréquemment avec une de ces starlettes sur qui elle écrivait quand elle retournait s'aventurer dans les points chauds de L.A. en quête de son reportage suivant.

Pourtant, elle n'avait rien d'une starlette. Cette seule idée suffisait à lui donner des maux de ventre. Et la comparaison aurait horrifié Toots.

Lorsqu'elle était venue s'installer à L.A., Abby s'était vu offrir de petits rôles et les avait tous déclinés. Tout ce qu'elle voulait, c'était couvrir les événements qui offraient au public un divertissement si délicieusement scandaleux, et non tenir la vedette dans l'un de ces scandales. Elle hésitait à les qualifier de « nouvelles » dans la mesure où ce n'en était pas, *stricto sensu*. Elle écrivait dans le but de divertir, mais il y avait dans ses articles un fond de vérité. Elle faisait simplement en sorte de les rendre plus excitants à lire. Personne n'avait envie d'entendre parler de la vie parfaite de ceux qu'on admire et qu'on adule. C'était trop lassant, trop vite. Cependant, quand les admirés et les adulés allaient en cure de désintoxication, prenaient du poids, divorçaient ou trahissaient par leur comportement le fait qu'ils n'étaient jamais que des êtres humains, le public était aux anges. Abby se contentait de pimenter un peu ses articles.

Avec la mise en vente de *The Informer*, Abby ne savait même plus combien de temps encore elle aurait un job. Si sa situation financière avait été plus solide, elle aurait envisagé de faire une offre pour le rachat du journal, mais cela aurait trop pesé sur son budget déjà serré. Elle avait investi le gros de son argent dans l'achat de sa première maison, de style ranch des années 1950, située à Brentwood, une zone huppée à l'ouest de Los Angeles.

Sa mère lui aurait donné l'argent en un clin d'œil si elle le lui avait demandé, mais Abby ne fonctionnait pas comme ça. Il était par ailleurs hors de question qu'elle puise dans ses placements. Dès qu'elle avait été en âge légal de travailler, à seize ans, elle s'était trouvé un job à temps partiel qui consistait à noter au téléphone les petites annonces pour un modeste journal familial, *The Daily Gazette*, à Charleston. Et elle l'avait gardé jusqu'à la fin de ses années de lycée. Elle avait ensuite travaillé comme assistante de rédaction dans une petite maison d'édition tout en fréquentant l'université de la Caroline du Sud, où elle s'était spécialisée dans le journalisme et, à vingt-huit ans, elle ne levait toujours pas le pied. Elle n'avait nulle intention de le faire tant qu'elle ne réaliserait pas son rêve : posséder le plus grand tabloïd possible, le meilleur, un papier qui ait une distribution mondiale.

Aux yeux de certains, un tel objectif aurait pu paraître aberrant dans la mesure où les tabloïds n'étaient jamais que des tabloïds. Abby se disait pourtant que ceux-ci avaient leur raison d'être. Elle sourit en repensant à la passion que sa mère nourrissait en secret pour ces journaux à sensation. Depuis l'école primaire, Abby aussi avait des affinités pour ce type de presse, d'où l'emploi qu'elle occupait actuellement. Quelle importance si ce n'était pas *The New York Times* ou *The Wall Street Journal* ? Abby n'avait pas honte de sa profession. Si quelqu'un l'attaquait là-dessus, elle ne se gênait pas pour riposter, et sans prendre de gants.

À l'instar de sa mère, elle dormait peu. Quand le téléphone sonna vers 1 heure du matin heure locale, elle décrocha à la première sonnerie.

— Abby Simpson.

— Tu es réveillée ? lui demanda sa mère.

— Bien sûr que je suis réveillée. Je ne répondrais pas au téléphone sinon, pas vrai ? Tu sais très bien que je ne dors jamais.

Abby était une insomniaque notoire. Ses meilleurs articles, elle les avait rédigés aux petites heures de la nuit.

— Non, en effet. Ton père ne dormait pas beaucoup non plus. Au moins quand il était au lit avec moi…, ajouta Toots en gloussant.

— Je n'avais pas besoin de savoir ça ! (Abby rit à son tour. Sa mère était impossible, mais elle l'adorait.) Est-ce que tout va bien ? Tu n'appelles pas si tard d'habitude.

—Ici, il est presque 4 heures du matin. Mais il est plus tôt à L.A., à moins que ce ne soit l'inverse – je me goure toujours. Dis-moi que je ne deviens pas sénile.

—Toi, sénile ? Jamais !

—Merci pour le vote de confiance. J'appelle parce que j'ai une surprise pour toi.

Oh non ! pensa Abby.

—Ah bon ?

—Ça n'a pas l'air de te réjouir. Tu as de la compagnie ? Il y a quelque chose que tu ne me dis pas ?

—Je vais bien, et non à tes deux questions. Je voudrais bien avoir de la compagnie, ajouta Abby, d'humeur mélancolique. Chester est formidable, mais il ne comprend pas toujours ce que je dis.

Pauvre Chester ! Il avait passé de nombreuses nuits allongé près de sa maîtresse, les oreilles dressées, la tête inclinée d'un air interrogateur, en agitant la queue patiemment comme s'il essayait vraiment d'interpréter ses propos. La plupart du temps, Abby aimait bien la vie qu'elle menait et n'aurait pas voulu en changer. Pour quoi que ce soit. Elle appréciait sa liberté et n'avait pas de temps à consacrer à une relation sérieuse. Oh, il y avait bien un homme qui l'attirait depuis une éternité et demie… mais elle ne l'importunait pas, car elle savait qu'elle ne l'intéressait pas – pas de cette façon-là. Son cher vieil ex-demi-frère par alliance, Christopher Clay, son défenseur et plus fervent allié à Los Angeles. Et il se trouvait justement être l'un de ses meilleurs amis.

Elle avait des vues sur lui depuis le premier jour et n'avait jamais cessé de penser à lui comme à un amant possible. Elle sourit. *Ah, quel beau gosse !*

—Abby, tu m'écoutes ? questionna sa mère.

— Hein ? Euh, navrée, j'avais la tête ailleurs. Bon, tu disais que tu avais une surprise pour moi. Je suis tout ouïe.

— Tu es au courant que tes marraines sont là. Elles dorment, autant que je sache, mais je voulais être la première à te l'annoncer. Sophie ne peut rien garder pour elle, tu la connais, ajouta Toots sur une note affectueuse.

— Maman ! (Abby aimait sa mère, mais, parfois, son sens du drame était lassant.) Dis-moi ou je me mets à chanter ! Et tu sais que je ne sais pas chanter.

— Je sais, oui, alors laisse-moi épargner le pire à nos deux paires d'oreilles. Voilà la surprise : j'ai persuadé les filles de venir faire un saut à L.A. en avion. Nous partons tout à l'heure, si tout se déroule comme prévu. J'ai même réservé un jet privé.

— Maman, mais c'est fantastique ! Ça fait une éternité que je n'ai pas revu mes marraines. Je ne te demanderai pas comment tu as réussi à les convaincre. Et Ida ? Je croyais qu'elle était malade ? Dans son e-mail, Sophie me disait qu'elle portait des gants tout le temps.

À l'autre bout de la ligne, Abby entendit sa mère pousser un gros soupir.

— Oui, et ce n'est pas drôle, crois-moi. Je suis atterrée pour elle. Joe lui a arrangé un rendez-vous avec un collègue à L.A., un spécialiste des troubles obsessionnels compulsifs ou TOC, comme on dit.

— Je connais. On n'entend plus parler que de ça dans les débats télévisés. Je crois qu'Oprah a évoqué le sujet il n'y a pas longtemps. Sachant ce que je sais, je ne vois pas comment tu y es parvenue, mais je te connais, toi et tes pouvoirs de persuasion. J'emprunterai un lit pliable pour Mavis. Sophie et toi pourrez dormir dans ma chambre, et nous mettrons Ida sur le divan. Ce n'est pas idéal, mais c'est tout ce que je peux proposer pour l'instant. La rénovation est terminée, mais je n'ai pas encore commencé à décorer les chambres d'amis.

Abby avait hérité de sa mère l'amour de la décoration d'intérieur. En achetant sa maison style ranch, elle avait englouti le reste de ses économies dans les travaux de réparation qu'elle avait entrepris elle-même. Elle avait arraché les vieilles moquettes et, à son grand ravissement, découvert dessous un parquet en cerisier massif. Quand elle ne sillonnait pas la ville en quête d'un sujet de reportage, elle avait poncé son parquet à la main. Ça lui avait bien pris deux ou trois mois, mais son travail éreintant avait porté ses fruits. D'un bout à l'autre de la maison, le parquet était aussi lisse et brillant que du verre. Elle avait gardé les fenêtres et les portes vitrées d'origine, qui ouvraient sur une cour privée. Celle-ci faisait partie des raisons qui l'avaient incitée à acheter la propriété. Elle était envahie par des pieds de sureau, de chèvrefeuille et de liseron, mais Abby s'était néanmoins abstenue de tout tailler tant ces parfums étaient grisants. Si elle était contrainte de rechercher du travail, elle consacrerait peut-être ses heures perdues à rendre à son jardin sa splendeur d'antan.

— Merci, Abby, mais j'ai déjà pris mes dispositions au *Beverly Hills Hotel*. J'ai réservé quatre des bungalows. Je descendrai dans celui où Elizabeth Taylor a passé sa lune de miel avec plusieurs de ses maris successifs. J'ai hâte d'y être ! Ce sera comme au bon vieux temps, nous quatre réunies.

En entendant l'excitation dans la voix de sa mère, Abby sourit. Elle en avait beaucoup entendu sur les jeunes années de ses marraines et de Toots, du temps où, adolescentes, elles étaient toutes voisines. Certaines anecdotes étaient tellement énormes qu'il était difficile à Abby d'imaginer ses quatre plus grands modèles en train de se compromettre ainsi.

— Parfait. Rappelle-moi dès que tu seras sûre de l'heure d'arrivée, et je vous enverrai une voiture pour vous conduire à l'hôtel.

Abby conduisait une Mini Cooper jaune vif. Avec Chester occupant invariablement le siège passager avant, et le siège arrière encombré par tout son équipement professionnel, il ne restait plus de place.

— Merci, Abby. Ça allait être mon coup de fil suivant.

— Tu ferais mieux de te coucher pour dormir un peu si vous êtes sur le départ. Quand je te verrai, je veux que tu aies l'œil vif et pétillant.

— Là-dessus, je te dis bonne nuit. On se voit d'ici quelques heures à peine. Je t'aime, ma chérie.

— Moi aussi, répondit Abby avant de raccrocher.

Puisqu'il restait tout juste quelques heures, Abby se lança dans un nettoyage en grand ; elle en avait eu l'intention la semaine passée, mais n'avait pas trouvé le temps.

Dans sa chambre, elle défit les draps roses à motif floral, les fourrant dans un panier à linge pour plus tard. La machine à laver et l'essoreuse se trouvaient au garage attenant ; la lessive figurerait donc en dernier sur sa liste de choses à faire car il lui fallait sortir. Elle baissa les yeux sur la chemise de nuit Wonder Woman qu'elle portait.

Abby fit la poussière sur les meubles de sa chambre, donna un coup de balai puis passa la serpillière pour rafraîchir les lieux. Dans des moments pareils, elle se félicitait d'avoir vitrifié le parquet, ce qui lui évitait d'avoir à le cirer. Elle astiqua la baignoire et le carrelage de la douche, nettoya le lavabo et remit ses produits de maquillage dans le tiroir, à leur place.

Dans la cuisine, elle récura les plans de travail à motifs bleu et gris, qui étaient d'origine. Abby trouvait que ça enlaidissait méchamment sa cuisine et désirait remplacer le tout par du granit, mais son budget ne le lui permettait pas. *Bientôt*, se promit-elle. Elle était patiente et dure à la tâche. Le temps venu, elle aurait non seulement un petit foyer impeccable, mais également son propre tabloïd à gérer. Parfois, les rêves se concrétisaient.

Les détails restaient encore flous, mais elle savait que ça arriverait, car lorsqu'elle voulait quelque chose, quelle qu'en soit la difficulté, elle mobilisait toutes ses ressources et atteignait toujours ses objectifs. Du moins dans ses rêves.

Abby n'était certes pas une dégonflée. À l'exemple de ses parents, elle croyait aux vertus du travail et de l'autodiscipline. Ayant hérité de ces traits de caractère, Abby se savait condamnée au succès. Ses rêves étaient pour elle la preuve que ses objectifs n'avaient rien d'inaccessible. Ça arriverait.

Deux heures plus tard, une fois qu'elle eut fini d'astiquer la grande baie vitrée de sa salle de séjour, elle s'assit sur son somptueux canapé rouge et sombra dans un profond sommeil.

À l'étage, dans la chambre d'amis de Toots, Ida parvint à la conclusion que faire le premier pas pour reprendre le contrôle de ses obsessions était le défi le plus dur qu'elle ait pu tenter en soixante-quatre ans d'existence. Ôter son masque antibactéries l'avait laissée troublée et mal à l'aise, d'autant plus que sa routine habituelle était complètement perturbée par ce voyage. Il lui avait fallu s'armer de toute sa volonté pour louer une limousine jusqu'à l'aéroport. Rien qu'à l'idée qu'il y avait eu des centaines d'autres passagers avant elle dans le véhicule, elle avait bien failli tourner les talons et rentrer en courant dans son appartement de grand standing sur Park Avenue, à l'abri, en sécurité, loin de la saleté ambiante. Le vol avait été tout aussi épouvantable, avec ses germes en suspension repassant d'un bout à l'autre de l'avion. Ida avait persévéré, car elle voulait revoir ses amies et avait conscience d'avoir besoin d'aide. À cet instant précis cependant, ses mains tremblaient, elle avait l'estomac noué, les paumes en sueur et la gorge sèche. Sachant que ces symptômes étaient les signes avant-coureurs d'une crise de panique, Ida prit dans le soufflet à glissière d'un de ses bagages un petit sac en papier marron. Assise au bord du lit, elle froissa l'ouverture du sachet et commença à inhaler et à exhaler lentement. Cette procédure l'empêchait habituellement d'hyperventiler, même si ce n'était pas une méthode infaillible.

Ida passa les dix minutes qui suivirent à respirer dans son sac, tout en examinant la chambre avec l'espoir que ça la distrairait suffisamment pour qu'elle n'ait pas d'attaque grave. Le lit à baldaquin, un meuble ancien en noyer assorti à la coiffeuse et à l'armoire, prenait la moitié de l'espace. Deux fauteuils d'aspect confortable étaient tournés face à l'âtre. Les murs aux coloris rose et crème prêtaient à l'ensemble une douce atmosphère de chaleur douillette. Des plantes vertes étaient disséminées dans la pièce, apportant à l'intérieur une légère impression de grand air. Toots était bien connue pour son bon goût. Ida avait la certitude qu'aucun décorateur professionnel n'était passé par là.

Quand elle se sentit de nouveau assez vaillante pour tenir sur ses jambes sans défaillir, elle se débarrassa du sachet marron en espérant ne plus en avoir besoin. Pour cette nuit au moins.

Afin de détacher son esprit d'autres pensées négatives, elle prit le désinfectant que Toots lui avait acheté et se lança dans son étrange – et réconfortante – routine. Centimètre par centimètre, elle quadrilla la chambre d'amis. À commencer par les boutons de porte. Après chaque balayage, elle tirait une lingette de son étui pour essuyer soigneusement chaque zone trahissant la plus infime présence de microbes. Elle balayait ensuite chaque zone une seconde fois afin de s'assurer qu'elle venait bien d'éliminer autant de germes potentiellement mortels qu'il était humainement possible.

Elle scruta la table de chevet, la lampe, le réveille-matin. Tout ce qui entrait en contact avec les doigts, elle le passait aux UV. Voyant que ces objets étaient exempts de contaminations microbiennes, elle vérifia ensuite les draps d'un blanc immaculé. À son arrivée, Bernice lui avait expliqué qu'elle les avait lavés à l'eau chaude, avec de grandes rasades d'eau de Javel. Ida lui en était reconnaissante, car dormir dans les mêmes draps deux nuits d'affilée était pour elle quasiment impossible. Toots avait certainement comblé ses singulières attentes, et – c'était bien triste – Ida avait conscience de demander à ses amies de se faire ses complices. À ce stade, c'était plus fort qu'elle. Ôter son masque et respirer de l'air non filtré représentait pour elle un pas de géant, attestant de sa détermination à vaincre ses phobies.

Une fois assurée que sa chambre était aussi stérile que possible, elle réitéra le processus dans la salle de bains. Elle astiqua les robinets du lavabo, la chasse d'eau des toilettes et le bouton de porte intérieur.

Elle enleva le savon antibactérien, les sacs-poubelles de petit et grand format et une brosse à cheveux du tiroir où Bernice les avait rangés. Elle retira ensuite soigneusement ses gants en latex. Tout en se disant qu'elle évitait une contamination quand elle les enfilait, elle ne pouvait nier qu'elle les portait aussi pour dissimuler ses mains. À force de les laver au savon antibactérien, elle avait abîmé sa peau fine et délicate ; elles étaient maintenant rougies et gercées. Elle fourra ses gants usagés dans un sachet en plastique, qu'elle glissa dans un autre, un sac-poubelle de taille moyenne et antibactérien – à en croire la société qui le produisait. Tirant de son étui une lingette de plus, elle s'en servit comme d'un filtre en ouvrant le robinet d'eau. Elle laissa la température monter autant qu'elle le supportait et déballa de sa main libre un tout nouveau pain de savon. Elle ne pouvait jamais se resservir d'un même pain de savon non plus, car lui aussi se couvrait de microbes à chaque usage.

Prenant une profonde inspiration, Ida tendit les deux mains sous le jet d'eau chaude. Elle fit mousser le savon, en faisant attention à ses mains fragilisées, et se servit d'une éponge pour les décaper de germes imaginaires. Dix fois. Thomas était décédé un dix octobre. Depuis ce jour-là, dix était devenu le chiffre magique d'Ida.

Elle se massa ensuite les mains à l'aide d'une crème antibiotique soulageant la douleur. Une fois complétée cette phase de sa routine, Ida enfila une nouvelle paire de gants en latex. Là, elle se déshabilla, fourrant ses vêtements dans un autre sac avant de mettre la douche en marche. Armée d'une nouvelle éponge décapante et d'un autre savon désinfectant, elle se décrassa le corps jusqu'à ce qu'il rosisse. Dix fois. Toujours dix fois. Puis elle passa à ses cheveux, pour lesquels elle se servait d'un shampooing détergent assez agressif. De nouveau, elle répéta dix fois le processus.

Quand elle eut fini, elle prit les serviettes de bain blanches qui, Bernice en jurait, avaient été lavées à l'eau chaude et à la javel. Elle se frotta la peau jusqu'à ce qu'elle ne puisse plus le supporter une minute de plus. Cette routine bizarre lui apportait quelques heures d'apaisement mental, jusqu'à ce qu'il faille la recommencer dès le lendemain matin et autant de fois que le lui permettaient ses occupations du jour. De crainte que le voyage prévu ne l'empêche de dormir, Ida prit un somnifère avant de se glisser dans son lit. Sa dernière pensée consciente, avant de s'endormir, fut qu'elle était sacrément atteinte pour en passer encore par tout ça.

Certaines nuits, elle priait pour ne plus jamais se réveiller.

Chapitre 11

Dans sa chambre, de l'autre côté du couloir, Sophie était plongée dans la lecture de la pile de tabloïds, que Toots avait laissée près de son lit. Après avoir presque tout parcouru, elle fut prise d'un subit élan de culpabilité.

— Damné soit cet homme ! lança-t-elle à la cantonade.

En état de mort imminente, Walter tenait toujours sa femme sous sa coupe. Une coupe mortellement étouffante.

Repoussant les tabloïds, Sophie dut bondir hors du lit, tant il était haut. Toots et son amour de la décoration d'intérieur… Sophie devait le reconnaître : la pièce était accueillante à tout point de vue. Le lit en chêne, avec son haut dosseret, était d'un luxe délicieusement décadent, le matelas somptueux, et les draps, du mille fils au moins. Une boîte de chocolats était posée sur la table de chevet. Un mini-frigo contenait de l'eau en bouteille, de petites bouteilles glacées de Coca-Cola et de Dr Pepper. Dans la salle de bains, un panier présentait tous les produits de toilette connus de la gent féminine : shampooings, dentifrices, rince-bouche et lotions corporelles parfumées au gardénia. Sophie avait l'impression d'être dans un hôtel de luxe, et non chez sa meilleure amie. Toots n'avait reculé devant aucune dépense pour rendre ce séjour mémorable.

Sophie gagna la fenêtre ouverte qui donnait sur le jardin – si du moins on pouvait parler de « jardin ». Des taillis aux doux parfums, du jasmin du Sud, embaumaient délicieusement l'air nocturne. Ça lui évoquait l'arôme du *bubble gum*. Une brise fraîche dérivant par la fenêtre incita Sophie à courir se réfugier sous les couvertures. Elle en avait assez de la fraîcheur. Tout ce qui était froid lui rappelait Walter.

À cet instant précis, Sophie se sentait plus heureuse qu'elle ne l'avait été depuis des années. La compagnie de Toots lui avait toujours fait cet effet. Il en était ainsi depuis leur adolescence. Ce n'était peut-être rien de plus que le fait de se sentir autant en sécurité. Quoi qu'il en soit, elle appréciait.

Pelotonnée sous les couvertures, Sophie s'abandonna à ses souvenirs, ce qu'elle s'efforçait habituellement d'éviter. Vivre avec Walter n'avait pas été simple. L'enfer sur terre, voilà qui aurait été une description plus juste.

Se retrouver livrée à elle-même à Manhattan s'était révélé plus terrifiant qu'elle ne l'aurait cru. Elle venait de finir ses études d'infirmière et partageait un appartement avec une ancienne camarade qui passait son temps à se plaindre. La vie new-yorkaise n'était pas à la hauteur de sa réputation, du moins jusqu'à ce que Sophie fasse la connaissance de Walter.

Elle se remémora leur rencontre. Elle venait d'ouvrir un nouveau compte à la banque de Manhattan, où Walter venait d'être promu sous-directeur d'agence. Il était beau, charmant, et elle avait été follement surprise lorsqu'il l'avait invitée à dîner pour fêter sa nouvelle promotion.

Leur histoire d'amour, torride et intense, avait consumé tous les instants de la vie de Sophie. Comme il était de dix ans son aîné, elle avait été impressionnée par ses connaissances et éblouie par son intelligence. Après une cour assidue menée tambour battant pendant trois mois, il avait fait sa demande, et Sophie avait accepté sans y réfléchir à deux fois.

Les quatre premières années de leur union, elle avait mis entre parenthèses sa carrière d'infirmière. Walter n'avait pas voulu qu'elle travaille. Lorsqu'il était devenu obsédé par sa propre carrière, se mettant à bosser dix-huit heures par jour à la banque, elle n'avait pu supporter le vide ou l'ennui de son existence. Ayant trop de temps à tuer, elle avait pris un poste dans un cabinet de pédiatrie à Brooklyn. Elle avait adoré le docteur avec qui elle travaillait, tout comme les enfants dont elle s'occupait. Après trois ans passés à être entourée de gamins malades, Sophie avait décidé qu'elle avait suffisamment attendu pour avoir le sien. Walter ne rajeunissait pas, et elle ne voulait plus attendre davantage, craignant de devenir une de ces « vieilles mamans » dont les filles parlaient au cabinet.

Les deux années suivantes, elle avait tout essayé pour tomber enceinte, toutes les astuces possibles et imaginables. Les mois s'écoulant sans résultat, Sophie avait renoncé. Walter aussi. Déçu de voir que sa femme ne pouvait pas lui donner d'enfant, il s'était mis à reporter sur elle ses colères et ses frustrations. Cela avait commencé par de petites choses. Son steak était trop cuit. Elle avait l'air décoiffée. Leur appartement n'était pas aussi propre qu'il aurait dû l'être à ses yeux.

Walter exigea qu'elle démissionne, rendant limpide le fait qu'elle avait besoin de se recentrer sur son mari, sur leur foyer et sur rien d'autre. Que l'épouse du tout nouveau directeur d'agence de la banque de Manhattan travaille n'était pas un atout. Walter parlait de sa carrière d'infirmière comme d'une gêne, allant jusqu'à laisser entendre que ses amis et collègues le regardaient de haut, considérant qu'il ne gagnait pas assez pour subvenir aux besoins de sa femme.

Pour la première fois en près de dix ans de mariage, Sophie lui avait tenu tête. Elle ne renoncerait à sa carrière sous aucun prétexte. Sans cela, elle n'avait rien. Elle jugeait son raisonnement absurde, et elle le lui avait dit.

Sophie se rappelait encore la première fois où il l'avait frappée.

Ils venaient de rentrer de la traditionnelle fête de Noël de la banque. Comme il en prenait l'habitude, Walter avait trop bu, trop flirté et parlé à son épouse comme à une vulgaire servante. Dans le taxi les ramenant chez eux, Sophie avait refusé de lui adresser la parole. À leur arrivée dans leur appartement de Manhattan, il s'était mis à tempêter, lui criant qu'elle n'était bonne à rien et qu'il avait fait une erreur en l'épousant. Elle était vulgaire, sans distinction. Elle jurait par rapport aux épouses des autres cadres. Lasse de se battre, Sophie avait répliqué qu'elle intenterait une action en divorce dès la fin des vacances. À peine venait-elle d'annoncer cela qu'il l'avait giflée, lui ouvrant la lèvre. Choquée et humiliée, avec le goût salin du sang dans la bouche, Sophie avait tenté de quitter l'appartement, sachant qu'une fois dégrisé son mari lui demanderait pardon. Walter l'avait retenue, lui cassant le bras.

Après la troisième ou quatrième raclée, Sophie avait renoncé à tous ses rêves de bonheur. Durant un moment, Walter l'avait même convaincue que ces dérouillées étaient sa faute. Elle l'avait hélas cru, jusqu'à ce que Toots lui rende une visite impromptue à New York et la trouve meurtrie. Scandalisée que Sophie se laisse battre par son mari, Toots était aussitôt allée voir le supérieur de Walter. Deux semaines plus tard, celui-ci avait été prié de présenter sa démission.

Sophie avait alors promis à Toots qu'elle quitterait Walter. Mais ses croyances catholiques, solidement ancrées depuis l'enfance, l'avaient empêchée de quitter un homme qu'elle avait juré d'aimer, d'honorer et à qui elle devait obéissance. Elle passerait le restant de sa vie à supporter Walter et ses soûleries.

Et voilà que, près de trente ans plus tard, elle guettait avec impatience le trépas de ce vieux salaud. À soixante-cinq ans, elle était finalement maîtresse de son destin. Rien que de penser aux possibilités que ça lui ouvrait, elle en avait le trac. Sophie s'endormit avec un sourire aussi large que le Grand Canyon.

Chapitre 12

Comme toujours, Toots se réveilla à 5 heures du matin alors qu'elle s'était couchée à 3 heures passées. *Les vieilles habitudes ont la vie dure*, songea-t-elle en allumant sa lampe de chevet. Bernice devant arriver d'une minute à l'autre, Toots tendit la main vers sa vieille robe en chenille bleue, au pied du lit. Elle avait laissé la fenêtre ouverte, et il faisait décidément frisquet dans la pièce. L'été arriverait bien assez vite avec son cortège de vents étouffants et de chaleurs caniculaires. La Californie serait délicieusement chaude, sans cette moiteur pour laquelle la Caroline du Sud était si bien connue. Il tardait à Toots d'aborder son nouveau style de vie, d'une côte américaine à l'autre. Savoir que ses trois meilleures amies allaient se joindre à l'aventure, c'était encore mieux que le sexe et le sucre. Et la possibilité de voir Abby chaque fois qu'elle le voudrait, c'était comme un glaçage rose décadent sur un monstrueux gâteau. Ses propres lubies la firent rire tandis qu'elle passait dans sa salle de bains démesurée, où elle actionna la douche et se plaça sous le jet chaud.

L'eau cascadant sur ses épaules et le long de son dos, Toots tourna la tête de gauche à droite pour délier les muscles crispés de son cou. Ces derniers mois, elle avait remarqué une raideur dans ses articulations quand elle se levait de bon matin. L'arthrite et la vieillesse venaient frapper à la porte. Et puis quoi encore ! Elle n'avait que soixante-cinq ans. N'était-ce pas la nouvelle cinquantaine ? En quelque sorte ? Chassant de son esprit ces pensées négatives, Toots prit sa douche en un temps record. Drapée dans une serviette de bain géante, elle ouvrit sa vaste penderie et remit la main sur son vieux jean préféré, celui qu'elle avait acheté au lendemain de la naissance d'Abby. Elle se sécha rapidement, fouilla dans son tiroir à la recherche de ses sous-vêtements en dentelle, puis enfila son jean, qui lui allait encore comme un gant. Elle compléta l'ensemble par un chemisier orange vif. Elle coiffa son opulente chevelure en un chignon haut, se farda d'un peu de blush et se passa du gloss rose pâle sur les lèvres. S'examinant dans le miroir, Toots devait admettre que, pour une vieille souris, elle restait franchement plutôt canon. Elle avait bien vieilli en dépit de sa fâcheuse dépendance à la cigarette et au sucre. Elle renoncerait peut-être à l'une ou l'autre une fois qu'elle aurait pris ses marques en Californie. Peut-être.

— Oh, foutaises, tu ne vas pas plus renoncer à tes vices que Joe va prendre sa retraite, marmonna-t-elle avant que sa mauvaise conscience revienne à la charge.

Elle demandait à ses meilleures amies de tirer un trait sur leurs sales habitudes ; et si elle donnait l'exemple en pratiquant ce qu'elle prêchait ? Oui, approuva le petit démon perché sur son épaule. Elle le devrait, et elle le ferait. Bientôt. Peut-être. Et peut-être pas.

Sans plus y réfléchir, Toots dévala l'escalier en direction de la cuisine. Elle fit du café pour Bernice. Tandis que la cafetière gargouillait, Toots sortit se griller sa première cigarette de la journée. La fraîcheur matinale la cueillit de plein fouet.

— Satané temps ! Il fallait évidemment que ça fraîchisse alors que je suis sur le départ.

Toots inhala une autre bouffée de nicotine. Quand elle entendit s'ouvrir la porte d'entrée, elle écrasa son mégot dans le cendrier géant qu'elle avait laissé sur le perron avant de monter se coucher.

— Bonjour, Bernice. Tu as l'air en pleine forme, l'accueillit-elle.

Sa gouvernante se racla la gorge avec tant de vigueur que Toots s'attendit presque à voir son œsophage gicler de sa bouche pour aller s'écraser contre le mur.

— Tu es malade ? demanda-t-elle, stupéfaite. Tu fais un bruit affreux.

— Non, c'est juste mes allergies du petit matin, répondit Bernice.

Elle remplit deux tasses de café, qu'elle porta à table.

Ce jour-là, elle semblait être dans une de ses humeurs grincheuses et impertinentes. Si c'était le cas, Bernice avait cinq minutes pour se reprendre, car la journée ne faisait que commencer, et elle avait une liste de choses à faire longue comme un jour sans pain. S'inquiéter pour Bernice n'y figurait pas.

— Ces dames voudront-elles bientôt leur petit déjeuner ?

— Prépare une assiette de fruits et un bol de flocons d'avoine pour Mavis. Je m'attends à ce qu'elle descende d'une minute à l'autre, car c'est une lève-tôt. Sophie peut se servir dans mes Froot Loops. Pour Ida, je ne suis pas sûre, peut-être un œuf à la coque ?

Ce qu'elle mangeait devait être autant exempt de germes qu'il était humainement possible. Toots était démangée par l'envie de libérer son amie de ses phobies.

— Je m'en occupe, boss, dit Bernice. Des amatrices de thé, dans le lot ?

— Pas que je sache, mais ne t'en fais pas. Au besoin, je pourrai faire chauffer une tasse d'eau.

Toots ne valait pas un pet de lapin en cuisine, mais elle se révélait en revanche très efficace dès qu'il s'agissait de chauffer au micro-ondes.

— Comme vous voulez, c'est vous le boss. (Toots grimaça en la regardant prendre dans le réfrigérateur des oranges, un pamplemousse et des fraises pour les poser sur une planche à découper.) Vous voulez aussi que je vous prépare votre bol de Froot Loops ?

— Allons donc, Bernice ! Comme si ça t'était déjà arrivé. J'ignore ce que tu as depuis quelques jours, bon sang !

Toots la savait agacée par tout ce travail supplémentaire, mais, après tout, elle lui prêtait main-forte chaque fois qu'elle le pouvait. Bernice se faisait simplement trop vieille pour travailler aussi dur. Toots lui avait ouvert un sympathique compte épargne retraite. Il était peut-être temps d'envisager de lui dire de ralentir ou même de prendre carrément sa retraite. L'idée attrista Toots. Dès qu'elle en saurait davantage sur ses missions de toute nouvelle propriétaire de *The Informer,* elle songerait sérieusement à la retraite de Bernice.

Avant que sa gouvernante ait le temps de répliquer vertement, Sophie entra, vêtue d'une robe de chambre en tissu écossais rouge et bleu qui avait connu des jours meilleurs.

— C'est du café que je sens ? demanda-t-elle à la cantonade.

Toots vit Bernice lever vivement les yeux, puis se fendre d'une courbette.

— À ton avis, est-ce que ça sent le café ? répondit Toots avec le sourire.

— Oh, ça va, espèce de sorcière ! Il est tôt. Tous ceux de ma connaissance disent la même chose de bon matin.

Sophie remplit une tasse orange vif de café avant de s'installer à table.

Toots se servit et s'assit en face d'elle.

— Si tu le dis. Écoute, j'ai parlé à Abby avant d'aller me coucher. Elle est super heureuse à la perspective de revoir ses marraines ! Elle a proposé de nous loger, mais je lui ai répondu que je m'étais déjà occupée de notre point de chute.

— Tu n'as jamais été du genre à atermoyer. Qu'est-ce que tu as fait, tu as acheté une maison ? demanda Sophie entre deux gorgées.

— Non, mais je le ferai tôt ou tard, c'est certain. Je ne vivrai pas éternellement au *Beverly Hills Hotel*. J'ai appris que le manoir d'Aaron Spelling était en vente.

— Que Dieu ait pitié de nous toutes ! s'exclama Bernice en tranchant un pamplemousse rose.

— Je l'espère, car je vais avoir besoin de toute l'aide possible une fois que nous serons à L.A. Sophie, ça te dirait de vivre quelques semaines dans un bungalow de Hollywood ? L.A. n'est pas New York, alors je ne sais quel effet ça va te faire d'avoir plus d'un mètre carré d'espace vital.

Toots plaisantait toujours à propos du clapier qui servait d'appartement à Walter et à Sophie. Avant leur mariage, Walter avait acheté pour une bouchée de pain l'appartement de soixante-quinze mètres carrés, et ils y étaient restés près de quarante ans. Toots se demandait comment Sophie réagirait face à de grands espaces de vie.

— Ouaf, ouaf!

Coco, avec ses deux kilos et demi et ses griffes qui cliquetaient sur le parquet, fit sa grande entrée, Mavis sur les talons.

— Navrée, elle est tellement bruyante le matin. Elle a besoin de sa caféine. Je ne vous l'avais pas dit ? Je partage mon café avec elle. La sevrer ne lui irait pas bien au teint..., haleta Mavis.

Sophie et Toots éclatèrent de rire.

— Un chihuahua dopé à la caféine ! J'aurais dû m'en douter.

Toots se leva et sortit du buffet une petite tasse qu'elle remplit de lait, l'aromatisant d'une goutte de café. Elle la posa par terre près de la table.

— Voilà qui devrait suffire à son bonheur.

— Elle aime aussi le sucre, ajouta Mavis.

— Eh bien, tant pis. Elle devra apprendre à faire sans, tout comme sa maîtresse. N'est-ce pas toi qui disais que si c'était assez bon pour toi, c'était assez bon pour elle ? (Toots lui versa une tasse de café noir.) Noir, OK ?

Elle haussa les sourcils, et Mavis acquiesça.

— J'y arriverai. Je peux y arriver. (Sa vieille amie parlait avec une détermination si grave que Toots la crut.) J'ai hâte que les filles voient toutes ces tenues magnifiques que tu m'as achetées.

Toots lui rappela qu'elle avait un rendez-vous à 8 heures pour l'épreuve d'effort. Par chance, ça prendrait moins d'une heure.

— J'ai hâte aussi, annonça Sophie, laconique. Quand nous serons à L.A., avec tout cet espace de vie, nous pourrons peut-être embaucher un maquilleur pour s'occuper de nous. C'est une chose que j'ai toujours voulu faire, sans jamais trouver de raison valable. Avec la vie de Walter qui ne tient plus qu'à un fil, et mon avenir qui paraît aussi brillant et prometteur, je n'avais jamais eu de motivation jusqu'à présent. Je le ferai peut-être pour les funérailles. Tous les collègues et amis de Walter viendront, j'en suis certaine. Ils me prennent pour une salope, ou c'est du moins ce qu'il a toujours dit. Si j'ai l'air d'avoir dix ans de moins et si j'arbore un large sourire, ça pourrait donner à tous ces vieux schnocks de quoi jaser. Oui… (Sophie but une longue gorgée de café.)… c'est exactement ce que je vais faire. Les femmes détestent voir d'autres femmes rayonner, surtout en période de deuil.

— Triste, mais vrai. Je me souviens des funérailles de John comme des seules où je me sois vraiment fait l'effet d'une veuve éplorée. John était l'amour de ma vie.

En se remémorant le père d'Abby, Toots sentit les larmes lui monter aux yeux.

— Écoutez, reprit Sophie, avant qu'on sombre complètement dans le morbide, parlons d'autre chose. Je ne verse pas dans le chagrin de si bonne heure.

Toots renifla et s'essuya les yeux avec sa serviette.

— Tu as raison. Trop de choses nous attendent ces prochaines semaines pour qu'on perde ne serait-ce qu'une minute à nous lamenter sur le passé. (Toots marqua une pause tandis que Bernice déposait au centre de la table une assiette de fruits, suivie d'un bol débordant d'avoine.) Encore que je doive admettre que j'étais vraiment triste à la mort de mes époux. Plus ou moins.

Elle haussa les épaules.

Mavis et Sophie la regardèrent avec une expression comique.

— Oui, bon, à l'exception de Leland. Il était tellement avare et mesquin. J'étais choquée quand il a stipulé dans son testament qu'il voulait que ce septuor à cordes joue à ses funérailles. Il m'a vraiment prise de court en préparant sa sortie à grands frais, je lui reconnais au moins cela. Je ne sais même pas pourquoi ça m'a tellement surprise, d'ailleurs, puisqu'il s'est montré tout aussi égoïste mort que vivant.

Sophie leva sa tasse bien haut.

— À la santé de Walter ! Qu'il souffre un max et meure vite !

Toots l'imita.

— Quand même, ce n'est pas une façon digne de trinquer à la mort prochaine d'un mari !

Dans son garde-manger, Toots avait une provision d'alcool qu'elle gardait pour les grandes occasions, les très grandes occasions, telles que la mort d'un mari. Elle se leva de table et fut de retour en quelques secondes avec un Glenfiddich excessivement rare, vieilli en fût pendant plus de soixante ans avant d'être mis en bouteille. Leland avait versé dans les 50 000 dollars pour une unique bouteille. C'était la seule requête de son testament que Toots n'avait pas honorée. Pour rien au monde elle n'aurait enterré ce salaud avec une bouteille si merveilleuse et si rare. Le moment paraissait autant indiqué qu'un autre pour l'ouvrir et boire à l'avenir – ainsi qu'à la disparition imminente de Walter.

— Voilà.

Toots ouvrit la bouteille avant de courir prélever dans la crédence de la salle à manger quatre verres à whisky en cristal. Quitte à s'envoyer le whisky hors de prix de Leland, elles n'allaient pas le siroter dans des tasses à café. Elle disposa les verres au milieu de la table, versant dans chacun une généreuse rasade de scotch.

— C'est le meilleur que l'argent puisse acheter. Une des folies de Leland. Il voulait que je l'enterre avec cette bouteille, mais je n'ai pas pu me résoudre à faire quelque chose d'aussi stupide.

— Comme s'il pouvait le savoir, fit Sophie, finaude.

— Eh bien, il y a la vie après la vie, et tout ça. Il pourrait légèrement tiquer quand tu le reverras, glousse Mavis en buvant une toute petite gorgée.

Son épreuve d'effort l'attendait.

— Mavis, répondit Toots, je sais sans l'ombre d'un doute qu'à l'heure actuelle Leland brûle dans les feux de l'enfer, et je doute que nous nous retrouvions après la mort. Du moins, j'espère que non.

Ida choisit cet instant pour faire son entrée dans la cuisine, s'arrêtant près de la table. Elle sortait de la douche et était tirée à quatre épingles dans son pantalon noir et son chemisier crème. Pas un cheveu ne dépassait.

— Qui rôtit dans les feux de l'enfer ?

— Le dernier disparu en date de Toots, répondit Sophie. Nous nous préparions à porter un toast à la disparition de Walter. Tu veux te joindre à nous ?

Ida, d'un autre pas, s'approcha tout contre la table. Elle hocha la tête et tendit la main – toujours gantée de latex – vers l'un des verres. C'était la première fois depuis très longtemps qu'elle touchait quelque chose, en fait, sans s'assurer au préalable que c'était autant exempt de microbes qu'il était humainement possible.

Un pas à la fois, se dit-elle.

— Pourquoi pas ?

Pour la deuxième fois en moins de vingt-quatre heures, les femmes se réunirent autour de la table de cuisine et portèrent un toast.

— Aux nouveaux départs, dit Toots en levant haut son verre.

Les autres amies trinquèrent. Exception faite du tintement produit, un profond silence se fit dans la cuisine tandis que chacune se demandait ce que l'avenir lui réservait.

Dès que Mavis reviendrait de son examen, toutes quatre embarqueraient pour la plus grande, et la plus improbable, aventure de leur vie.

Chapitre 13

Dix millions de dollars ! Lorsqu'il aurait levé l'hypothèque sur *The Informer* et épongé ses dettes de jeu, il aurait encore 2 millions à trouver.

Rodwell Archibald Godfrey III était dans le caca jusqu'au cou. À moins que…

Son cerveau entra dans une phase d'intense activité. Ragot aurait voulu prendre l'oseille et se tirer. Il pourrait filer aux îles Caïmans où, s'était-il laissé dire, des dizaines de banques ne posaient pas de questions face aux gros dépôts. Une nouvelle identité, un nouveau style de vie. S'il abattait correctement son jeu, il réussirait peut-être à disparaître sans y laisser des plumes – ou la vie. Il avait quelques contacts, aussi peu scrupuleux que lui. Il lui faudrait un certificat de naissance, un permis de conduire, une carte de crédit et un passeport. Il avait la certitude viscérale qu'il n'aurait jamais d'autre occasion de disparaître avec 10 millions de billets. En un clin d'œil, il décida de tenter le tout pour le tout. Mais une autre partie de lui-même, bornée, lui soufflait de rester et de régler ses comptes. Il savait aussi que son pire défaut, dans la vie, était de vivre à fond l'instant présent sans jamais réfléchir aux conséquences de ses actes. Ça le démangeait ? Il se grattait, et s'inquiétait ensuite. C'était bien pour ça qu'il s'était retrouvé dans un tel bourbier. Il ferma les yeux un instant et prit une grande inspiration en soupesant l'option un et l'option deux. Pas de quoi se prendre la tête. Il allait saisir la balle au bond et fuir avec l'option un, et sauve-qui-peut.

Sortant son BlackBerry, Ragot se servit du mini-stylet pour dérouler son carnet d'adresses. Quand il vit le nom et le numéro de téléphone qu'il cherchait, il tira de son autre poche un téléphone prépayé intraçable et composa le numéro.

Le téléphone sonna tandis que Ragot arpentait son bureau en passant une main dans ses cheveux châtains clairsemés. La mèche rabattue sur son début de calvitie était beaucoup trop évidente, pire que celle de Donald Trump, car il sentait sous ses doigts la peau lisse de son crâne dénudé. Dans un proche avenir, il investirait peut-être dans des implants capillaires. S'il parvenait à garder la plus grosse partie des 10 millions qu'un fou furieux avait offert pour *The Informer*.

Ragot se demanda un instant si l'acheteur cinglé était un extraterrestre. C'était la seule explication ayant un sens à ses yeux. Il savait une chose ou deux sur les aliens parce qu'il publiait des articles à leur sujet au moins une fois par mois.

Parce qu'il était trop nerveux, Ragot réfléchit sérieusement aux implants. Tant qu'il y était, il s'offrirait peut-être aussi un lifting. À cinquante-deux ans, il ne rajeunissait pas. Les femmes qui lui faisaient du plat étaient d'âge mûr, avec des cheveux décolorés et cassants, la peau tellement bronzée qu'elles ressemblaient à de vieux cigares, et elles portaient trop d'eye-liner et de rouge à lèvres criard. Elles étaient toutes coulées dans le même moule. Lorsqu'il se donnait de l'importance et leur disait qu'il était patron de presse, elles le prenaient pour M.

Friqué et se jetaient sur lui. Une fois qu'elles apprenaient qu'il était propriétaire d'un tabloïd de troisième zone et couvert de dettes de surcroît, elles passaient au pigeon suivant. Rodwell, surnommé « Ragot », se dit qu'il était temps de passer à des pâtures plus vertes et plus tendres. Dix millions garantissaient presque le succès en toutes choses. *Oh, oui !*

— Ouais ? fit une voix rauque.

— Je voudrais parler à Micky, grogna Ragot.

— Ouais, comme tout le monde. Il n'est pas là.

— Quand est-ce qu'il rentre ? grogna de nouveau Ragot.

Il n'avait même pas envisagé que Micky ne serait pas disponible. *Merde !*

Un silence.

— Vous êtes qui, putain, pour exiger de savoir où est mon boss ? Le Président ? Vous voulez que je vous dise quand est-ce qu'il rentre ?

Cette dernière question paraissait tellement sinistre que Ragot en eut la chair de poule.

Il était temps de faire de la lèche. Micky était un bon contact qu'il ne pouvait pas se permettre de perdre ou de froisser. Sans avoir de certitude là-dessus, Ragot pensait que Micky avait des liens avec la Mafia. Non, trêve de conneries : il savait pertinemment que Micky fricotait avec la pègre.

— Il est urgent que je lui parle. Sinon, je n'aurais pas fait son numéro privé. Dites-lui qu'une très grosse somme d'argent est en cause. Il peut rappeler ce numéro si ça l'intéresse.

Ragot récita celui du portable prépayé qu'il utilisait pour contacter ses bookmakers et autres potes louches. Il raccrocha, et, dix secondes plus tard, le portable sonna.

Il vit s'afficher l'identité de l'appelant : Micky.

— Bonjour.

— Vous m'avez appelé, alors je vous rappelle.

La voix grave fit remonter un frisson glacé le long de l'échine de Ragot.

Un dur à cuire.

Il fut submergé par un élan de culpabilité, qu'il repoussa une seconde plus tard. C'était la chance de toute une vie pour repartir de zéro. Il ne laisserait rien ni personne se mettre en travers de son chemin.

— J'ai besoin de papiers, et vite. Plus vite que tout de suite ! Certificat de naissance, passeport, permis de conduire, tout le tremblement. Vous pourriez m'avoir ça pour quand ?

— Une minute... On n'a pas encore parlé de ma part. Il faut d'abord qu'on en parle.

Ragot estima que ce type était aussi rustaud et lourdaud que celui qui avait répondu au téléphone quelques secondes plus tôt. Les rustauds et les lourdauds, ça le connaissait : il vivait et travaillait à Hollywood. Que devenaient les bonnes manières dans la pègre ? Il savait aussi que, pour obtenir du boulot nickel, il aurait dû s'adresser à JPMorgan Chase et emprunter 10 millions de dollars.

— Je paierai le tarif en vigueur.

Il n'avait aucune idée du tarif en question, mais il n'était pas assez stupide pour avancer un prix.

— Cent mille, dit Micky. Chaque.

— Quatre cent mille dollars ! Vous perdez la tête ! Je peux avoir des faux sur Internet pour 1 000 dollars.

Pas question qu'il claque 400 000 dollars pour une nouvelle identité.

— Ouais, mais passeront-ils les douanes ? Je ne crois pas. C'est votre vie et votre blé. À votre guise.

Et merde !

— OK, négocions. Je vous donnerai 50 000 pour le tout. C'est tout ce que j'ai. Marché conclu ?

Marché conclu... ce n'était pas le titre d'un jeu télévisé ? Ragot retint son souffle, attendant de voir si son offre serait acceptée.

Silence.

— Ouais, pour vous, j'imagine que je peux faire une exception, puisqu'on a déjà fait affaire ensemble. Vous les voulez quand ?

— Aussi vite que possible, genre une heure plus tôt, répondit Ragot, soudain plus excité qu'il ne l'avait été depuis très longtemps.

Au diable Los Angeles ! Il en avait marre de toutes ces stars bidon qui se prenaient pour des têtes couronnées, ras le bol de faire la chasse aux scoops – qui n'en étaient pas vraiment – juste pour surenchérir sur la compétition. Ce stratagème ne fonctionnait jamais, de toute façon. *Rien à branler !* Il était en route pour un avenir meilleur, il le sentait. Oh oui, il en humait déjà le parfum !

Christopher Lee Clay – Chris pour ses amis – ne pouvait se défaire de l'obsédante suspicion que quelque chose clochait avec la vente imminente de *The Informer*. Quelque chose n'allait pas, mais il n'arrivait pas à mettre le doigt dessus. Rodwell Godfrey avait la sale réputation d'être un escroc. Chris avait rédigé les documents pour la transaction, comme Toots le lui avait demandé. Était-ce à ce moment-là qu'il s'était mis à réfléchir à toute l'affaire ou bien quand elle avait transféré l'argent à la banque requise et qu'il avait su que c'était désormais officiel ? Il avait passé en revue la paperasse à de nombreuses reprises. Par mesure de précaution, il avait même faxé les papiers à l'un de ses partenaires de tennis, un avocat d'entreprise, histoire de s'assurer que tout était bien fait dans les règles de l'art. Oui, avait assuré son pote, tout semblait réglo. N'empêche, Chris avait le sentiment qu'il y avait anguille sous roche. Il n'en avait pas encore parlé à Toots, se disant qu'il pouvait attendre que ses amies et elle arrivent, un peu plus tard dans l'après-midi. Peut-être péchait-il par excès de prudence là où sa belle-mère était concernée. Même si elle était riche à millions, il détesterait la voir escroquée inutilement.

Espérant que son accès de paranoïa n'était pas fondé, Chris scruta une dernière fois les documents légaux. Sur le papier, tout avait l'air en ordre, pourtant quelque chose le troublait. Godfrey se ramassait un joli magot. Ça, il en était sûr et certain. C'était peut-être le prix exorbitant que Toots avait payé, même si elle lui avait expressément demandé de doubler toute offre déjà faite. Oui, sa méfiance devait venir de là, forcément. Chris savait que le journal ne valait pas tripette, mais il n'ignorait pas que, lorsque Toots adoptait une ligne de conduite, plus rien ne l'arrêtait. Sa fille, Abby, était pareille.

À propos d'Abby… Chris se rappela sa première rencontre avec sa demi-sœur par alliance. C'était alors une toute jeune ado, et il venait d'achever sa dernière année au lycée. Ils s'étaient immédiatement entendus, mais leurs visites à Charleston avaient rarement coïncidé, de sorte qu'ils s'étaient à peine croisés. À la mort de son père, Chris était resté proche de Toots, mais n'avait pas assez revu Abby pour nourrir à son égard des sentiments fraternels. Toots l'avait pratiquement supplié de revenir à la maison lorsque Abby avait terminé ses études. Chris s'était dit que c'était le moins qu'il puisse faire pour une demi-sœur qu'il appréciait sincèrement.

Lorsqu'il l'avait vue après la cérémonie de remise des diplômes, quand elle avait ôté sa toque et sa toge, il avait failli tomber à la renverse, soufflé. Ce n'était plus la gamine maigrichonne aux boucles blondinettes. Abby Simpson était devenue une vraie bombe. Dès cet instant, Chris ne l'avait plus jamais considérée du même œil. Les rares fois où ils avaient été réunis auparavant, il l'avait taquinée sur sa petite taille, lui disant qu'elle ne grandirait jamais. Eh bien, pour grandir, elle avait certainement grandi ! Elle était magnifique, beaucoup plus que les starlettes qui se cramponnaient à son bras sept jours sur sept.

Lorsque Abby avait emménagé à L.A., ils s'étaient retrouvés pour un déjeuner par-ci ou un dîner par-là, et, en général, c'était lui qui le suggérait. Chaque fois qu'ils se revoyaient, Chris se sentait attiré par Abby d'une façon qui était tout sauf fraternelle. Il soupçonnait que Typhon Toots le tuerait si jamais elle l'apprenait, de sorte qu'il continuait de se comporter en grand frère. Quelquefois, il avait surpris Abby à le regarder d'une manière qui, il en était certain, n'avait rien de fraternel non plus. Pourtant, il n'avait jamais entamé de relation amoureuse avec elle parce que ça ne lui semblait pas convenable.

Il avait sa part de soirées pince-fesses avec des starlettes hollywoodiennes. Être avocat spécialisé dans le monde du spectacle avait ses avantages. Il avait négocié des kyrielles de contrats pour la fine fleur de Hollywood et il touchait le jackpot pour ses services. Et puis il y avait ces stars privilégiées qui aimaient toujours lui donner plus que sa part de vingt pour cent sur leurs cachets, une petite « prime supplémentaire » pour reprendre leur expression. S'il était honnête – et il l'était, au moins envers lui-même –, il commençait à se lasser du mode de vie frénétique de L.A. Les paillettes avaient perdu depuis longtemps déjà leur prestige. À trente-trois ans, il aspirait à autre chose, à une vie authentique, et cela le ramenait toujours à Abby.

Abby adorait L.A. et son job de journaliste de tabloïd, et elle ne s'en cachait pas. Chris l'admirait pour son honnêteté et son cran. Un condensé de beauté, se disait-il, même s'il avait conscience que ça paraissait démodé et un peu bêta. Quand il serait temps pour lui de se ranger, Chris voudrait d'une femme comme Abby, sûre d'elle et stable dans ses choix. Hélas, il lui faudrait probablement déménager dans une autre région – le Dakota du Nord, par exemple – s'il désirait trouver une femme aussi authentique qu'Abby, car L.A. n'était décidément pas réputée pour son authenticité.

Documents légaux à la main, Chris se dirigea vers la cuisine à la recherche d'une bouteille de Perrier avant de s'installer sur la terrasse qui dominait l'océan. Il avait payé une petite fortune pour cette maison de front de mer et, avec le recul, il se demandait bien pourquoi. Il ne s'y était jamais vraiment senti chez lui. Au contraire du manoir sudiste de Toots ou du petit ranch d'Abby, sa maison était moderne, avec des parois vitrées, des parquets en pin blanc, et absolument aucune âme. Pas de coussins disséminés çà et là invitant à se prélasser, pas de piles de magazines nonchalamment posées sur une table basse, pas de photos de famille ni de plantes vertes en train de croître follement.

Chris se disait que, lorsqu'il laisserait tout ça derrière lui, il lui suffirait d'emballer sa garde-robe, sa brosse à dents, et de partir. Il n'appréciait pas vraiment l'ameublement, la vaisselle ou la literie, et pas davantage les tableaux accrochés aux murs. En fait, il n'avait à peu près rien aimé dans cette résidence depuis qu'il en avait fait l'acquisition cinq ans plus tôt. Il blâmait la décoratrice d'intérieur, sans oublier son propre manque de contribution. Il lui avait donné carte blanche parce qu'il était trop affairé à négocier ces gros contrats si juteux et à collecter des dividendes. Après tout, il ne faisait que dormir ici et, les yeux fermés, il n'avait pas à regarder ce qui s'y trouvait.

Il avait reçu quelques clients à dîner en recourant à des traiteurs, et voilà tout. Aucun ami ne venait lui rendre visite, et aucun pote ne s'installait chez lui pour mater le football à la télé, le dimanche. Rien. Pour lui, cette maison n'était qu'un lieu où coucher et prendre sa douche. N'ayant pas de bureau, il passait ses journées de travail dans différents clubs et coins branchés de la ville, faisant affaire avec ses clients, avérés ou potentiels, qui désiraient tous être vus. Comme il avait été élu au nombre des dix célibataires les plus convoités de L.A., les femmes, jeunes comme moins jeunes, rêvaient d'être remarquées en sa compagnie. En ce monde d'apparences, Chris n'estimait pas sa réussite particulièrement remarquable, malgré l'avis de beaucoup qui auraient volontiers échangé leur place pour la sienne en un clin d'œil.

Peut-être qu'avec l'arrivée de Toots, il allait enfin prendre du bon temps, pour une fois.

Chapitre 14

Dès que l'avion eut atterri et que l'autorisation fut donnée de rallumer les portables, Toots appela Abby ; comme promis, celle-ci s'était arrangée pour qu'une limousine les attende sur le tarmac. Toots avait hâte de revoir sa fille et d'emmener ses amies au *Beverly Hills Hotel* où elles auraient grand besoin d'être chouchoutées. Elle était tellement excitée que la tête lui tournait.

Le vol s'était déroulé sans accroc, et Toots se félicitait d'avoir loué un jet privé pour l'occasion. Elle ne voyait pas Ida à bord d'un vol commercial. Cette dernière était restée sur son siège sans bouger, les doigts crispés à s'en blanchir les phalanges. Toots était certaine que ce n'était pas dû à la frousse de voyager par avion, mais plutôt à celle d'entrer en contact avec des germes. Pauvre Ida. Elle avait rendez-vous avec le psy spécialiste des TOC dès le lendemain après-midi. Et si ce premier contact ne donnait rien, Ida allait devoir se sevrer toute seule.

Avant de quitter Charleston, Toots s'était arrangée avec Henry Whitmore pour transférer 10 millions de dollars sur le compte de garantie de Chris pour l'achat de *The Informer.* Henry en avait postillonné d'indignation, lui demandant si elle n'avait pas perdu la tête quand elle lui avait précisé la nature de cette acquisition. Et, lorsqu'elle avait parlé à Chris de la vente imminente, il n'avait pas eu l'air aussi sûr de lui que de coutume.

Elle eut un soupçon d'inquiétude. Et si elle devait avouer à Abby qu'elle était la nouvelle patronne de *The Informer* ? Abby voudrait-elle travailler avec sa mère ? Toots ne le pensait pas. Mais, si on en arrivait là, elle prendrait le risque et ferait ses aveux à Abby, quelles qu'en soient les conséquences.

Mettant de côté ses appréhensions, Toots attendit que le chauffeur de la limousine finisse de boucler leurs bagages dans le coffre. Puis elle s'écarta, laissant Mavis monter la première ; elle prendrait une section entière des sièges en forme de U. L'épreuve d'effort avait indiqué que Mavis pouvait entamer un programme de gym raisonnable à sa convenance. Il faudrait la sevrer, elle aussi, si elle ne se montrait pas à la hauteur des promesses qu'elle avait faites de perdre son excédent de poids.

Mavis installée et Coco douillettement lovée dans son panier, Sophie s'engouffra dans le véhicule.

— Je n'arrive pas à le croire. Après toutes ces années, je vais enfin voyager dans une limousine extra-longue. J'en vois tout le temps circuler en ville. (Elle lissa les plis de sa jupe et tapota le siège près d'elle.) Allez, Ida. Je n'ai pas de poux.

Sophie rit, et Toots ne put s'en empêcher, elle aussi.

Comme si elle s'apprêtait à se risquer dans un champ de mines, Ida se glissa précautionneusement près de Sophie. Toots monta à son tour, s'installant face au trio.

Une bouteille de champagne dans un seau à glace – accompagnée de quatre flûtes en cristal – attira l'œil des quatre amies. Quelqu'un avait laissé un petit bristol sous enveloppe, juste à côté. Toots l'ouvrit.

— Ça vient d'Abby. (Elle désigna le champagne et parcourut la note.) Elle nous dit : « Bienvenue à L.A. »

et qu'elle nous retrouvera au *Polo Lounge* pour le dîner à 19 heures. C'est-à-dire 22 heures pour nous, nous devrons donc faire la sieste ou au moins nous reposer un peu. Qu'en dites-vous ?

Toots entendait percer l'excitation dans sa voix, ce qu'elle n'avait plus ressenti depuis quelque temps. Pas depuis qu'elle avait épousé Leland. Eh bien, Leland était six pieds sous terre, alors qu'elle était bien vivante et sur le point de se lancer dans une nouvelle aventure. Désormais, rien ne l'empêcherait de savourer pleinement la vie. À vrai dire, elle s'en était rarement privée. Elle avait juste été un peu plus réservée, quelquefois. Mais, là, de nouvelles perspectives s'offraient à elle ! Toots était tout simplement excitée de se retrouver libre, sans attaches. Cette fois, elle tâcherait de rester célibataire. Plus d'hommes pour elle. Ou, plus précisément, plus de mariages. Elle n'avait pas totalement renoncé aux hommes. En outre, huit maris constituaient un palmarès suffisant.

— Je dis : on fonce ! Je veux ce massage intégral qui t'emballe toujours. J'aurais bien besoin aussi d'une coupe, d'une couleur et d'une épilation, dit Sophie en souriant.

— Quelles parties veux-tu épiler ? s'enquit Mavis, curieuse.

— À ton avis ? riposta Sophie.

— Je ne sais pas, c'est bien pour ça que je te le demande. Ces jours-ci, on voit à la télé des femmes qui s'épilent tout. Et quand je dis « tout », c'est tout.

— Eh bien, je ne vais pas si loin. Rien que mes sourcils, déjà, ça me tue. Je n'imagine même pas ce que ça ferait… vous savez. (Sophie baissa les yeux.) En bas.

Toots éclata de rire. Mavis et Sophie étaient si naïves. Avant d'être frappée de phobie, Ida faisait tout cela naturellement, sans y penser. Toots passa sa vieille amie en revue et fut surprise de la voir sourire. Tout espoir n'était peut-être pas perdu pour Ida après tout.

— Elle a demandé, je lui réponds, commenta Sophie, laconique. Et alors, Toots, as-tu déjà fait l'épilation intégrale ?

— Bien sûr.

— Où ? persista Sophie.

— Oh, pour l'amour du Ciel, cesse de poser des questions comme une ado ! Non, je n'ai rien fait épiler à la cire sous la ceinture, OK ? Et, dans le cas contraire, je ne te le dirais pas.

— Pas besoin d'être de mauvais poil comme ça. J'étais juste curieuse. Comme je ne me suis jamais payé d'épilation intégrale, qu'y a-t-il de mal à poser des questions ? Alors, Ida ? Tu vis dans une grande ville pernicieuse. Il t'est déjà arrivé d'aller dans un de ces salons chics pour une épilation à la cire ?

— Sophie ! l'admonesta Toots.

— Je voulais dire, avant qu'elle se mette à délirer avec ses germes.

— Sophie Manchester, sache que je me suis fait épiler cette zone plus d'une fois. En fait, c'est Thomas qui l'avait suggéré, un jour, après avoir vu *The Jerry Springer Show.* Ce n'est pas si douloureux, conclut Ida, les yeux dans le vague.

Les autres la regardèrent, surprises. Coco se réveilla, aboya pour protester contre cette discussion, sa queue minuscule dressée à la verticale. Ida avait gardé le silence durant tout le trajet. Ses amies n'en revenaient pas qu'elle vienne d'admettre qu'elle s'était fait une épilation du maillot…

— Nous n'avons pas à savoir ça, je pense, Ida, marmonna Mavis. Vous autres, je ne sais pas, mais je meurs de faim. Un casse-croûte est-il prévu avant dîner ?

Coco se remit à aboyer.

Cette chienne doit comprendre le mot « dîner », songea Toots.

— Bien sûr. Je me suis arrangée pour que nos bungalows soient approvisionnés en nourriture et en boissons, alcoolisées et light. Nous prendrons un léger repas sur le pouce chez moi avant de passer à nos massages. J'ai même retenu les services d'un dog-sitter pour Coco. (Toots regarda par la vitre.) Admirez un peu ça ! Tout ce soleil, ces fleurs exotiques, c'est tout simplement magnifique ! Je suis tellement heureuse que vous soyez venues, les filles. Portons un toast, d'accord ?

Toots déboucha la bouteille de champagne et remplit les flûtes. Elle n'avait de la ville qu'une vision de carte postale, elle en avait conscience, mais elle se sentait tellement heureuse qu'elle aurait voulu le crier au monde entier.

— À quoi trinquons-nous, cette fois ? demanda Sophie. Non que ça ait grande importance. C'est juste que je ne veux pas m'enivrer tout de suite. Le scotch de ce matin m'a complètement retournée. Je n'avais plus autant bu depuis l'école d'infirmières.

Toots leva sa flûte.

— J'aimerais porter un toast à mes meilleures amies, et aux trois meilleures marraines qu'une fille puisse souhaiter.

Pour la seconde fois de la journée, toutes quatre firent tinter leurs flûtes.

La circulation était exceptionnellement peu chargée, se dit Toots, tandis qu'elles arrivaient au *Beverly Hills Hotel* moins d'une heure après l'atterrissage. Elle en fut impressionnée. En ce qui la concernait, c'était ainsi qu'on devait voyager. Du haut de gamme, tout du long. Elle avait assez d'argent, alors pourquoi ne pas le dépenser et prendre du bon temps ? En même temps, elle offrait à ses amies de fantastiques vacances. Si quelque chose d'autre se profilait à l'horizon, ce n'en serait que mieux. Sinon, les filles repartiraient avec de merveilleux souvenirs. Personne n'aurait pu reprocher à Toots son manque de réalisme. Elle connaissait un truc ou deux sur le fameux grain de sable qui vient gripper la machine, et sur les meilleurs plans des souris et des hommes – ou des femmes, en l'occurrence – qui souvent ne se réalisent pas.

Au milieu des massifs d'arbustes tentaculaires et d'un kaléidoscope de floraisons luxuriantes s'épanouissant dans toutes les directions, Toots se faisait l'effet de Dorothy entrant au royaume du magicien d'Oz tandis qu'elles franchissaient l'accès privé et pénétraient dans l'enceinte de l'hôtel. Elle ne se souvenait pas d'avoir jamais vu autant de plantes et de fleurs éclatantes concentrées en un seul lieu, et Charleston était pourtant réputé pour sa flore. Le terrain de Toots, ainsi que sa véranda, était éclaboussé par un arc-en-ciel de couleurs, mais ce n'était rien comparé à ce qu'elle avait à présent sous les yeux.

— Oh, regardez un peu ça ! s'exclama Sophie tandis que la limousine roulait au ralenti vers l'entrée. Je ne veux même pas savoir ce que ça coûte de descendre dans un hôtel pareil !

Mavis chercha elle aussi à lancer un coup d'œil par la vitre teintée, derrière elle, mais elle était trop corpulente pour se tourner.

— Zut ! Je suis trop grosse pour voir ! Oh, Toots, j'ai hâte de me débarrasser de ma graisse ! Je suis presque trop gênée pour entrer dans cet hôtel. Je suis sûre qu'il est bondé de stars du cinéma et du Tout-Hollywood.

Toots lut une peur bien réelle dans les yeux de son amie.

— Écoute, Mavis, tu vaux bien tous ces gens ! Non, tu vaux mieux qu'eux. Tu as quelques kilos en trop ? Et alors ? Nous sommes là, et tu vas prendre du bon temps. Tu le mérites. Si quelqu'un te casse les pieds avec ça ne serait-ce qu'une seconde, il aura affaire à moi.

Les yeux de Mavis scintillèrent de larmes contenues.

— OK, OK, je peux le faire, marmonna-t-elle tout bas.

— Souviens-toi de ce que tu viens de dire quand je refuserai de te laisser quitter ton vélo d'appartement ou quand je te donnerai une assiette de choux de Bruxelles avec une tranche de citron, sourit Toots.

— Je ferai de mon mieux, c'est promis, répondit Mavis.

Toots sut que sa vieille amie était sincère.

— Je sais. Maintenant, sèche tes larmes, que je te voie sourire. Mon amie, tu es à Hollywood. N'est-ce pas merveilleux ! Par-dessus le marché, nous sommes en mission pour rendre la vie d'Abby aussi parfaite que nous le pouvons.

— Et tout le monde à Hollywood sourit, alors…, résuma Sophie en montrant l'exemple.

Lorsque la voiture fut à l'arrêt, le chauffeur bondit de son siège et vint leur ouvrir la portière. L'une après l'autre, ces dames sortirent de la limousine sous le grand soleil californien.

— Bienvenue au *Beverly Hills Hotel*. (Un jeune homme, vêtu de blanc de pied en cap, sourit.) Si vous voulez bien me suivre.

Situé sur Sunset Boulevard, *Beverly Hills* était l'hôtel par excellence où l'on pouvait croiser chaque jour des stars de cinéma, selon le voyagiste de Toots. C'était la raison pour laquelle elle avait donné le feu vert pour la réservation, et aussi parce qu'elle voulait dormir là où Elizabeth Taylor avait dormi. En tant que nouvelle patronne et éditrice de *The Informer*, elle n'allait pas rater des sujets inédits de reportage à propos de Hollywood. Si elle devait les broder elle-même de toutes pièces, elle était prête. Pas question qu'Abby perde son travail à cause de cet idiot de joueur et de coureur de jupons pour lequel elle bossait. Pas tant qu'il resterait à sa mère un souffle de vie.

— Toots, nous t'attendons ! lança Mavis.

Perdue dans ses pensées, Toots ne s'était pas aperçue que les autres étaient déjà à bord de l'estafette qui allait les conduire à leurs bungalows privés. Elle y grimpa à son tour.

— J'étais ailleurs, désolée. Ça doit être le grand soleil ! ajouta-t-elle, tout heureuse.

— Et tu veux vraiment vivre ici ? s'enquit Sophie.

— Pas tout le temps, non. Du moins pas à ce stade. Je compte passer les deux prochaines semaines à apprendre à gérer un tabloïd. Je ne crois pas que la gestion même du journal soit si difficile puisque nous embaucherons des gens pour s'en charger. Je pense qu'il s'agira davantage de superviser les opérations. Ce qui va être ardu, en revanche, c'est de rester discrètes et de réussir notre coup sans qu'Abby ait la puce à l'oreille.

Avait-elle eu les yeux plus gros que le ventre ? Elle espérait de tout cœur que non.

— Je ne comprends pas pourquoi tu ne lui dis pas tout simplement que tu as racheté le journal, déclara Ida de but en blanc. Elle finira bien par le découvrir un jour ou l'autre.

— Ôte-toi cette idée de la tête tout de suite. Et puisqu'il t'arrive parfois d'être trop bavarde, tu ferais mieux de ne rien lui dire ou je te tremperai personnellement la main – sans gant en latex – dans la poubelle la plus crado que je trouverai ! lança Sophie.

— Je n'ai pas dit que j'allais tout dévoiler à Abby. Je ne ferai jamais rien qui puisse la bouleverser, évidemment. C'est juste que je ne comprends pas pourquoi il faut garder le secret sur toute l'affaire. Moi, je suis pour la franchise et l'honnêteté. De cette façon, on s'attire moins de problèmes. Ne me menace pas, Sophie.

Toots pressa un index sur ses lèvres en désignant d'un geste le chauffeur de l'hôtel.

— Nous en reparlerons plus tard. Pour l'instant, je veux me détendre, profiter du paysage et boire un verre pour fêter notre arrivée. C'est presque une bénédiction d'échapper à l'œil d'aigle de Bernice. Elle est merveilleuse, mais beaucoup trop protectrice, et un rien fouineuse. En temps normal, ça m'est égal mais… Non, trêve de conneries ! Ça ne m'est pas égal du tout : ça me soûle !

— Oh, ce n'est pas vrai ! répliqua Sophie d'un ton acerbe. Son côté fouineur veut juste dire qu'elle est très attachée à toi. Admets-le, tu l'aimes autant que nous autres. Tu me l'as dit toi-même dans un e-mail.

— C'est vrai, mais il n'empêche que j'apprécie de me retrouver un peu livrée à moi-même, sans personne pour me couver comme une mère poule.

— Je comprends tout à fait. Quand j'enseignais, je priais pour que l'été arrive plus vite. Plus la fin de l'année scolaire approchait, plus les gamins avaient la bougeotte, et je me fatiguais vraiment. Je n'aspirais plus qu'à rentrer chez moi et à me détendre, sans plus me soucier de qui que ce soit. Naturellement, à la mort d'Herbert, je me suis sentie tellement seule que j'ai presque envisagé de rempiler comme prof remplaçante. Je ne sais pas pourquoi j'ai changé d'avis. Peut-être que, si j'avais continué à travailler, je n'aurais pas autant engraissé ! s'exclama Mavis en riant.

Elle se moquait d'elle-même. Toots se dit que c'était bon signe.

— Eh bien, vous savez ce qu'on dit : le passé, c'est le prologue. Il est temps d'aborder de plus verts pâturages, de viser plus haut, plus grand, meilleur ! annonça Toots.

— Je suis déjà passée au « plus grand » et suis plus que disposée à tenter ma chance avec le « meilleur », répondit Mavis avec un franc sourire.

— À la bonne heure ! l'encouragea Sophie. Quelque chose me dit que nous allons toutes vivre la grande aventure de notre vie !

Toots acquiesça.

— Espérons juste qu'elle sera sans embûches.

— Teresa, tu penses vraiment que je pourrai surmonter ce… ce problème ? (Ida baissa les yeux sur ses mains gantées de latex.) Je sais que c'est fou, mais c'est apparemment plus fort que moi. Je ferai tout ce qui est humainement possible pour retrouver une vie normale. Si tu m'aides à surmonter ce… ce handicap, je te pardonnerai de m'avoir volé Jerry.

— Tu as déjà fait le premier pas. Et je compte bien sûr être à tes côtés jusqu'à ce que tu arrives à plonger la main dans une benne à ordures, comme Sophie vient de dire. C'est à ça que servent les amis. On se serre les coudes. Et, Ida, je t'ai fait une fleur en épousant ce vieux Jerry. Combien de fois faudra-t-il que je te le répète ? Il ne pouvait même pas… eh bien, disons simplement que notre relation fut essentiellement platonique.

— Je suppose que je devrais te remercier, dans ce cas, répondit Ida avec une légère moue.

— Oublie Jerry, Ida, et vis ta vie. Fonce ! Le passé, c'est le passé. Nous ne rajeunissons pas, et j'ai bien l'intention de jouir de l'automne de ma vie, comme on dit.

L'estafette s'arrêta dans un parking discret, près des bungalows. Le chauffeur descendit et s'adressa à un autre jeune homme qui portait un uniforme identique. Deux jeunes gens supplémentaires vinrent prendre les bagages. Le chauffeur ouvrit la portière du côté passager, décrivant du bras un ample mouvement.

— Mesdames, bienvenue au Pink Palace.

C'était si théâtral que, comme un seul homme – ou une seule femme –, ces dames éclatèrent de rire.

Chapitre 15

Avant qu'elle puisse changer d'avis, Abby composa le numéro de portable de Chris. Elle ne l'avait pas appelé depuis des lustres et elle était certaine qu'il voudrait aussi revoir sa mère tant qu'elle serait en ville. Côté prétexte, celui-là en valait bien un autre. Abby avait un principe : même s'il lui tardait de revoir Chris ou de lui parler, elle ne l'appelait jamais sans raison.

— Chris Clay.

— Je n'ai pas droit à un bon vieux « bonjour » ? le taquina Abby.

— Ça alors, il t'arrive donc de sortir de ton trou ? répliqua-t-il.

Abby perçut le rire contenu dans sa voix et s'imagina la petite lueur malicieuse dans ses yeux bleus au regard si sexy. Zut, elle ne devrait pas nourrir ce genre de pensée. Mais, d'un autre côté, pourquoi pas ? Elle n'était pas nonne.

Elle rit.

— Ça m'arrive, oui, et si Ragot a son mot à dire, je serai bientôt en quête d'une autre cachette. Il a mis le journal en vente et, selon la rumeur, il aurait trouvé quelqu'un d'assez bête pour l'acheter. Même si ce n'est qu'une rumeur, il y a toujours un fond de vérité, surtout en ce qui concerne Ragot…

— J'en ai eu vent, en effet, s'empressa de répondre Chris.

— Les nouvelles vont vite, mais ce n'est pas pour ça que je t'appelais. Tu ne vas pas me croire, maman et mes trois marraines sont en ville ! Elles sont descendues au Pink Palace. Je compte dîner avec elles ce soir au *Polo Lounge*. Je me disais que tu aimerais sans doute te joindre à nous.

— Je peux y arriver, je pense. Ça fait un bout de temps que je n'ai pas revu Typhon Toots. Tu veux que je passe te chercher ?

Abby réfléchit quelques secondes. Sa voiture était sale : Chester avait copieusement bavé sur les vitres, et elle ne les avait pas encore nettoyées. Les voituriers du *Polo Lounge* trouveraient probablement ça de mauvais goût.

— D'accord. Le trajet nous donnera l'occasion de rattraper le temps perdu sans avoir maman sur le dos. Pour 18 heures, ce serait trop tôt ? Au fait, avec quelle star de cinéma sors-tu cette semaine ? ajouta-t-elle effrontément.

Elle se félicitait que Chris ne puisse pas voir son geste puéril, doigts croisés.

— OK pour 18 heures, ça me va très bien. À tout à l'heure, et merci pour l'invitation. Pas de stars cette semaine. Je commence à perdre mes cheveux ; ça pourrait expliquer pourquoi elles se désintéressent de moi.

Il rit de sa propre boutade en raccrochant.

Abby contempla le téléphone une longue minute avant de se féliciter d'avoir convaincu Chris d'accepter son invitation. Elle connaissait sa réputation auprès des dames, et il était bien rare qu'on ne le voie pas escorter quelque beauté dans l'un des clubs les plus en vue de

L.A. Elle avait plus d'une fois eu l'occasion de rédiger un papier sur lui. Mais, quelle que soit la starlette à son bras, Chris faisait partie de sa famille, ce qui empêchait Abby d'écrire sur lui. Cette loyauté lui avait coûté beaucoup de reportages.

Elle s'imaginait sa mère en train de se détendre dans son jacuzzi géant avec un verre de vin et ses tabloïds. Si jamais Toots tombait sur un article concernant Chris, elle s'évanouirait, car elle le considérait autant comme son enfant qu'Abby. Elle ne permettrait à personne de les traîner dans la boue, que ce soit justifié ou pas. Si quelqu'un s'y risquait, Abby savait que ça barderait. Elle rit en se représentant sa mère, la « Belle du Sud transplantée », en train de botter des culs.

Ayant du temps devant elle avant le dîner, Abby décida d'emmener Chester pour une longue promenade. Le chien de trente-cinq kilos bondit du canapé et fila à la porte d'entrée.

— Allez, mon garçon. On a besoin d'air frais.

Une heure plus tard, ils étaient de retour, revitalisés par leur belle balade. Langue pendante de côté, Chester suivit sa maîtresse dans la cuisine, où son bol était rempli d'eau fraîche. Il lui fallut une minute pour le vider. Assoiffée elle aussi, Abby prit une bouteille d'eau et la but également d'un trait. D'un coup d'œil à l'horloge du four, elle vit qu'il lui restait une heure pour se doucher et s'habiller avant l'arrivée de Chris.

N'étant pas femme à perdre son temps, Abby piqua un sprint en direction de la salle de bains, tourna le robinet et passa sous le jet. Elle se lava les cheveux avec un shampoing parfumé au pamplemousse, imbiba une fleur de douche d'un gel au gardénia, s'en frotta le corps, puis se tint de nouveau sous le jet en laissant la mousse couler en spirale dans le drain.

Abby enveloppa ses cheveux dans une serviette, se drapa dans une autre, puis passa à sa penderie pour sélectionner une tenue appropriée. Elle avisa un fourreau Versace noir, un cadeau d'anniversaire de sa mère l'année précédente. L'ôtant du cintre, elle le présenta devant elle, puis se campa face à son miroir en pied, sur le battant interne de la penderie. Pas mal, mais Chris lui trouverait peut-être l'air un peu coincé, dans une robe comme celle-là. Une robe de gentille fifille. Elle la balança sur le lit. Elle n'était pas une « gentille fifille », du moins elle ne jouerait pas ce rôle-là ce soir. Elle ne voulait pas que Chris voie en elle son impertinente demi-sœur, elle désirait qu'il la regarde comme si elle était une de ces starlettes continuellement pendues à son bras. Mais pas une stupide bimbo non plus. Bon sang, à quoi pensait-elle ? Elle s'apprêtait à dîner avec sa mère et ses marraines, et voilà qu'elle se préoccupait de ce qu'elle allait mettre. En fait, la robe noire était parfaite. Elle porterait son rang de perles ainsi que ses sandales à hauts talons. Décision prise, Abby se sécha rapidement les cheveux. Pour une fois, elle joua la carte du glamour et se maquilla d'une main de professionnelle. Cela fait, elle prit du recul pour mieux admirer son œuvre. Ses collègues disaient souvent qu'elle était le portrait craché de Meg Ryan. La bonne blague ! À côté d'elle, Meg Ryan avait l'air d'une vieille rombière essayant de jouer les ingénues.

Chapitre 16

Toots revêtit une jupe turquoise et un chemisier assorti, optant pour des sandales argentées. Elle rassembla sa chevelure en chignon et passa de petites boucles d'oreilles en diamant avant d'ajouter de l'anticerne pour dissimuler les traces de sa courte nuit. Elle apporta la touche finale en appliquant un peu de blush sur ses hautes pommettes et un rouge à lèvres couleur bronze, puis donna un baiser à son reflet. Le miroir l'assurait qu'elle n'aurait pas pu faire mieux. À l'âge remarquable de soixante-cinq ans, elle se faisait l'impression d'avoir franchi un autre fuseau horaire. Elle ne s'attendait pas à ressembler à Kate Hudson – à sa mère, Goldie Hawn, en revanche... Toujours est-il qu'elle se promit de faire la grasse matinée le lendemain, même si elle savait que son horloge biologique se moquerait de ces bonnes résolutions. Tant pis. Elle était là où elle voulait être, entourée de celles qu'elle aimait le plus au monde.

Mavis, Sophie et elle avaient passé une heure en massage et en soin complet du visage. Ida avait préféré rester dans son bungalow, afin de tout nettoyer et désinfecter. Elle avait appelé le service de chambre à deux reprises pour exiger le renouvellement des draps et des serviettes. Toots avait tenté de la persuader que ce qui était en place était propre, mais Ida n'en avait pas démordu. De retour de sa séance de massage, Toots s'était arrêtée à la réception, où elle avait expliqué au directeur le problème d'Ida. Si elle détestait trahir ainsi la confiance d'une amie, Toots craignait que, ignorant la nature du trouble obsessionnel compulsif d'Ida, la direction de l'hôtel n'en ait vite assez et ne l'expédie *manu militari* à l'asile de fous le plus proche.

Des plus affables, le directeur avait assuré qu'Ida pourrait avoir tous les articles neufs de linge de maison qu'elle jugerait utiles et que, si elle voulait assister à leur lavage, elle serait la bienvenue. Toots espérait qu'on n'en viendrait pas là.

Elle prit sa pochette à paillettes, censée être à la dernière mode à Los Angeles, et sortit de la salle de bains. Le *Polo Lounge* ! La vie pouvait-elle être plus belle que cela ?

Après avoir inspiré à fond, elle jeta des regards à la ronde, prenant pour la première fois la mesure de la décoration. Son bungalow, élégamment décoré, dans des tons verts et roses, était exclusivement meublé de sur-mesure – à en croire la femme de chambre fournie avec l'ensemble des prestations. Elle disposait de son propre accès privé, d'une salle de séjour et d'une salle à manger distincte, d'un âtre où, elle en était sûre, on n'avait jamais fait du feu, et d'une cuisine assez vaste pour satisfaire quiconque aimait cuisiner. Les appareils électroménagers étaient du haut de gamme, et la vaisselle, d'une ligne exquise. La salle de bains avait un lavabo double, un grand jacuzzi, et la douche était en marbre grec de couleur rose. Des serviettes roses pelucheuses et des peignoirs de luxe en tissu-éponge avec mules assorties garnissaient une armoire prête à l'emploi. Les commodités étaient soigneusement disposées sur la console en marbre : le gel douche, le shampooing et l'après-shampooing, ainsi que des crèmes pour les mains et des lotions corporelles. Il y avait même des brosses à cheveux roses et du dentifrice avec un rince-bouche fluoré rose. Du rose partout.

Le *Beverly Hills Hotel* était somptueux – tout comme les tarifs pratiqués –, mais, là encore, Toots avait de l'argent à ne plus savoir qu'en faire. Alors, si elle voulait claquer 5 000 dollars par nuit, c'était son affaire. *Multipliés par quatre !* se dit-elle en sortant dans la cour.

Sophie l'attendait devant son propre bungalow.

— Je n'avais jamais vu tant de luxe. Pince-moi, je n'arrive pas à croire que c'est pour de vrai.

Toots rit et passa le bras sous celui de son amie, tandis qu'elles se dirigeaient vers le bungalow de Mavis.

— C'est le royaume des illusions et des chimères, tu te rappelles ?

— Oui, et je ne t'en remercierai jamais assez. Personne ne se douterait que j'ai à la maison un mari à l'agonie.

Sophie se détourna, le regard lointain.

Toots sut où ça allait mener.

— Sophie, ne commence pas à culpabiliser. Je sais par où tu es passée, crois-moi. La culpabilité inflige des choses terribles, et je n'ai pas besoin de te rappeler tout ce que tu as subi ces trente dernières années. C'est moi, Toots, tu te souviens ? Je veux que tu te détendes et que tu profites de ton séjour. Qui sait quand nous aurons à retourner en vitesse à New York pour arranger les funérailles de Walter ?

Elle prit dans sa pochette un mouchoir qu'elle tendit à Sophie.

— Je sais, mais je ne peux m'empêcher de penser à lui, au fond de son lit, à attendre… la mort. Il est tellement affaibli. Toutes ces années passées à vivre à fond la caisse, et la boisson l'a fait vieillir avant l'heure. C'était un vieux saligaud vicieux, pas vrai ? demanda Sophie, des larmes luisant dans ses chaleureux yeux marron.

— Oui, en effet, et c'est une raison supplémentaire pour que tu le chasses de tes pensées. Au moins pour ce soir. Cette journée a été longue et fatigante pour nous toutes. Je pense que nous avons bien mérité une soirée de détente. Abby amène Chris avec elle. J'ai hâte que vous le voyiez. Tu veux une cigarette ?

— J'en meurs d'envie, répondit Sophie.

Toots tira deux clopes de son paquet, les alluma et en tendit une à son amie. Pouvait-on être plus classe que ça ? Toots éclata de rire.

Elles continuèrent le long de l'allée privative : un chemin paisible et empreint de sérénité. Entourée de luxuriants jardins tropicaux qui embaumaient divinement en ce début de soirée, et rayonnante après une heure à se faire bichonner, Toots aurait voulu étreindre le moment et le serrer contre elle de peur qu'il ne disparaisse, la privant à jamais de pareille béatitude. Et il n'y avait pas un homme en vue. À cet instant précis, le bonheur qu'elle ressentait était si grand qu'elle eut les yeux noyés de larmes. Elle tira un autre mouchoir de sa pochette et se tapota les paupières.

— Regarde-toi ! En train de pleurer comme une môme. Et ton mascara s'est mis à couler. (Cigarette pendue au coin de la bouche, Sophie lui prit le mouchoir des mains et essuya les traînées noires sur le visage de

Toots.) Là. Maintenant, arrêtons de chialer comme deux bébés. Tu la vois, là-bas ?

Sophie désignait Mavis, qui les attendait devant son bungalow. Elle s'empressa de la rejoindre.

— Je crois bien que je ne t'avais jamais vue aussi… éblouissante ! Ou alors peut-être quand tu avais dix-huit ans ! Seigneur, tes cheveux et ton maquillage sont parfaits. Tu ne ressembles pas à la Mavis que je connais, mais à une star de cinéma !

Sophie sourit.

Pataude, Mavis tournoya, frimant avec sa nouvelle coiffure et son nouveau maquillage.

— Je n'irais pas jusque-là, mais j'ai un peu l'impression d'être Cendrillon. Je sais que je l'ai dit des centaines de fois, mais ça me fait vraiment cet effet-là. Quand je me suis vue dans le miroir, j'ai eu envie de pleurer. Coco m'a à peine reconnue. Cela faisait bien vingt ans que je ne m'étais pas sentie aussi bien. J'ai hâte de me mettre à la gym. La femme de chambre va me montrer le gymnase demain. Elle a dit que quelqu'un avait pris des dispositions pour que je m'entraîne avec un coach privé. Je me demande bien qui ça pourrait être.

Ses yeux bleu clair pétillaient comme deux saphirs étincelants. Elle regarda ses deux amies.

— Je ne pensais pas qu'il puisse exister des vêtements aussi cool pour les rondes. Je me sens… (Elle inclina la tête, rougissant.)… sexy.

Elle avait prononcé ce mot dans un murmure.

— Tu es la prof d'anglais à la retraite la plus sexy que j'aie jamais vue. Ce vert profond te va à merveille, commenta Sophie avant d'écraser son mégot sur le trottoir.

Elle le reprit ensuite pour le fourrer dans la poche de sa jupe. Toots cilla avant d'imiter son amie, lui glissant son mégot dans la poche.

— On devrait réfléchir à tirer un trait là-dessus. Plus personne ne fume. Nous sommes des parias.

— Parle pour toi ! rétorqua vivement Sophie. Ne me mêle pas à cette histoire.

— Oui, chef, répondit Toots humblement.

Mavis ignora l'échange entre ses deux vieilles amies.

— Liz, la dame de la boutique de vêtements, savait ce qui m'irait ou pas. Je lui serai éternellement reconnaissante.

Mavis portait une tunique vert foncé et un pantalon dont la coupe l'affinait d'au moins une quinzaine de kilos. La nouvelle teinte caramel de ses cheveux et son maquillage couleur pêche mettaient en valeur sa belle peau claire. Toots voyait déjà la métamorphose s'opérer.

— Vous êtes magnifiques, l'une comme l'autre. (Toots baissa les yeux sur sa fine montre incrustée de diamants.) Voyons si Ida est prête à s'aventurer hors de son cocon aseptisé. Je ne veux pas faire attendre Abby.

Paré de ses plus beaux atours, le trio flâna le long du sentier sinueux qui conduisait au bungalow d'Ida, niché entre de hauts palmiers et des floraisons d'un rose éclatant.

— Je n'ai jamais vu pareils jardins, dit Sophie, intimidée. À New York, les seules fleurs que je vois sont celles de *Joanne's Market*. Et je suis sûre qu'elles ont au moins trois jours quand Joanne les reçoit ; quelle vieille pingre, celle-là ! Elle fait de la remballe de viande périmée. Ça s'est étalé dans tous les journaux. Je me demande si ce n'est pas cette viande pourrie qui a tué le Thomas d'Ida ? (Sophie contemplait l'aménagement paysager.) Je regrette de ne pas avoir mon appareil photo.

— Je suis sûre qu'on peut en acheter un jetable dans la boutique de cadeaux, proposa Toots. Et, comme je vois mal Ida faire ses courses elle-même, nous pouvons d'ores et déjà rayer *Joanne's Market* comme source possible de l'empoisonnement alimentaire de Thomas, même si ça paraît être une bonne piste. Quoi qu'il en soit, n'en parle surtout pas à Ida. Nous aurons assez à faire ce soir sans la relancer dans ses obsessions.

Sophie haussa les épaules, mais promit. Elle était connue pour rompre la plupart de ses promesses désinvoltes. Toots s'efforça de réprimer un frisson d'appréhension.

— Pauvre Ida. J'aimerais tant pouvoir l'aider, intervint Mavis tout à trac. Je veux qu'elle se sente aussi bien dans sa peau que moi en ce moment. Je me montre réaliste, là.

— Ça viendra. Ça prendra juste du temps et de la patience de notre part. Bon, enchaîna Toots à voix basse, concentrons-nous ce soir sur les attributs positifs d'Ida.

Elle eut soudain une pensée rosse : quels étaient au juste les attributs positifs d'Ida ? Toots n'avait jamais été aussi proche d'elle que de Sophie et de Mavis. Ce cher Jerry, le nullard, s'était toujours dressé entre elles.

Sophie tapa doucement à la porte, Toots et Mavis derrière elle. Bizarrement, Sophie réussissait mieux que les autres à amadouer Ida. Elle frappa de nouveau d'une main légère.

— Ida, nous savons que tu es là. Ouvre, ou je me crache dans la paume et je te force à me serrer la main ! grogna Sophie.

— Eh bien, voilà qui devrait certainement la persuader, persifla Toots.

La porte fut entrebâillée d'un ou deux centimètres à peine. Un œil bleu apparut.

— Je ne peux pas. Dites à Abby que je suis navrée. Allez-y sans moi.

Ida referma la porte. Elles l'entendirent tirer le verrou.

— Tant pis pour elle, déclara Sophie avec une volte-face décisive. Je ne vais pas la forcer à un truc qui la rend mal à l'aise. Pas encore.

— Lui faire quitter New York fut déjà un obstacle majeur à surmonter, alors laissons-lui un peu de temps avant de lui mettre la pression. Elle se ravisera, assura Toots. Je ne sais pas vous, mais je meurs de faim.

Fièrement, Mavis déclara :

— Eh bien, moi, pas du tout !

— Tu dois manger, ma chérie. Nous allons juste nous assurer que ce soit sain et équilibré.

Toots aurait tout donné pour un grand bol de Froot Loops, mais elle attendrait le petit déjeuner. Elle ne se voyait pas en train de demander aux serveurs du *Polo Lounge* un bol de céréales en guise d'entrée.

Fidèle à elle-même, Sophie brailla en les dépassant en courant :

— Oui, eh bien, moi, j'ai la dalle ! Vous ne pourriez pas marcher un peu plus vite ?

Mavis s'élança aussi rapidement que le lui permettait sa corpulence, Toots sur les talons. S'assurant d'un coup d'œil circulaire que personne ne la verrait, elle fit à Sophie un doigt d'honneur. Ce geste puéril fit rire Mavis.

Toots entra la première dans le restaurant : les réservations avaient été faites à son nom. Elle fut accueillie par une ravissante Latino-Américaine aux cheveux noir comme du jais. Celle-ci prit la parole avec un accent qui ne faisait qu'ajouter à sa beauté sensuelle et ténébreuse.

— Si vous voulez bien me suivre.

Mavis chuchota à Sophie :

— Je parie que c'est une star de ciné.

Sophie leva les yeux au ciel.

— Je ne crois pas. Sinon, elle ne bosserait pas ici.

— C'est peut-être pour un rôle.

— Mavis, redescends sur terre ! Les actrices ne s'entraînent pas pour un rôle en venant travailler au *Polo Lounge*. Je suis sûre que ces filles-là viennent bosser ici avec l'espoir qu'un producteur de cinéma les remarque et fasse d'elles les prochaines grandes stars de Hollywood. Ou bien elles sont à la recherche d'un riche mari. Sérieusement, tu as besoin de te mettre à la lecture des tabloïds comme Toots. N'y prends pas trop goût, voilà tout.

— Lana Turner n'a-t-elle pas été découverte de cette façon ? lança Toots par-dessus son épaule.

— Je crois qu'elle buvait un Coca-Cola dans une épicerie, avança Mavis.

Elles suivirent l'hôtesse jusqu'au patio. Des tables en fer forgé blanc ornées de nappes vert feuille – assorties aux coussins des sièges – étaient disposées sur le sol pavé. Des vases géants abritaient des azalées rose vif. Au centre, un vieux poivrier du Brésil étendait ses ombres sur des groupes de convives. Les amies étaient placées juste au centre, où elles avaient une vue d'ensemble sur les arrivants. Elles venaient de s'asseoir lorsque Toots vit Abby et Chris se diriger vers leur table.

Chapitre 17

Toots étreignit sa fille, la serrant contre elle, puis sauta sur Chris.

— Je suis tellement contente de te voir là ! J'aimerais que tu rencontres les marraines d'Abby.

Mavis et Sophie accueillirent Chris avec enthousiasme.

— J'ai tellement entendu parler de vous toutes ces années, dit Mavis.

— Moi aussi, mais je ne savais pas que vous étiez si beau garçon ! s'extasia Sophie en jaugeant Chris.

Celui-ci partit d'un rire chaud et profond et remercia les dames pour leurs compliments.

Il attendit qu'elles soient assises avant de s'installer près d'Abby. Il avait du mal à se concentrer sur le moment présent alors qu'elle se trouvait si près qu'il pouvait humer son parfum, floral et léger ; il dut se faire violence pour prêter attention à la conversation qui s'engageait autour de lui. Il essayait de calmer ses battements de cœur, qui avaient quadruplé quand Abby lui avait ouvert la porte. Il espérait que son regard ne l'avait pas trahi. En deux secondes, ses mains déjà moites s'étaient mises à trembler. Abby se défendait bien face aux femmes avec lesquelles il était sorti récemment. À vrai dire, ces dernières ne lui arrivaient pas à la cheville. Il se demanda si elle avait conscience de l'effet qu'elle avait sur lui. Probablement pas, puisqu'elle le traitait comme un frère. Au moins Chester, son chien, l'aimait bien.

— Ida n'a pas pu se forcer à quitter son bungalow. Elle a des TOC, expliqua Toots à Chris quand Abby demanda si sa troisième marraine allait les rejoindre pour le dîner. Je me suis arrangée pour qu'elle voie un docteur demain. Si ça ne marche pas, nous allons l'attacher à son lit et la sevrer d'autorité.

— Ces jours-ci, tout le monde a des TOC à Hollywood. Ça fait les choux gras des tabloïds.

Chris décocha un clin d'œil à Abby pour lui montrer qu'il la taquinait. Il aurait voulu pouvoir discuter seul avec Toots avant de passer prendre sa fille chez elle. Au moment de partir de chez lui, il avait reçu un message plutôt déroutant. Il ne tenait pas à alarmer Toots ou à l'inquiéter sans raison, mais il avait l'intuition viscérale qu'elle ne serait pas heureuse lorsqu'il lui ferait part de ses soupçons. Depuis le début, il avait eu un mauvais pressentiment à propos du rachat de *The Informer*, se doutant que la vente n'allait pas être aussi simple qu'il l'avait d'abord cru. Il regrettait à présent de ne pas avoir su écouter ses intuitions. Mais ce n'étaient que des impressions, et non des faits. En tant qu'avocat, c'étaient de faits qu'il avait besoin.

Une serveuse leur apporta la carte des vins. Chris parcourut rapidement la liste avant de jeter son dévolu sur une bouteille de Pinot Grigio de la vallée Napa.

Quand le vin fut servi et qu'ils eurent porté un toast, ils passèrent commande. Chris fit de son mieux pour se détendre et profiter de la compagnie d'Abby comme de celle des amies loufoques de Toots. Ce n'était pas une mince affaire, avec Abby assise si près de lui. Bon sang, ce qu'elle sentait bon ! On aurait dit les premiers parfums de l'été, et l'effet en était étourdissant. Chris se demanda si l'une des femmes présentes se doutait de ce qu'il ressentait.

Chris n'était qu'à demi conscient de la conversation feutrée, du tintement des verres, des éclats de rire étouffés et du bruit occasionnel d'un couvert qui tombait sur la table. Il faisait pourtant de son mieux pour profiter de ces instants. Il ne se rappelait pas la dernière fois où trois femmes d'âge mûr l'avaient autant diverti. Elles se relayaient pour relater des anecdotes de jeunesse. Voir Abby flanquer un coup de pied à sa mère sous la table lorsque celle-ci évoqua le premier bal de sa fille l'amusa.

— Ne parlons pas de ça, maman, dit-elle vivement, avant d'adoucir le ton. Je t'en prie.

— Allons, Abby, nous sommes tous adultes. Que s'est-il passé, Toots ? la cajola Chris.

Il avait toujours pensé qu'Abby était parfaitement maîtresse d'elle-même, et la possibilité qu'elle ne soit pas si parfaite l'intriguait.

Toots secoua la tête.

— Je ferais mieux de m'abstenir. Si Abby veut que tu le saches, ce sera à elle de te le dire.

— Merci, maman. Bon, et si on changeait de sujet ? Au fait, Chris savait que le journal était à vendre, vous le croyez, ça ?

— À cet égard, L.A. est comme un village. Les nouvelles vont vite, et les commérages encore plus, commenta Chris en tournant les yeux en direction de la salle bondée.

Il évitait de croiser le regard de Toots ou de ses amies de crainte qu'Abby ne déchiffre son expression.

Toots répondit d'un débit accéléré, avalant ses mots :

— Euh… oh, oui, je suis sûre que tout le monde, dans le milieu de la presse, est au courant de cette vente imminente même si ce n'est qu'un tabloïd ! C'est comme ça que ça se passe, les journaux sont mis en vente, puis créent leurs propres nouvelles. C'est tout à fait stupéfiant, dit-elle d'un ton léger.

— C'est vrai, mais le plus drôle, c'est qu'on sait généralement qui achète. À ce qu'il paraît, le nouveau propriétaire désire garder l'anonymat. J'ai entendu dire que ce pauvre pigeon avait payé trois fois ce que ça vaut. Je n'arrive pas à imaginer qu'on puisse flanquer l'argent par les fenêtres comme ça, au point d'acheter un tabloïd comme *The Informer*, mais je dois admettre que j'avais moi-même envisagé de faire une offre. Comme j'ai investi toutes mes ressources dans la maison, je ne pouvais pas l'emporter et, vous savez quoi, j'en suis heureuse. Parce que, avec le pot que j'ai, j'aurais fini par y laisser ma chemise. Il faudra des années pour que *The Informer* soit en position de force, en tout cas sur le marché des tabloïds. (Abby fit une pause pour boire une gorgée de vin.) Depuis que j'y travaille, ça a toujours été une feuille de chou de troisième zone. Il y a toujours une possibilité pour que le nouveau patron l'arrache à son tas de fumier, j'imagine. Mais j'en doute.

Trois fois le prix ? Merde !

Si Toots n'avait pas été assise, elle en serait tombée sur le cul. Elle se racla la gorge et décocha un coup d'œil circonspect à Chris avant de reprendre la parole.

Elle regretta de ne pas avoir de cigarette pour s'occuper les mains.

— Est-ce que tu comptes quitter le journal, Abby ? demanda-t-elle d'un ton qu'elle espéra nonchalant.

— Je ne sais pas trop, soupira Abby. Je n'ai pas eu d'offres d'emploi – non que j'en cherche particulièrement – et je ne veux vraiment pas retourner à une routine assommante, alors je suppose que je devrais rester le temps de voir ce que donne ce changement de propriétaire. Si le nouveau patron se révèle un tant soit peu comme Ragot, je passerai probablement à autre chose. Ce salaud s'est déjà bien payé ma tête. Je ne me vois pas supporter ça encore longtemps et, cette fois, j'exigerai un contrat en bonne et due forme. Chris s'assurera qu'il est blindé.

— Je suis sûre que ça n'arrivera pas, déclara Toots, pragmatique. Tu n'as jamais été virée, on peut donc en déduire que tu es douée.

Abby sourit.

— La flatterie te mènera loin, à moins que tu ne saches quelque chose que j'ignore ? Est-ce le cas ? demanda-t-elle doucement.

Chris nota dans un coin de sa tête qu'Abby appréciait la flatterie. En même temps, qui détestait ça ?

— Pourquoi me demandes-tu un truc comme ça, ma chérie ? s'enquit Toots d'un ton vibrant d'inquiétude. J'en connais autant dans le domaine de la presse que toi sur la Guilde des Dames de Charleston.

— Je plaisante, maman.

Avant que les uns ou les autres puissent mettre leur grain de sel, la serveuse revint avec leurs commandes. Toots se dit que ça n'aurait pas pu mieux tomber : elle allait déguster son plat au lieu de mettre les pieds dedans.

Espérant détourner l'attention d'Abby, elle attendit que la serveuse se retire pour reprendre :

— Tu sais, Mavis s'est mise au régime.

Piètre diversion, mais il fallait bien qu'elle dise quelque chose.

— C'est fantastique, tante Mavis ! s'exclama Abby. Je suis très fière de toi.

— Merci, ma puce. C'est ta mère qui m'a persuadée qu'il était temps, et nous savons tous à quel point elle peut se montrer persuasive. Je suis ravie qu'elle m'ait convaincue. Même si ça ne fait que deux jours, je crois que je pourrai m'y tenir. En tout cas, je vais mettre le paquet. Pour reprendre l'expression pittoresque de ta mère, je ne veux plus être un « infarctus ambulant ».

— Il faut vivre au jour le jour, sourit Abby.

— N'est-ce pas ce qu'on serine aux Alcooliques Anonymes ? demanda Sophie entre deux bouchées.

Chris éclata de rire.

— Je crois bien que si.

— Mon époux était… est alcoolique, avoua Sophie. J'en connais un rayon là-dessus. Ce salaud me disait qu'il allait à ses meetings et rentrait toujours soûl. Il avait l'audace de me soutenir que le café était shooté.

— Je suis navré, répondit Chris, ne sachant quoi dire.

— Il ne faut pas. En tout cas, moi, je ne le suis pas. Ce n'est mon époux que de nom, et il est en train de mourir, de toute façon. Devinez de quoi.

Sophie mordit dans un petit pain croustillant puis leva les yeux au ciel. On aurait cru qu'elle parlait du temps qu'il faisait et se fichait de savoir s'il allait pleuvoir ou pas.

— Une cirrhose du foie ? avança Chris.

Elle le regarda et se rendit compte que son franc-parler le mettait mal à l'aise.

— Exactement. Écoutez, vous êtes de la famille. Autant vous mettre au parfum. J'attends juste que ce vieux grigou casse sa pipe pour toucher l'assurance-vie. Notre mariage n'avait rien d'idyllique, comme je l'ai dit. Si mes paroles vous offensent, j'en suis désolée, mais vous n'étiez pas à ma place pendant toutes ces années.

Elle embrocha une carotte qu'elle avala avec une expression candide.

— Sophie, penses-tu qu'on pourrait passer à des sujets de conversation un peu plus appropriés pour un dîner ? Rappelle-toi, nous étions censés passer un agréable moment ce soir, la gourmanda Toots.

— Mais je m'éclate, moi ! s'exclama Mavis. Pas vous ?

— Eh bien, juste pour info, j'aimerais en savoir plus sur cette histoire de tabloïd. Vous savez ce que je pense ?

Toots leva une main pour faire taire Sophie.

— Plus un mot, ou je te fous par terre ! Je me disais que nous pourrions tous retourner dans mon bungalow pour le dessert et le café. Ou les digestifs, à votre guise.

— L'idée me plaît bien, mais je vais devoir décliner. Chester est à la maison, et il n'aime pas rester seul trop longtemps. Et puis, j'aimerais bien découvrir l'identité du nouveau patron. J'ai encore quelques sources fiables, et, avec Internet, plus rien n'est secret.

L'estomac noué, Toots bondit – tout pour détourner l'esprit d'Abby de *The Informer*.

— Oh, ça n'a pas d'importance, ma chérie, c'est le boulot ! Ce soir, c'est pour la famille. Tu aurais vraiment dû amener Chester. Coco, c'est la femelle chihuahua de Mavis, est venue avec nous. J'ai engagé un dog-sitter.

Le jeune homme travaille aussi avec Cesar Millan, c'est l'assurance qu'avec lui les chiens sont bien traités. Moi-même, j'envisageais de prendre un chien. Ou un chat, peut-être. Bernice va s'en plaindre et menacer de rendre son tablier, mais, au fond, je m'en fiche. J'ai entendu dire que les propriétaires d'animaux avaient une tension artérielle moins élevée que ceux qui n'ont pas de bêtes. Mavis, Joe a déclaré que la tienne était parfaite. Dès mon retour à Charleston, je me renseignerai.

Toots racontait n'importe quoi, et ne s'arrêta que lorsqu'elle fut à bout de souffle. Ce dont elle avait besoin en cet instant précis, c'était une cigarette. Et une bonne lampée de whisky.

— Maman, cool ! Relax ! Chester approche des quarante kilos, maintenant. Je ne sais pas comment il réagirait face à un petit chien. Il le prendrait probablement pour un insecte ou autre. Mais, avant que tu retournes à Charleston, tu devrais amener Coco pour que Chester et elle fassent connaissance. On pourrait bien avoir un mariage d'amour sur le feu !

Mavis hocha la tête.

— Ça me plairait, et je sais que Coco aimerait aussi. Elle a l'habitude des autres animaux, grands et petits. Ma voisine Phyllis a deux labradors et un teckel. Ils sont copains comme cochons.

— Alors c'est d'accord. Nous irons chez Abby avec la petite chienne avant de partir.

Toots planta sa fourchette dans sa quiche lorraine refroidie, souhaitant qu'ils puissent finir de dîner sans plus parler de *The Informer*. Elle eut soudain des doutes sur sa capacité à conserver l'anonymat. Et si Abby découvrait qu'elle, sa mère, était la pauvre naze qui avait claqué le triple de ce que valait ce torchon de troisième zone ? Que pouvait-elle y faire si Abby mobilisait ses excellents talents d'investigatrice, même si Chris lui avait assuré qu'il avait tout enfoui profondément et que ça ne risquait rien ? Quoiqu'elle voue à son beau-fils une confiance implicite, elle avait besoin d'être sûre et certaine que c'était vraiment bien caché.

La conversation prit un rythme moins soutenu tandis que les convives reportaient leur attention sur leur plat. Mavis picorait son poulet fermier rôti, Toots se forçait à manger sa quiche quelque peu insipide, tandis que Sophie engloutissait son entrecôte comme si c'était le dernier repas du Christ. Abby mâchonnait le fameux hamburger au faux-filet, et, d'une main experte, Chris enroulait autour des dents de sa fourchette ses *linguine pomodoro*.

Quand ils eurent fini de dîner, Abby promit qu'elle passerait bientôt plus de temps avec eux, s'excusant d'écourter ainsi la soirée. Chris l'accompagna pour lui héler un taxi. Il revint ensuite escorter les dames à leurs bungalows.

Sophie prit Mavis par la main, suggérant une promenade digestive. Et il était vraiment temps de s'en griller une. Toots fut soulagée du départ des deux femmes, car elle désirait parler à Chris en tête-à-tête, même si elle aussi mourait d'envie d'allumer une cigarette. Au bungalow, Toots versa deux doses de whisky avant qu'ils s'installent sur le canapé.

— OK, monsieur Clay, crache le morceau ! Je sais que tu me caches quelque chose, et tu ferais mieux de dire à ta chère vieille belle-mère ce que c'est. Tu étais aussi remuant qu'un môme de deux ans à table. Alors, que se passe-t-il ?

Chris se pencha aussi près qu'il le pouvait sans envahir l'espace personnel de Toots.

— Juste avant de passer prendre Abby chez elle, j'ai reçu un appel téléphonique d'Emmanuel Rodriguez. C'est le vice-président de la banque de Los Angeles, là où j'ai mon compte de garantie.

— Et ? fit Toots d'une voix tendue.

— Le transfert depuis ta banque de Charleston s'est très bien passé, tous les documents étaient en ordre.

Chris marqua une pause, non pour ménager ses effets de façon dramatique, mais par souci de présenter la nouvelle avec autant de douceur que possible.

— Alors où est le problème ? Je ne comprends pas. Je traite avec Henry Whitmore à ma banque de Charleston depuis vingt ans. Nous n'avons jamais eu de problèmes, et j'effectue des transferts tout le temps.

Toots prit ses cigarettes et en alluma une, même si Chris était tout près. Elle inhala profondément, puis relâcha la fumée.

Chris leva les yeux vers sa belle-mère, cherchant à déterminer la meilleure façon de lui annoncer ce qu'il avait à dire.

— Veux-tu bien en venir au fait ! s'exclama Toots avant de prendre une autre bouffée et de souffler la fumée par-dessus son épaule.

— Il semble que tes 10 millions de dollars se soient volatilisés.

Il fallut bien dix secondes à Toots avant de retrouver sa langue. Secouant la tête si violemment que son chignon se défit, elle écrasa sa cigarette dans un cendrier en cristal, sur la table basse. Elle en alluma immédiatement une deuxième avant de vider son restant de whisky.

— Tu veux répéter, car j'ai forcément mal compris. Mon pognon, volatilisé ? Entièrement ? C'est impossible ! Putain, je ne le crois pas ça, 10 millions de dollars envolés ! J'espère que tu sais où vit le président de cette banque, car je veux y aller sur-le-champ ! Maintenant, tout de suite !

Chris inspira à fond.

— Non, tu n'as pas mal compris, Toots. C'est exactement ce que je viens de dire. Rodriguez m'a tout expliqué : sitôt l'argent déposé sur mon compte de garantie, et avant qu'il puisse me prévenir afin que je le transfère sur le compte en banque de *The Informer*, il avait disparu. Après enquête, Rodriguez est parvenu à déterminer qu'il avait été transféré à une autre banque, celle des Bermudes, aux Caïmans. Puisque je n'avais pas autorisé ce mouvement, quelqu'un a de toute évidence piraté le compte et s'est arrangé pour subtiliser l'argent au passage.

Chris détestait donner à sa belle-mère des nouvelles aussi moches dès sa première nuit en ville, mais il ne pouvait pas faire autrement. Il marqua une pause pour laisser le temps à Toots de digérer.

Toots, elle, crut qu'elle allait tourner de l'œil.

— La banque est assurée. Elle avait l'argent sur ce compte. Si quelqu'un l'a pris, il faut bien qu'elle me le reverse intégralement. Si on a piraté son système, ce n'est pas mon problème. Je veux récupérer mon fric ! Ne me dis pas que la banque va le contester, ça ! (Ses mains se mirent à trembler si fort qu'elle se fit l'effet d'être Katharine Hepburn en phase terminale de la maladie de Parkinson.) Chris, ces trucs-là n'arrivent que dans les films. Il y a forcément une erreur.

— Ça a été ma première réaction, à moi aussi, mais ce n'est pas le cas. J'ai toute confiance en Emmanuel, j'ai déjà eu affaire à lui en plusieurs occasions, et s'il affirme que l'argent n'est pas là, c'est qu'il n'est pas là.

Toots refusait d'accepter l'explication de Chris. C'était tout simplement trop stupide pour qu'elle l'envisage. Dix millions de dollars, ça ne s'envole pas comme ça.

— La banque doit être passible de poursuites, pas vrai ?

L'expression renfrognée de Chris suffit à l'assurer du contraire. Toots prit une grande inspiration.

— Alors nous devons déterminer qui s'en est emparé. N'y a-t-il pas une piste que nous pourrions remonter ? Et qu'en est-il de la propriété de *The Informer* ? Qui va superviser les opérations au jour le jour ? Il faut bien que quelqu'un tienne le gouvernail. Nous savons tous deux qu'un tabloïd ne peut pas se diriger tout seul.

Soudain, Toots se mit à hurler sur son beau-fils.

— Qu'est-ce que je suis censée faire, putain ? Je veux mon fric, et on ferait mieux de me le rendre ! La police ! Tu as appelé la police, le FBI ? Bon sang, appelle aussi la CIA tant que tu y es !

Se dégonflant tel un ballon piqué par une aiguille, les joues ruisselant de larmes, Toots se tordit les mains de désespoir et de frustration mêlés.

Chris aurait voulu que le sol s'ouvre et l'engloutisse. Il détestait voir une femme pleurer, il se sentait dérisoire. Surtout lorsque c'était lui, la cause du désarroi de sa belle-mère bien-aimée. Il passa les bras autour d'elle en un geste maladroit et tâcha de la consoler.

— Je vais faire de mon mieux pour réparer le mal. Sache juste qu'il n'y a pas de piste. Enfin, si, mais elle est purement électronique. Pas besoin d'être un génie pour s'introduire dans le système informatique d'une banque. C'est à la portée de n'importe quel hacker un peu calé. Voler 10 millions de dollars demande un peu plus de talent que n'en possède le pirate standard, je te l'accorde, c'est donc que quelqu'un de particulièrement doué s'y est attelé. J'ai l'ami d'un ami qui sait tout ce qu'il y a à savoir sur le sujet. Il pourrait craquer le réseau de la CIA si l'envie lui en prenait, mais il ne tient pas plus que ça à finir dans un pénitencier fédéral. La seule façon de le contacter, c'est par e-mail. Par mesure de précaution, je lui ai envoyé un petit message rapide depuis mon portable quand j'étais en route.

Perchée au bord du canapé, Toots put à peine articuler tant ses lèvres tremblaient.

— Qu'est-ce qu'il a dit ? Promets-lui tout ce qu'il voudra, Chris. Dans les limites du raisonnable, bien sûr, mais promets-lui ce qu'il voudra.

Chris sortit son portable et pianota un instant.

— Il ne m'a pas encore répondu.

— Et Abby ? Est-ce qu'elle sait quelque chose ? Tu crois qu'elle a des doutes ?

Voilà qui pouvait vraiment bousiller tous ses plans. Elle venait de perdre 10 millions de dollars et s'inquiétait encore à l'idée que sa fille découvre à quel point elle avait été stupide. Toots soupira en s'essuyant les yeux.

— Non, mais ce n'est qu'une question de temps avant qu'elle découvre le pot aux roses. C'est ta fille, Toots. Combien de temps lui faudra-t-il, à ton avis ?

Elle haussa les épaules.

— Pas question de baisser les bras, quitte à ce que je verse 10 millions de plus pour ce journal. Si elle le comprend, elle ne me pardonnera jamais de lui avoir menti, alors il faut qu'on l'en empêche. Aucune mère digne de ce nom, quelles que soient ses intentions, ne tient à ce que sa fille sache qu'elle n'est qu'une vieille imbécile retorse victime d'un coup fumant !

Chris secoua la tête.

— Je ne laisserai pas faire, Toots, mais pas question non plus que je te laisse claquer 10 millions de plus.

— Alors qu'est-ce que tu me suggères ?

Toots se leva et se mit à arpenter la pièce, devant l'âtre. Elle alluma une nouvelle cigarette. Dire qu'elle s'était toujours crue maligne, en avance d'un métro sur les autres ! Voilà qu'elle se retrouvait larguée – une fâcheuse posture qu'elle détestait de tout son cœur. Elle était folle de rage.

— Je sais que tu ne veux vraiment pas entendre ça, mais pour l'instant, attendons. Je ne veux rien entreprendre tant que mon ami n'aura pas appelé. Au moins, le journal est couvert pour la semaine qui vient. Tu sais que ces articles vont sous presse des jours, parfois des semaines à l'avance.

— Et si Abby le découvre… que se passera-t-il alors ?

— C'est une bonne question, Toots, mais j'ai peur de ne pas avoir la réponse.

Chapitre 18

Michael Constantine, dit « Micky », rouvrit le casier pour la énième fois et y jeta un coup d'œil. Vide. Il n'avait pas commis d'erreur. L'enveloppe contenant les faux papiers d'identité de Ragot n'était plus là, et il n'y avait pas non plus trace du cash qui aurait dû être déposé à la place. Il fourra de nouveau la main dans le carré métallique, tâtant les côtés, le fond, et passant même les doigts au-dessus. Rien. *Nada*. Que dalle !

Cinquante mille. Envolés. Il tuerait la petite fouine qui lui avait piqué l'oseille dès qu'il la choperait. Nul n'embrouillait impunément Micky Constantine. S'assurant que personne ne l'épiait, il ajusta la position du Glock glissé sous son ceinturon. S'il repérait le fils de pute, il lui ferait la peau au beau milieu de l'aéroport international de Los Angeles. Non, se ravisa-t-il, il ferait en sorte que ce salaud croie qu'il allait le descendre. Il n'était pas stupide à ce point. Sûr que son boss lui botterait le cul après un coup pareil. Mais Micky allait veiller à ce que son boss ne le découvre jamais. En dehors du « corrupteur », le mec qui forgeait les faux, lui seul connaissait la nouvelle identité de Ragot, et il savait que ni le corrupteur ni lui-même n'avait pris le pognon. Ce qui ne laissait que ce bon vieux Ragot.

Refermant la porte du casier d'un claquement sec, Micky retira la clé du verrou d'un mouvement brusque et la fourra dans sa poche arrière. Il jeta un coup d'œil à sa Rolex, une contrefaçon si réussie qu'il l'avait presque gagée pour 10 000 dollars. Il s'engouffra dans sa Corvette, qu'il avait laissée en stationnement temporaire. Une fois au volant, il fonça dans le parking, quittant l'aéroport en zigzaguant. Il avait besoin de réfléchir à ce qu'il allait faire et de tout planifier jusque dans les moindres détails. Rodwell Godfrey s'imaginait l'avoir entubé ? Il ricana et monta le son de l'autoradio, se calant sur le tout dernier tube de Marilyn Manson. Quand il atteignit l'autoroute, il appuya à fond sur le champignon, l'aiguille du compteur montant à cent soixante kilomètres-heure en moins d'une minute. Il jeta un coup d'œil à son rétroviseur, histoire de s'assurer qu'il n'avait pas les flics au cul, puis changea de voie à plusieurs reprises avant de ralentir. Ce qu'il adorait avoir un tigre dans le moteur ! À ses heures perdues, il bricolait les voitures, il adorait l'odeur du carburant et de l'huile. Son rêve était de parrainer un pilote de course. Il s'y voyait déjà, son nom s'affichant en lettres rouge écarlate : MICKY CONSTANTINE. Un jour, mais pas aujourd'hui. Pour l'instant, il devait se concentrer et coincer Ragot. Quand il le tiendrait, il lui ferait regretter d'avoir jamais posé les yeux sur lui.

Rodwell Archibald Godfrey, alias Richard Allen Goodwin, ne pouvait s'empêcher d'afficher un grand sourire niais. Il sourit aux passagers qui s'alignaient devant les douanes et transféra d'une épaule à l'autre le fourre-tout en cuir frappé de ses – anciennes et nouvelles – initiales. Employer ses vraies initiales était un peu risqué, mais il s'était persuadé que c'était nécessaire vu qu'il possédait tellement d'articles monogrammés dont il refusait de se séparer. Au fil des ans, il avait investi des milliers de dollars et ne voyait pas de raison de tout balancer maintenant. Il se trouvait à l'étranger, dans un pays où personne ne le connaissait, ni lui ni son passé.

Arnaquer l'acheteur de *The Informer* avait été facile. Presque trop. Il en savait suffisamment sur les ordinateurs pour ouvrir un compte ici, à George Town, aux îles Caïmans, sous sa nouvelle identité. De là, il avait eu recours à un hacker de haut vol qui lui devait une faveur après qu'il eut empêché que son nom soit mêlé à une sinistre histoire de divorce, et il lui avait fait pirater le compte de garantie de l'avocat avant que l'argent puisse être transféré sur celui de *The Informer*. Le pirate informatique avait déposé le pognon sur le compte Goodwin de la banque des Bermudes, aux îles Caïmans. Aussi facile que de subtiliser des bonbons à un gosse.

Ragot – ou plutôt Richard – était certain que le hacker n'avait pas laissé de traces. Et voilà qu'il se retrouvait aux îles Caïmans avec 10 millions de dollars, plus les 50 000 qu'il avait « oublié » de laisser dans le casier où il devait passer prendre les documents afférents à sa nouvelle identité. Il avait été impressionné par leur excellente qualité. Permis de conduire, acte de naissance, passeport, carte de crédit et carte de sécurité sociale, le tout à son nouveau nom. Il s'était donné quarante-huit ans, gommant quelques petites années. Pourquoi pas ? Il était un homme libre et pouvait désormais faire tout ce qui lui chantait. L'argent n'était plus un problème. Il se sentait si puissant qu'il crut qu'il allait tourner de l'œil.

Richard avait réservé une chambre à l'hôtel *Westin Casuarina*, sur Grand Cayman. Quoique moins luxueux que ce qu'il aurait aimé, ça ferait l'affaire jusqu'à ce qu'il ait d'autres ouvertures. Au moins, il avait retenu la suite présidentielle. Le lendemain, il irait se présenter au dirigeant de la banque des Bermudes. Quand ces types verraient son solde, ils lui réserveraient le traitement dû aux têtes couronnées, et certainement pas celui qui attendait le patron de tabloïd ringard et fauché qu'il avait été.

Oui, songea Richard Allen Goodwin en passant la douane, *la vie est belle*.

Et ça ne faisait que commencer.

Chapitre 19

Pour la première fois depuis des années, Toots n'avait pas envie de manger son bol matinal de Froot Loops. Être assise sur la terrasse qui dominait la pelouse aux plantes multicolores pour admirer le lever de soleil était tellement apaisant. Elle adorait écouter les oiseaux de tout ramage qui chantaient à pleine gorge, comme à la maison. Mais la magie du petit matin n'opérait plus. Elle se demanda si elle retrouverait jamais pareil enchantement. En cet instant, tout ce qu'elle aurait voulu, c'était un prétexte pour retourner se blottir sous les couvertures et oublier sa conversation avec Chris.

N'étant pas femme à baisser les bras, Toots bomba le torse et alluma sa cinquième cigarette ; il n'était encore que 6 heures du matin, soit 9 heures à Charleston. Donc, cinq clopes, c'était tout à fait en phase avec ses prévisions quotidiennes. Elle avait à peine fermé l'œil de la nuit, et elle savait que ça se voyait sur son visage. Elle s'était douchée puis avait revêtu une jupe jaune éclatant et un chemisier orange, avec l'espoir que ces couleurs ensoleillées égaieraient son humeur morose. Sauf que, jusqu'à présent, ça n'avait eu aucun effet, à part la déprimer. Sophie, Mavis et – normalement – Ida étaient censées se pointer à 7 heures au petit déjeuner. Toots aurait voulu rester enjouée et positive pour ses amies, qui traversaient toutes leurs propres crises. Par-dessus tout, elle voulait éviter qu'elles découvrent qu'on l'avait roulée dans la farine. Une vieille veuve abusée par un petit futé de geek qui se gondolait à ses dépens sur le chemin de la banque.

Certes, elle était vieille, mais elle n'avait rien d'un fossile, et elle avait déjà été veuve de nombreuses fois. Et alors ? Elle n'était peut-être pas un as de l'informatique, mais elle savait se débrouiller avec un portable aussi bien que n'importe qui de son âge. Ce qu'elle trouvait intolérable, c'était qu'un pauvre type comme Tod – ou quel que soit son nom, putain ! – se foute d'elle dans son dos. C'était incompréhensible, et inacceptable. Qu'on y voie de l'orgueil, ou bien la rogne d'une vieille femme en pétard, peu lui importait. L'un dans l'autre, elle comptait bien découvrir qui était derrière cette perte sèche de 10 millions de dollars. Quand elle tiendrait le responsable, elle se ferait fort de lui rendre la vie infernale. Elle s'en chargerait personnellement. Il y avait le facteur financier, bien sûr, mais, au fond, Toots savait qu'il ne s'agissait pas que d'une question de fric. Ce n'était pas même le fait qu'elle risque de perdre l'opportunité de diriger son propre tabloïd – encore qu'elle en soit déjà piquée au vif. Abby, voilà où le bât blessait. En tant que mère, Toots était prête à tout faire – en douce – pour assurer le bonheur de sa fille. Et envoyer celle-ci bosser ailleurs n'était pas une option valable. Donc, en sa qualité de mère, la pauvre godiche qui avait payé le triple de ce que valait le journal avait bien l'intention d'y remédier.

Un léger tapotement à la fenêtre du patio l'arracha à ses réflexions visant à ourdir la chute de l'ennemi non identifié.

Dans sa vieille robe de chambre en tissu écossais, Sophie était entrée, tasse de café dans une main, clope – pas encore allumée – dans l'autre. Elle fit coulisser la porte du patio.

— Tu n'avais pas verrouillé. Et si j'avais été un pervers pépère guettant juste l'instant propice pour te sauter ?

Toots cilla. Quand Chris était parti, elle avait été tellement bouleversée qu'elle avait apparemment oublié de s'enfermer.

— Comme si un pervers allait s'attaquer à une vieille dame, grommela-t-elle. Redescends un peu sur terre.

Sophie alluma sa cigarette et lui décocha un regard assassin avant même de boire une gorgée de café.

— Je te connais depuis trop longtemps pour ne pas m'en apercevoir, quand il y a un problème. Alors, tu veux bien me dire ce qu'il se passe, ou je vais devoir te tirer les vers du nez, comme d'habitude ? Je préférerais que tu craches le morceau, car Mavis risque de se pointer d'une minute à l'autre, et Ida est censée nous honorer de sa présence ce matin. Si nous voulons un semblant d'intimité, c'est maintenant. À toi de voir si tu veux te faciliter les choses ou pas.

Elle écrasa sa cigarette et en prit une autre.

— On ne t'a jamais dit que tu n'étais qu'une fouineuse et que tu fumais trop ? lui lança Toots avant de sortir à son tour une nouvelle clope.

Numéro six. Elle risquait fort de s'envoyer tout le paquet avant la fin de la journée. Elle était trop vieille pour se soucier de ce qui était bon pour elle ou pas. Elle fumait depuis le lycée, à l'époque où tout le monde avait la clope au bec. Avant que s'étalent tous ces avertissements affreux sur les paquets. Mais Toots s'en moquait bien et ne comptait pas s'arrêter de fumer dans un proche avenir. On pourrait toujours l'enterrer avec une cartouche sous le bras et une cigarette pendant à ses lèvres. Elle se représenta le tableau et éclata de rire. Elle tâcherait de se souvenir d'ajouter ce codicille à son testament. Un peu comme Leland avec sa bouteille de scotch à 50 000 dollars et son satané septuor à cordes.

— Tu m'en as informée plus d'une fois. Cesse d'essayer de changer de sujet. Ou tu me parles de ce qui te ronge ou tu refuses.

Sophie la dévisagea jusqu'à ce que Toots se trémousse sur son fauteuil rembourré.

Elle jeta un coup d'œil par-dessus son épaule.

— Si je te le dis, tu dois jurer sur la tête d'Abby que tu ne le répéteras à personne. Pas même à Mavis ou à Ida. Il faut que cela reste entre nous.

— Je peux garder un secret, Toots. Tu es la mieux placée pour le savoir. Depuis combien de temps étais-je mariée à Walter quand tu as découvert qu'il me battait ?

Toots hocha la tête.

— Oui, je sais, c'est juste que… c'est la honte. Je suis presque trop gênée pour avouer à quel point j'ai été stupide. À quel point je le suis.

Un sourire grand comme un terrain de foot illumina le fin visage de Sophie.

— Tu as eu une aventure d'un soir ?

— Oh, pour l'amour du Ciel, c'est bien la dernière chose que je voudrais ! Je ne veux pas finir avec une MST ! Il faut toujours que tu en reviennes au sexe. Pourquoi ça, Sophie ?

— Je croirais entendre Ida. En toute franchise, je n'ai pas eu de partenaire potable depuis la quarantaine. Calcule donc. Et ne t'avise surtout pas de répéter ça !

Toots ne put s'empêcher de glousser. Sacrée Sophie ! C'était vraiment sa meilleure amie au monde, après Mavis, et parfois Ida. Elle avait toujours su lui rendre le sourire, quelle que soit la situation.

— Tu vois ? Tu rigoles, ça ne peut donc pas être si grave. Bon, maintenant accouche avant que les filles arrivent.

— Je croyais que la transaction financière pour le journal avait abouti. J'ai signé les documents que Chris m'avait faxés, et envoyé la paperasserie à Henry, à ma banque de Charleston. Henry a ensuite transféré les fonds à la banque d'ici, et c'était censé être chose faite. (Toots soupira, sentant soudain le poids de ses soixante-cinq ans.) Hier soir, Chris m'a appris que l'argent de la vente de *The Informer* avait en fait été transféré sur un compte aux îles Caïmans. Quelqu'un m'a arnaquée de 10 millions de dollars et, du coup, je ne suis pas propriétaire du journal.

— Bordel de merde ! Qu'est-ce que tu vas faire, Toots ? Les Caïmans, ce n'est pas un de ces paradis fiscaux où les richards ont leurs comptes offshore ?

Sophie s'en grilla une autre.

— Je ne sais pas trop, mais sûrement. Le hic, c'est que quel que soit l'escroc qui a piraté le compte de Chris, il savait forcément que la somme devait y être versée hier. À peine le virement effectué, le fric s'était déjà envolé. J'en déduis que l'auteur de cette arnaque savait ce qui se tramait avec *The Informer.* L'argent s'est tout simplement volatilisé. Chris cherche à démasquer notre voleur, mais mon plus gros souci, c'est Abby. Et si elle découvrait le pot aux roses ? Qu'est-ce qu'elle penserait de sa vieille maman ?

— Toots, tu te fais trop de mouron. Même si Abby découvre tout, qu'est-ce que ça peut faire ? Sa mère est la patronne du journal pour lequel elle bosse, et alors ? Le monde va-t-il s'arrêter de tourner pour autant ? Je ne crois pas. Fin de l'histoire.

» À supposer qu'Abby l'apprenne, si elle ne veut pas travailler pour toi, elle se décrochera un job ailleurs. Là encore, fin de l'histoire. À ta place, je me soucierais davantage des tenants et aboutissants de cette sale arnaque. Abby t'aime, quoi qu'il advienne, Toots. Tu devrais le savoir. Tu n'as pas élevé une gamine stupide.

— Je sais, mais je l'ai élevée pour qu'elle soit autonome et indépendante, voilà bien le problème. Si elle pensait que j'ai acheté *The Informer* rien que pour lui éviter de pointer au chômage, elle ferait tout pour se prouver qu'elle peut réussir sans l'aide de sa maman, ou de qui que ce soit d'autre.

Sophie sourit.

— On dirait qu'elle est aussi tête de mule que sa mère.

— Exact.

— Alors qu'est-ce qu'on fait, à part attendre que Chris démasque le coupable ? (Sophie se frotta les paumes.) Ce pourrait être amusant, tu sais, un peu comme Angela Lansbury dans *Arabesque*. On dirait qu'on a une authentique énigme à résoudre. Je me rappelle que quelqu'un de ma connaissance, il n'y a pas longtemps, me disait dans un e-mail qu'il lui fallait de l'excitation dans sa vie… Si ça, ce n'est pas de l'excitation ! Pas mieux que de se rouler dans le foin avec un beau cow-boy, bien sûr. Mais, à ce stade tardif de ma vie, les chances que ça m'arrive avoisinent le zéro absolu.

Toots déglutit péniblement en se souvenant combien elle avait souhaité encourager ses vieilles copines à se bouger les fesses. Pour le coup, se faire arnaquer de 10 millions de dollars, c'était une vraie bonne raison de se bouger les fesses. Maintenant, tout ce qu'il lui restait à faire, c'était d'aplanir les difficultés et de résoudre le problème. Elle avait le soutien de Sophie. Toots adorait l'entendre dire « nous ». Elle pourrait peut-être se tirer de ce coup fourré sans qu'Abby découvre quelle vieille intrigante sa mère faisait. C'était peut-être le genre de diversion qu'il lui fallait, même si elle se demandait pourquoi elle avait tant besoin d'être distraite. D'une façon comme d'une autre, elle avait un problème, et pas des moindres.

— Si Abby n'y était pas mêlée, je serais ravie de relever le défi.

Elle prit leurs deux tasses et repassa dans la cuisine, Sophie sur les talons. Décidant que son amie était dans le vrai, elle sentit une idée germer dans sa cervelle.

— Que dirais-tu si je te demandais de m'aider à tendre un piège à ce… à notre arnaqueur ? Il faudrait que ça reste entre nous deux. Je ne veux pas qu'Ida ou Mavis y soient mêlées. Nous savons toi et moi qu'elles ne sont pas de notre trempe. Elles sont trop… hum… fragiles et délicates. Le peu de cran qu'elles avaient s'est volatilisé avec le temps.

Toots sourit, songeant qu'Ida était tout sauf délicate. C'était une germophobe souffrant d'accès aigus de jalousie, doublée d'une emmerdeuse finie. Et Mavis était tout simplement trop adorable pour qu'on l'accable de ce scandale.

Sophie remplit leurs tasses.

— Si je dis « oui », quand est-ce qu'on s'y met ?

— Bientôt, peut-être dès demain. Aujourd'hui, concentrons-nous sur nos objectifs : envoyer Ida chez le psy et Mavis au gymnase, comme prévu. Chris a dit que, s'il avait du nouveau, il m'appellerait sur mon portable. J'ai besoin de prendre le temps de réfléchir.

— Réfléchis autant que tu veux, mais le résultat des courses, c'est qu'on t'a délestée de 10 millions. Si tu ne tenais pas tant à empêcher Abby de le découvrir, je te proposerais de foncer au commissariat ou chez les fédéraux. Je parie que le FBI trouverait ton histoire intéressante. Ça, c'est un crime, précisa Sophie d'un ton vertueux.

— Si on en arrive là, j'imagine que je n'aurai pas le choix. Par chance, j'ai tellement d'argent que je ne sais plus quoi en faire, alors récupérer ces 10 millions n'est pas une question de vie ou de mort. Ça va le devenir en revanche pour la crapule qui a eu le culot de me rouler. Je t'ai déjà dit à quel point je détestais les voleurs ? Voleurs et menteurs font d'ailleurs la paire.

Toots tourna le dos à Sophie, qui s'était assise sur un des tabourets de bar face à l'îlot de la cuisine.

— Quand Ida et Mavis seront là, essayons de nous comporter normalement, comme si de rien n'était. Je dois leur préparer quelque chose à manger, et pas des Froot Loops.

Toots ouvrit et referma plusieurs buffets, d'où elle sortit trois boîtes de céréales ainsi qu'un paquet de sucre de deux kilos. Dans le réfrigérateur, elle prit du lait entier, du lait écrémé, des muffins, du beurre, de la confiture de fraises et un ananas, déposant le tout sur le plan de travail près de la cuisinière.

— J'espère que Mavis ne va pas se jeter sur le beurre et la confiture. Je me suis assurée qu'il y avait plein de Spécial K et de lait écrémé. Je veux qu'elle se déleste un peu de toute cette graisse avant son retour dans le Maine. Imagine un peu la surprise de ses voisins quand ils verront revenir la nouvelle Mavis !

Heureuse de ce changement de sujet, et se sentant plus optimiste qu'une heure plus tôt, Toots sortit trois bols roses, trois cuillères, et disposa le tout sur le plan de travail, à côté des céréales. S'emparant d'un couteau à pain, elle coupa les muffins en deux et les glissa dans le grille-pain en acier inoxydable.

— Et voilà, le petit déjeuner est prêt ! J'espère que personne n'espère avoir des œufs à la bénédictine ou du pain perdu. Je n'ai jamais été du genre à perdre mon temps en cuisine.

On frappa bruyamment à la porte, et Sophie se hâta d'aller ouvrir en criant :

— J'arrive !

Toots refit passer du café. Il lui en faudrait une sacrée dose pour traverser les épreuves que cette journée lui réservait.

Elle entendit Ida pleurer et Coco japper dans les bras de Mavis alors qu'elles pénétraient dans le bungalow. Elle soupira. Une – très longue – minute, elle se surprit à souhaiter être de retour à Charleston. Elle savait juste que cette journée s'annonçait interminable.

Chapitre 20

Abby réunit les papiers contenant la pépite d'information qu'elle avait trouvée la veille au soir sur le Net. Elle les fourra dans le soufflet de sa mallette au cuir bien usé, un cadeau de Chris pour célébrer la remise de son diplôme. À l'époque, elle avait jugé ce présent sans intérêt, mais maintenant qu'elle était une journaliste de tabloïd accomplie, elle ne sortait jamais sans elle. Dans la cuisine, elle puisa dans une boîte étiquetée « les délices de Chester » une poignée de friandises pour chien qu'elle glissa dans un sac Ziploc. Ne sachant jamais quand elle aurait besoin de calmer Chester, elle prenait toujours cette précaution. En cas d'urgence, il lui était déjà arrivé de sortir prestement du coffre, où elle les conservait à l'abri, l'un de ses teckels en peluche. Chester adorait ces machins aux couleurs vives qui couinent quand on appuie dessus. Son record, pour démanteler et démembrer l'une de ces adorables créatures, était de 38,2 secondes.

Elle ôta de son crochet la laisse de Chester, vérifia une dernière fois son reflet dans le miroir, puis siffla son chien. Elle l'emmenait au travail depuis qu'il était tout petit. L'un des rares avantages à bosser pour Ragot. Lui aussi était un fervent amoureux des bêtes. De l'avis d'Abby, c'était tout ce qui rachetait le personnage. Ragot lui avait demandé de prendre son chien avec elle pour aborder plus facilement des stars qui militaient pour la protection des animaux. Avec Ragot, il y avait toujours une arrière-pensée. Jusque-là, le plus gros défi de Chester avait été l'agaçant caniche de la starlette hollywoodienne du mois, Lori Locks. Abby l'avait interviewée après qu'elle eut remporté un prix pour son rôle de blonde snobinarde dans la comédie dramatique *Les hommes préfèrent les truffes*. Un rôle sur mesure pour cette fille de vingt-trois ans gonflée au collagène et au silicone. Abby était certaine qu'on l'avait écrit exclusivement pour elle. Personnellement, elle jugeait son jeu catastrophique. En plaisantant, Abby répétait à qui voulait l'entendre que Lori ne savait jouer qu'un seul rôle : le sien.

Chester lui poussa la main de sa truffe, la faisant sursauter.

— OK, mon garçon, ne nous précipitons pas. Ragot ne se trouve nulle part ce matin. Autant prendre notre temps.

Elle lui caressa la tête, puis ouvrit la porte d'entrée. Le grand berger allemand fila en flèche, s'arrêtant devant la portière du côté passager. Une fois qu'il fut en place, elle boucla la ceinture de sécurité pour bien l'attacher sur son siège, claqua la portière et verrouilla avant de se glisser au volant.

Le moteur démarra au quart de tour, ce qui soulagea Abby. La semaine passée, en apprenant d'une source – parfois – fiable que George Mellow, un vieux beau de Hollywood, était ivre mort au théâtre chinois de Grauman, elle avait eu l'intention de bafouer toutes les limitations de vitesse pour décrocher la une. Mais elle en avait été pour ses frais. Lorsqu'elle avait voulu démarrer, sa Mini Cooper était restée aussi inerte qu'un clou. Évidemment, le lendemain, elle avait vu le visage de M. Pas-Si-Suave-Que-Ça étalé en première page de *The Enquirer*. Abby soupçonnait sa rivale, Jane Kane, d'avoir organisé ce petit sabotage en vidant la batterie de sa voiture. Restait-il seulement quelqu'un à Hollywood pour utiliser encore son vrai nom ? Celui de Jane Kane était Gertrude Marquett. Si Abby avait été affublée d'un patronyme aussi naze, elle aussi aurait recouru à un pseudo.

À propos de noms, Abby n'avait rien déniché sur le nouveau propriétaire de *The Informer.* Elle était restée devant son ordi jusqu'au petit matin à ratisser le Net à la recherche de documents relatifs à la transaction. Elle trouvait plus que bizarre que les deux autres tabloïds majeurs se partageant le marché ne fassent aucune mention de cette vente. Tout aussi étrange : Ragot ne l'avait pas encore bombardée d'une dizaine d'e-mails ou appelée dix fois. Dans une journée normale, il l'aurait poussée à courir dans tout Los Angeles en quête du tout dernier scoop. Il s'était peut-être encore fait porter pâle ? Il était coutumier du fait, surtout les lundis suivant un week-end de picole et de jeu. Un de ses bookmakers avait pu exiger qu'il règle l'une ou l'autre de ses reconnaissances de dettes, et ce vieux Ragot s'était planqué. Auquel cas, ça convenait très bien à Abby. Elle détestait cette ordure. *The Informer* fonctionnait très bien sans lui. En vérité, son utilité principale était d'apposer sa signature sur les chèques de paie de ses employés. Et cela aussi serait bientôt de l'histoire ancienne. Abby priait juste pour que le nouveau patron – ou les nouveaux patrons – ait un peu de scrupules et davantage d'éthique. Avec un vrai professionnel à la barre, *The Informer* aurait peut-être une chance de devenir autre chose qu'un objet de risée dans le monde du journalisme populaire.

Abby arriva au bureau. L'immeuble se situait sur Santa Monica Boulevard, à Hollywood. Se négociant un chemin au milieu des hordes habituelles de touristes, de singes jouant de la cymbale, de doux rêveurs et des autres bizarreries que les Californiens considéraient comme normales, Abby guida prudemment sa Mini Cooper à l'arrière de l'immeuble de bureaux. Se garant à sa place habituelle, elle s'empara de sa mallette avant de laisser descendre Chester. Il fonça droit sur la porte de derrière et attendit que sa maîtresse le rejoigne. Ce bon vieux Chester : il n'y avait pas de bête plus loyale et plus protectrice que lui au monde. Du moins, il n'y en avait pas eu dans la vie d'Abby. Il lui arrivait parfois de travailler vingt-quatre heures d'affilée, Chester restant fidèlement à ses côtés. Elle se sentait alors coupable de le garder claquemuré, mais ne manquait jamais de le récompenser en l'emmenant ensuite faire un tour à la plage, où il pouvait folâtrer tout son soûl jusqu'à en tomber tout pantelant d'épuisement. Tous deux avaient bien besoin d'un break. Elle demanderait peut-être à sa mère et à ses marraines de passer un jour avec elle, si le cœur leur en disait. Ça donnerait à Chester et à Coco une chance de jouer ensemble et de faire connaissance.

Dans l'immeuble, elle se glissa à pas de loup dans le couloir exigu qui conduisait à son bureau, situé en face de celui de Ragot. Avant de se lancer dans son nouveau reportage, elle s'arrêta à la porte du boss. Fermée, comme d'habitude. Elle colla l'oreille dessus pour voir si elle pouvait capter des bribes feutrées de conversation, comme quand il engueulait quelqu'un au téléphone, mais, là, elle n'entendit rien. Elle frappa, guettant sa voix grossière. Elle insista, frappant plus fort à deux reprises. Toujours rien. S'y risquant, elle tourna la poignée. Ce n'était pas verrouillé. Voilà qui était inhabituel. Ragot fermait systématiquement son bureau à double tour lorsqu'il quittait les locaux. Abby entra et jeta un coup d'œil circulaire ; il n'y avait pas trace de son boss, aucun signe non plus qu'il soit passé plus tôt. Pas d'odeur de café brûlé, et les six écrans télé étaient tous éteints. L'ordinateur aussi était réduit au silence. Écran noir. Voilà qui n'augurait rien de bon. Ragot n'éteignait jamais son PC. Et, au bureau, tout le monde savait qu'il était connecté sur la chaîne E ! où d'infâmes ragots tournaient en boucle vingt-quatre heures sur vingt-quatre, sept jours sur sept. Quelque chose clochait sérieusement.

Abby fit volte-face en entendant Chester gronder sur le seuil. Même son chien détestait Ragot.

— Chut, tout va bien, mon garçon. Viens, sortons. Cet endroit me fait froid dans le dos.

Elle referma derrière elle, se demandant si elle était la seule journaliste présente sur les lieux. Traversant le couloir, elle gagna son bureau, alluma son ordinateur puis son poste TV, sur Fox News, lâcha sa mallette sur la table et ouvrit les stores pour laisser filtrer un peu de lumière dans le vieil immeuble froid et humide. Si son espace de travail, défraîchi et miteux, était plutôt minuscule, Abby s'était donné quand même beaucoup de mal pour rendre son environnement professionnel agréable à ses yeux. Elle avait repeint les murs gris métal en un beige doux, remplacé les vieux stores métalliques démodés par des stores en bambou, et agrémenté le tout de diverses plantes vertes. Dans un accès de ce qu'elle n'aurait su définir, elle avait apporté, à ses frais, le bureau en bois de cerisier ayant appartenu à son père, l'installant au centre de la pièce. Des tapis verts cossus qu'elle avait achetés de ses deniers masquaient un parquet rayé. Des photos des rares couvertures qu'elle avait faites ornaient le mur – en face de sa fenêtre – dans des cadres en bois assortis. Alors que la lumière filtrant de la seule fenêtre du bureau s'y réfléchissait, les acteurs et les actrices balafrés de soleil avaient l'air pâles et déformés.

Abby était habituellement la première à arriver le matin. Même si son job exigeait qu'elle travaille tard la nuit pour faire la tournée des clubs, elle parvenait encore à se pointer au bureau pas plus tard que 9 heures.

Elle remplit le bol d'eau de Chester et suspendit sa laisse au dossier d'une chaise avant de s'affaler sur son siège de bureau bien usé.

—OK, Chester, tu peux te détendre, maintenant.

Elle s'acquitta religieusement de sa routine habituelle. Chester quitta son poste de sentinelle, à la porte, et se lova en boule sur la vieille chaise longue qu'elle avait aussi apportée quand il n'était encore qu'un chiot. Les chiens aimaient le train-train, et Chester ne faisait pas exception à la règle.

Se souvenant des documents qu'elle avait fourrés dans sa mallette, elle les reprit en main et les repassa en revue. À part découvrir que *The Informer* s'était vendu pour une somme scandaleuse, elle avait retiré peu de choses de ses recherches sur Internet. Elle trouvait toujours bizarre, cependant, que les autres journaux aient passé ce rachat sous silence. Cela étant, ce n'était peut-être pas si étrange, vu que tout le monde haïssait Ragot.

Où diable est passé mon boss ? Une fois son journal revendu, il s'est peut-être envolé… À Vegas, très probablement.

Auquel cas, Abby se doutait que ce n'était qu'une question de temps avant qu'il claque tout le pognon de la vente. Sans en tirer le moindre bénéfice, bien entendu. Ragot ne faisait pas mystère des dettes sous lesquelles le journal croulait. Il le rappelait continuellement à ses troupes. Elle avait toujours pensé qu'il mentait afin de les obliger à ne pas relâcher leurs efforts pour garder leurs jobs. Maintenant, elle n'en était plus si sûre. Mettant temporairement de côté les déboires financiers de son patron, elle consulta sa messagerie, répondit aux e-mails qui appelaient une réponse, puis entama ses investigations sur les lieux de prédilection de la nouvelle coqueluche de Hollywood. Par le passé, elle avait glané des pistes géniales sur les sites Web, mais comme toujours, quand elle croyait tenir un scoop, l'un ou l'autre des journaux en concurrence semblait la battre de vitesse.

Après une heure passée à chercher en vain d'autres tuyaux sur les dix stars de Hollywood les plus en vue, elle s'adossa de nouveau à son siège et se laissa aller à ses réminiscences sur le dîner de la veille, avec sa mère et deux de ses trois marraines. Naturellement, elle n'arrivait pas à oublier Chris. Elle avait beau prétendre le contraire, il l'avait salement contrariée en lui appelant un taxi pour la reconduire chez elle. À moins que ça n'ait été son idée à elle ? Se confondant en excuses, il avait affirmé avoir oublié un engagement antérieur et ne pouvait donc pas la ramener lui-même. Quel menteur ! Plus vraisemblablement, il avait reçu un texto d'une bimbo quelconque sur ce portable high-tech auquel il n'avait cessé de jeter des coups d'œil quand il croyait que personne ne le voyait faire. *Et merde!* Pourquoi le prenait-elle donc tant à cœur? Que Chris soit un coureur, ça crevait les yeux. On ne l'avait pas élu au nombre des dix célibataires les plus convoités de L.A. sans raison. Abby s'était toujours interdit de demander à Chris de lui refiler un scoop glané lors de son travail, mais la journée s'annonçant bien chiche en nouvelles croustillantes, elle se dit qu'elle pouvait bien déroger à ses propres règles. Après tout, il s'agissait d'une situation désespérée. En quelque sorte. Avant d'avoir le temps de changer d'avis, elle composa le numéro de portable privé de Chris.

Une sonnerie, deux, puis trois. Sa boîte vocale se déclencha.

« Bonjour, vous avez appelé Chris. Vous savez quoi faire. »

— Oui, je sais quoi faire, et ce doit être le message de boîte vocale le plus foireux de tout Hollywood! Je peux t'enfoncer ce téléphone au fond de la gorge en espérant que tu t'étouffes avec, voilà ce que je peux faire!

Abby raccrocha. Le ton qu'elle avait pris fit dresser les oreilles à Chester.

— Peu importe, lui dit-elle. Ce n'était pas une de mes meilleures idées. Je trouverai un sujet d'article, nom d'un chien.

— Ouaf!

Ayant exprimé son avis, Chester retourna à son roupillon.

— Tout à fait. Christopher Clay est un idiot. Je n'ai pas besoin de lui, bien que je me couperais volontiers le pied gauche rien que pour l'avoir à moi.

Chester rouvrit un œil et décida que ça n'appelait aucun commentaire.

Ouais, c'est ça ! songea Abby. Ce dont elle avait vraiment besoin… non, ce pour quoi elle le désirait réellement n'avait pas le moindre rapport avec la rédaction d'un article pour *The Informer*.

Oh non ! Ses besoins, en ce qui concernait M. Chris Clay, n'avaient rien à voir avec le travail.

Si seulement c'était mutuel…

Abby savait qu'aux yeux de Chris, elle ne serait jamais plus que son agaçante demi-sœur par alliance.

Chapitre 21

Chris savait que les 10 millions de dollars manquant étaient sur un compte de la banque des Bermudes aux îles Caïmans, mais, à part ça, il était dans un cul-de-sac. Ni lui ni son détective privé n'avait imaginé une seconde qu'un cyclone tropical viendrait entraver leurs investigations.

Selon les toutes dernières nouvelles diffusées par la chaîne météo, l'ouragan Deborah était passé à la catégorie supérieure, celle de « cyclone ». Quelles étaient les chances qu'une telle calamité se produise ? On faisait état de vents soufflant à près de cent trente kilomètres-heure, avec des vagues de trois mètres de hauteur battant les côtes des petites îles étroites du cordon littoral. Les spécialistes prévoyaient un minimum de vingt-cinq centimètres de précipitations. À l'aéroport international Owen Roberts, tous les vols étaient annulés. Certaines zones de Grand Cayman annonçaient déjà des pannes de secteur.

Toute velléité de prendre l'avion pour aller poursuivre l'enquête sur place était – pour ainsi dire – tombée à l'eau. En tout cas pour le moment. Chris contacta l'ami d'un ami qui connaissait un hacker, pour voir s'il avait appris quoi que ce soit de nouveau *via* Internet. Rien. Ils étaient revenus à la case départ. Chris regrettait de s'être impliqué dans la transaction, mais, dès qu'il était question de Toots, dire « non » lui était toujours difficile. Elle était la seule et unique mère qu'il ait jamais connue.

Toots l'avait toujours traité avec justesse et douceur. Et, plus important que tout, elle lui avait toujours voué un amour inconditionnel. Raison suffisante pour lui venir en aide quand elle le sollicitait. Chris avait hâte de mettre la main au collet du salaud qui l'avait roulée. Arnaquer des vieilles dames, c'était vraiment minable. Et peu importait que cette vieille dame-là soit multimillionnaire. Comme à son habitude, Typhon Toots s'efforçait de sauver la mise. Mais, cette fois, sa tentative s'était retournée contre elle.

Chris finit son café, posant la délicate tasse de porcelaine dans le lave-vaisselle, près des trois autres qui appartenaient au même service de seize pièces. Il y avait dans l'égouttoir inférieur deux bols dont les bords portaient des traces de glace à la menthe avec des copeaux de chocolat. Deux cuillères et un couteau à beurre solitaire représentaient la vaisselle sale de la semaine. Il s'interrogea : devait-il lancer le programme du lave-vaisselle ou attendre une semaine de plus ? Pfff ! Il pouvait bien attendre un mois entier avant de programmer ce satané bidule. Ce n'est pas comme s'il donnait des soirées à la maison ou s'il recevait ses amis. Voilà qui attestait tristement de sa condition de célibataire parmi les dix plus éligibles de L.A. Ces dernières semaines, le célibat avait perdu beaucoup de son charme, plus qu'il ne tenait à se l'avouer. Il n'avait nulle envie d'endurer une soirée de plus avec une de ces jeunes aspirantes à la célébrité. Chris, lui, aspirait à une relation sérieuse avec une femme digne de ce nom, et non une de ces pouffiasses bronzées, siliconées et décolorées, qu'il escortait habituellement aux soirées branchées. Quand il y repensait, il savait exactement où ses réflexions l'entraînaient. Droit vers cette chère petite Abby. Il savait qu'il l'avait mise en rogne la veille au dîner, mais il n'y pouvait rien. Toots lui avait envoyé un texto pour lui demander discrètement de venir la rejoindre dans son bungalow pour discuter de la vente du journal. Il avait vu Abby l'observer du coin de l'œil et surpris le petit regard finaud qu'elle lui avait décoché en douce quand elle avait cru qu'il ne la voyait pas. C'était comme ça. Il fallait bien faire avec, songea-t-il en remplissant le réservoir du lave-vaisselle et en tournant la molette sur le cycle lavage. Là ! Il eut l'impression d'avoir accompli une prouesse majeure.

N'ayant rien de plus à faire dans l'immédiat, Chris se proposait d'aller prendre une longue douche bien chaude lorsqu'il entendit son portable vibrer. Il ne voulait pas décrocher, mais, vu la situation dans laquelle Toots se débattait, il n'allait pas laisser sa boîte vocale prendre la communication.

— Chris Clay, dit-il en adoptant son ton le plus professionnel au cas improbable où ce serait la banque qui tentait de le joindre.

— Je crois bien que tu n'as jamais dit « bonjour » de toute ta vie.

Abby…

— Nous savons tous deux que ce n'est pas vrai.

Le cœur battant furieusement la chamade, Chris s'adossa au plan de travail de la cuisine, un grand sourire aux lèvres. Nom d'un chien, la tête lui tournait.

— Eh bien, moi en tout cas, je ne t'ai jamais entendu répondre « bonjour ». Là, qu'est-ce que je disais !

— À tes heures perdues, tu pourrais peut-être faire un saut pour m'entretenir sur l'étiquette en matière de conversation téléphonique. Ensuite, je pourrais t'apprendre quelques autres usages pour ta bouche.

Est-ce que j'ai vraiment dit ce que je viens de dire ? Oui, crétin d'abruti, c'est ce que tu viens de dire !

— Qu'est-ce que tu as dit ? demanda Abby, surprise.

— Rien. Parfois, je me parle à voix haute. Bon alors, tu as vu ta mère aujourd'hui ? Rencontrer tes marraines hier soir m'a vraiment plu. Je comprends mieux pourquoi tu les aimes tant.

Eh bien, on s'en souviendra comme du dialogue le plus émoustillant de la journée.

— Attends un peu de rencontrer Ida, tu pourrais bien changer d'avis. Je l'adore, même si elle est… différente des autres.

— Tu sais ce qu'on dit : la diversité est le sel de la vie, déclara Chris.

Merde, merde et merde !

— Pas pour tout le monde, riposta Abby.

— Qu'est-ce que tu insinues, là ?

Il aimait se livrer à ces joutes oratoires avec Abby, les rares fois où ils se parlaient au téléphone. Il appréciait son esprit vif et sa finauderie.

— Arrête ! Tu sais très bien ce que j'insinue : tu me fais toujours le même coup quand je t'appelle. Et là, tu as le culot de me demander pourquoi je ne viens pas te voir ! répliqua-t-elle sèchement.

— Tu es mauvaise perdante, Abigail Simpson.

— Et tu parles en connaisseur ! Je ne t'ai jamais permis de m'appeler Abigail non plus. Mon père est le seul homme à avoir jamais eu ce privilège. Sache-le ! ajouta-t-elle, tout aussi sèche.

—Oui, tu me l'as dit et redit, Abby. J'essayais de donner un tour plus léger à notre conversation.

—Écoute, arrête tes salades, OK ? *(Mais pourquoi est-ce qu'elle est aussi… hargneuse ?)* Je t'appelais pour un problème… professionnel.

—Voyez-vous ça ! Est-ce bien Abby Simpson que j'entends me demander une faveur ? Il me semble pourtant me rappeler que tu avais juré de ne jamais au grand jamais recourir à mes services à titre professionnel. Tu disais mépriser ces sangsues d'avocats avec leur interprétation complètement tordue du Premier Amendement. Loin de moi l'idée de te priver de tes illusions, ma belle, mais j'appartiens à cette société méprisable de sangsues, et j'en suis toujours un membre reconnu. Alors, que puis-je faire pour toi ?

Chris ne s'était plus autant amusé depuis… la veille, lorsqu'il s'était retrouvé assis à côté d'elle à table, du moins si l'on pouvait trouver amusant le fait d'être sur des charbons ardents. Rien que de penser à Abby, ça le faisait toujours sourire.

—Oubliez ça, M. Clay. Je préférerais…

—Dis-moi tout, Ab.

Il était prêt à tout pour elle, elle n'avait qu'à demander. Ne le savait-elle donc pas ?

Il l'entendit inspirer vivement, puis exhaler. Il sut qu'elle regrettait déjà d'avoir appelé.

—J'ai-besoin-d'un-sujet-d'article-et-j'en-ai-besoin-tout-de-suite.

Elle avait tout déballé si vite qu'il lui fallut un moment pour décoder.

« J'ai besoin d'un sujet d'article et j'en ai besoin tout de suite. » *Hum…*

Il aurait voulu lui demander ce que ça valait pour elle, mais il mesura combien il avait dû en coûter à la jeune femme – tant dans sa fierté professionnelle que privée – pour formuler cette requête.

— Je suis ton homme, Abby. Tout ce que tu voudras.

Chris se rendit compte qu'il n'avait jamais proféré vérité plus sincère de toute sa vie. Ce cher vieux – enfin, pas si vieux, tout de même – Christopher Lee Clay était complètement, totalement et follement amoureux d'Abigail Simpson.

— Tout ce que je voudrai, hein ?

Chris capta la pointe d'humour dans sa voix.

— Tout ce que tu voudras, Abby. Pour toi, j'irais jusqu'au bout du monde, tu le sais bien.

Si, avec ça, elle n'avait pas encore compris qu'il était plus qu'un peu amoureux d'elle… Pauvre couillon, il savait qu'il lui faudrait prononcer les paroles fatidiques à voix haute avant de pouvoir espérer une quelconque réaction de la part d'Abby. Et, même alors, elle le piétinerait sans doute jusqu'à ce que mort s'ensuive.

— Merci, mais inutile d'aller si loin. Accompagne-moi juste au *Buzz Club* ce soir. Comme je disais, j'ai besoin d'un sujet d'article.

Chris avait rendez-vous avec une cliente potentielle, une blonde évaporée de plus. Il lui tardait déjà d'appeler cette pouffiasse pour annuler.

— À quelle heure tu aimerais que je passe te prendre ?

En un clin d'œil, ils étaient revenus au plan professionnel.

— Je te retrouverai sur place. Juste au cas où… quelque chose se présente. Pour 22 heures, ce n'est pas trop tard ?

— OK, 22 heures, c'est parfait, Abby. Tout simplement parfait.

Aussi parfait que toi, aurait-il voulu ajouter, mais il se dit qu'il avait déjà passé les bornes.

— À tout à l'heure.

Je ne raterai ça pour rien au monde ! songea Chris.

Sur ce, il passa à la douche en sautillant presque de joie. Une fois sous le jet, l'eau chaude coulant à flot sur son dos musclé, il se mit à chanter à tue-tête. Cette journée s'annonçait très, très bien.

Chapitre 22

— Je te promets que tu ne vas pas en mourir, Ida. Tu crois vraiment que, sinon, je m'exposerais à pareil environnement ? N'oublie pas que j'ai une fille, qui me donnera peut-être des petits-enfants un jour, avec de la chance. Vous autres serez des « grand-tantes » par procuration si Abby a un bébé. C'est la dernière fois que je te demande d'ouvrir cette porte et de sortir. Si tu refuses… si tu refuses, je ne réponds pas de mes actes. Tu m'entends, Ida ?

Campée devant la porte, Toots parlait d'une voix douce et apaisante – qui était à deux doigts de se muer en rugissement.

— Pour l'amour du ciel, trop c'est trop ! Laisse-moi entrer, ou bien je te traîne jusqu'à la voiture !

Sophie poussa Toots avant d'ouvrir la porte en grand et de voir Ida se recroqueviller à l'intérieur quand elle entra. Surprendre sa vieille amie dans cet état lui fit monter les larmes aux yeux. Ida s'était affublée d'une panoplie informe qui la couvrait de pied en cap, sans oublier les gants en latex et le masque de chirurgien. Même d'où elle était, Sophie la voyait trembler.

— Ida, je sais que c'est dur pour toi. Il faut que tu nous fasses confiance. Il n'y a pas de microbes tueurs qui t'attendent dehors. Alors, monte dans la voiture ! Sinon, je vais aller chercher un ouvrier du bâtiment qui sue comme un bœuf pour qu'il vienne t'attraper comme un sac à patates et qu'il te balance sur le siège arrière. C'est ce que tu veux ? ajouta Sophie, toute trace de ses facéties coutumières envolée.

Ida battit très vite des cils, secouant la tête.

— Une bactérie a tué Thomas, murmura-t-elle.

— Pour l'amour du ciel, le monde entier sait qu'il est mort victime de la bactérie E-coli ! Les risques pour que tu contractes n'importe quelle sorte de germe potentiellement fatal sont si minces que ce n'est même pas la peine d'y penser. Veux-tu vraiment que Toots se dise que tu n'es qu'une lavette ? Elle a claqué tout ce fric pour nous faire venir ici, et voilà comment tu la remercies. Tu as dit que tu étais partante. À toi de jouer, maintenant. Nous avons toutes accepté d'être du voyage en pensant que tu ferais un effort. Alors, les conneries, ça suffit ! Bouge-toi le cul et dépêche-toi ! Tout de suite, Ida ! hurla Sophie d'un ton strident.

— Sophie, arrête ! intervint Toots de l'autre côté de la porte.

— Va te faire voir, Toots ! Écoute, Ida, c'est maintenant ou jamais. Veux-tu vraiment passer le restant de tes jours à te désinfecter, toi et tout ce avec quoi tu risquerais d'entrer en contact ? Ça m'étonnerait, alors ce que je vais faire, c'est pour ton bien.

Sans un mot de plus, Sophie saisit Ida par ses mains gantées de latex et la traîna en direction de la sortie. Une fois dehors, elle claqua la porte, sachant qu'Ida allait se débattre et tenter de se réfugier de nouveau à l'intérieur. La tirant et la poussant comme si c'était une enfant récalcitrante, elle lui passa un bras autour des épaules et fit signe à Toots de l'imiter. Entraînant leur amie avec elles, toutes deux coururent aussi vite qu'elles purent vers le bungalow de Mavis, où celle-ci les guettait, Coco en laisse.

Mavis souleva sa chienne.

— Qu'est-ce qui ne va pas avec elle ? Elle a eu une crise ? Est-ce qu'elle va bien ? lança-t-elle en se hâtant à leur suite, tâchant de ne pas se laisser distancer.

— Elle a l'air d'aller bien, selon toi ? s'énerva Sophie. Bien sûr que non ! Elle est en plein dans *La Quatrième Dimension !*

— Kaï, kaï !

— Sophie ! Tu es vraiment obligée d'être aussi directe ? protesta Toots alors qu'elles poussaient Ida vers la sortie du complexe hôtelier, où une limousine les attendait.

— Écoute un peu cette satanée chienne ! Même elle, elle sait qu'il lui manque une case, à Ida ! Et, oui, j'imagine que je pourrais m'exprimer mieux que ça, mais ce n'est pas mon style. Vous n'avez qu'à faire avec, ou je me barre. Je suis très sérieuse. Nous avons accepté de venir ici parce que tu insistais pour qu'on vienne en aide à Abby, et voilà que cette grognasse est en train de tout foutre en l'air ! Je suis trop vieille pour ces conneries, et vous aussi, alors il serait temps d'enclencher la vitesse supérieure et de passer à l'action !

— Tu devrais peut-être envisager d'adopter un nouveau style, dit Toots.

Mais le ton qu'elle avait pris apportait un démenti à sa suggestion. Au fond, elle approuvait l'attitude rentre-dedans de Sophie.

— J'y penserai quand les poules auront des dents, OK ? Bon, faisons monter Miss Grand-Ménage dans la voiture. Tu te préoccuperas de mon style plus tard.

Mavis et Coco sur les talons, Sophie et Toots continuaient d'entraîner Ida en direction de la sortie.

Toots chercha ses mots.

— En ce moment précis, Ida, je sais que tu ne nous aimes pas beaucoup, mais je sais que, tôt ou tard, tu nous remercieras, Sophie et moi, quand tu nous reviendras en forme. Tâche de te rappeler ce qu'était ta vie avant que tu pètes un câble ! Pour l'instant, et je ne parle que pour moi, je me fous éperdument que tu ne veuilles plus jamais m'adresser la parole. Je vais te ramener à l'époque où tu fonctionnais normalement même si je dois y laisser ma peau ! Tu m'écoutes, Ida ? Hoche la tête si tu veux redevenir comme avant.

— Oui, j'aimerais… beaucoup, avoua Ida dans un sursaut. C'est juste que… c'est tellement dur.

— Il y a « dur » et puis il y a « dur », intervint Mavis, haletant. As-tu seulement idée à quel point c'est dur pour moi de résister à l'envie d'appeler le service de chambre pour me commander une énorme coupe de glace nappée de chocolat ? Seulement, je veux vivre, alors je me pose la question : qu'est-ce qui est le plus important, ma vie ou une glace nappée de chocolat ? Voilà pourquoi je suis allée à la gym ce matin, où j'ai rencontré cette merveilleuse jeune dame qui m'a promis de m'aider à perdre du poids. J'ai tenu sept minutes entières sur le tapis de jogging. Sept minutes ! J'ai fixé mon objectif pour demain à neuf minutes, ajouta-t-elle fièrement. Il te suffit d'enlever toutes ces cochonneries, Ida, et de faire ce qu'on te dit, putain !

Entendre Mavis jurer comme ça fit sursauter Toots et Sophie. Jamais, mais alors jamais, leur amie ne proférait un seul gros mot. La prof en elle le lui interdisait.

— Contrairement à vous, plus rien ne me rattache à la vie, déclara Ida sans la moindre émotion. Quand Thomas est mort, moi aussi.

Sophie intervint aussitôt :

— Si ça, ce n'est pas la plus grosse connerie de tous les temps ! Combien de fois as-tu été mariée ? Je t'ai entendue raconter cette histoire à la noix tant de fois que j'ai perdu le compte. Il ne t'est jamais venu à l'esprit que tu pourrais être mieux lotie toute seule ? Non, pas la peine de répondre à ça, Ida.

Sophie continua sur sa lancée, d'un ton plus venimeux que nécessaire.

— Ça fait cinquante ans que je te connais, et pas une fois en toutes ces années tu n'es restée sans un homme à tes côtés. Je pense qu'il est temps que tu te prennes en main et que tu arrêtes de te reposer sur les autres, surtout les hommes ! Tu sais quoi, Ida ? Tu pourrais juste découvrir que tu n'es pas le centre du monde, tout compte fait ! Tiens-toi debout sur tes deux jambes pour changer. Je n'arrive pas à le croire quand je vois la pathétique vieille femme que tu t'es laissée aller à devenir !

À bout de souffle, Sophie serra les mâchoires, plus en rogne qu'elle ne l'avait jamais été. Elle décida qu'elle n'en avait pas fini.

— Quand est-ce que tu vas cesser d'imaginer que le monde entier t'appartient ? En ce qui me concerne, et je pense que je parle pour Toots et Mavis aussi, tu as raté ta vie de femme, de marraine et d'amie. Je refuse de continuer à entrer dans ton petit jeu qui consiste à t'apitoyer sur ton sort.

Toots prit une grande inspiration.

— Je pense que, maintenant, nous connaissons toutes ton sentiment.

— Et qui n'est jamais que la version non censurée de ce que j'ai sous les yeux ! Je dis les choses comme elles sont. À quoi bon l'envelopper d'un tas de raffinements mondains si on ment ? Le mensonge, très peu pour moi, Toots. C'est fini, ce temps-là.

La limousine, une Lincoln blanche, patientait à l'ombre du portique tandis qu'elles continuaient à pousser Ida dans sa direction.

— Je ne veux plus y aller. J'ai changé d'avis.

— Tant pis pour toi ! répliqua Sophie. Tu y vas, que ça te plaise ou pas. Pas vrai, Toots ?

Sophie lui décocha un regard mauvais, la défiant de la contredire.

— Ida, Sophie a raison. Et tu sais quoi ? Elle parlait effectivement en mon nom également et, regarde, Mavis hoche la tête, en son nom aussi. Résigne-toi au fait que tu vas voir le médecin aujourd'hui. Alors, un mot de plus, et je t'en colle une !

En remuant les lèvres sans un son, elle ajouta à l'intention de Sophie et de Mavis : « Elle est foutue ! » Ça commençait à devenir pénible.

Le chauffeur fit le tour du véhicule pour ouvrir la portière du côté passager.

— Je peux vous aider ? demanda-t-il en voyant Ida se débattre.

— Non, répondit Sophie, tout va bien. Préparez-vous à brûler l'asphalte quand on aura réussi à la faire monter.

Il se peut qu'elle tente de s'expulser en chemin, alors ne ralentissez pas trop, surtout.

Après quelques secondes de bagarre, Toots et Sophie réussirent à pousser Ida sur le siège arrière.

— Monte vite, Mavis ! cria Sophie. Et assieds-toi sur elle s'il le faut !

Mavis trottina aussi vite que le lui permettaient ses jambes dodues. Avec une vélocité des plus surprenantes, Coco et elle grimpèrent sans aucune aide. Toots s'installa prestement, suivie de Sophie.

— Démarrez vite ! brailla Sophie au chauffeur.

— Oh ! (Mavis frappa dans ses mains boudinées.) C'est comme dans les films !

— Eh bien moi, en tout cas, je ne paierais pas un kopeck pour voir ce film-là, commenta Toots sèchement.

Ida s'était tassée dans son coin, jetant un regard apathique par la vitre tandis que le véhicule fonçait sur Beverly Hills Boulevard en direction du Centre de Santé Holistique pour le Développement du Corps & de l'Esprit, où elle avait obtenu un rendez-vous avec le psychiatre de renom Benjamin Sameer, grâce à l'entremise du docteur Joe Pauley. Ce dernier s'était assuré que Toots avait conscience qu'il avait agi bien au-delà de ce que le devoir exigeait. Autrement dit, Toots était bonne pour faire une donation au prochain projet altruiste de l'épouse Pauley, férue d'œuvres de charité.

— Moi non plus, renchérit Sophie. On peut fumer ici ? J'ai besoin d'une cigarette.

— Moi aussi et, non, on ne peut pas fumer, précisa Toots en désignant une petite pancarte.

Quinze minutes plus tard, ils franchirent le portail du centre holistique. Sophie se redressa pour mieux voir.

— Regarde cet endroit, Ida, c'est tout blanc, ça paraît propre comme un sou neuf.

Ida risqua un petit coup d'œil à travers sa vitre.

— On dirait le Taj Mahal, renchérit Toots. Je crois que le docteur Sameer est d'origine indienne.

— Je me moque de savoir s'il vient de Tombouctou, tant qu'il peut faire quelque chose pour soigner Ida. Sinon, je vais devenir dingue, et c'est vous qui enterrerez Walter, dit Sophie en admirant les pelouses impeccablement entretenues qui entouraient les immeubles d'un blanc éclatant.

— Les gens là-bas, en Inde, sont vraiment propres ou bien vraiment sales ? Je ne me souviens plus.

— Je ne saurais dire, Sophie. Je crois avoir entendu qu'ils se lavaient avant de prendre leurs repas, une sorte de rite de purification chez les Hindous, répondit Toots.

— C'est merveilleux. N'est-ce pas merveilleux, Ida ? Le docteur comprendra parfaitement bien ce que tu ressens, dit Mavis.

Sophie roula des yeux, et Toots sourit.

— Je suis vraiment obligée de faire ça ? demanda Ida tandis que la limousine se garait.

Toots décocha à Sophie un regard lourd de sens avant de répondre :

— Oui, Ida, il se trouve que tu y es obligée. Tu n'as pas d'autre choix. Pense un peu à la liberté que tu vas retrouver !

— Et à tout l'argent que tu vas économiser quand tu n'auras plus à acheter ces gants, ces eaux de Javel, ces savons et toutes ces conneries dont tu te sers pour rendre ton monde meilleur, railla Sophie.

— Et remue-toi un peu, Ida, il faut qu'on entre, renchérit Toots. On ne voudrait pas faire attendre le docteur Sameer, surtout qu'il te fait une fleur en te recevant aujourd'hui.

Leur chauffeur, en parfait gentleman, ouvrit la portière et s'écarta pour laisser sortir ces dames de la limousine. Toots prit dans sa pochette un billet de 100 dollars, qu'elle lui glissa discrètement.

— Ça vous ennuierait de nous attendre ici ?

Elle avait loué la limousine pour une durée indéterminée, mais ne savait plus trop si elle avait précisé qu'elle désirait que le chauffeur les attende.

Il jeta un coup d'œil au billet que Toots venait de lui fourrer dans la main avant de répondre :

— Pas du tout.

— Bien, alors allons-y. Que le spectacle commence, les filles ! lança Typhon Toots, avec son légendaire sens théâtral.

Ensemble, elles aidèrent Ida à gravir l'escalier, ce qui n'était pas une mince affaire : celle-ci se laissait traîner telle une poupée de chiffon.

— Ida, tu vas coopérer, ou je te fous à poil ici, devant tout le monde ! Alors, arrête de traîner les pieds et bouge ton cul !

À l'accueil, elles virent une jeune femme avenante au regard mélancolique et au teint couleur de miel qui portait un sari de soie rouge et or. Elle gratifia les nouvelles venues d'un sourire qui sembla éclairer toute la pièce.

— Vous devez être madame McGullicutty. Je m'appelle Amala. Le docteur va arriver très vite.

(Elle joignit les mains, comme en prière.) Puis-je vous proposer une boisson fraîche, mesdames, ou du thé ?

D'un regard lourd de sous-entendus, Toots chercha à dissuader Sophie d'ouvrir la bouche.

— Je meurs d'envie d'une cigarette. Y a-t-il un coin fumeurs ici ?

La jeune femme sourit.

— Il se trouve que nous disposons d'un fumoir bien ventilé, car le docteur Sameer fume le cigare. Il dit que ça l'aide à réfléchir. Si vous voulez bien me suivre, je vais vous y conduire.

Sophie fit un doigt d'honneur à Toots avant que Mavis, Coco et elle suivent Amala vers une porte, à l'arrière du bâtiment.

— Mon père, le docteur Sameer, aime fumer ses cigares par ici.

Elle désignait une sorte de magnifique patio. Des bancs en pierre étaient disposés sous des arches en marbre qui donnaient presque l'impression d'être dans une salle. On aurait dit que l'endroit sortait tout droit d'un *Indiana Jones*. Des fleurs luxuriantes dans des vasques démesurées, des palmiers tutoyant les nuages et des taillis verdoyants contribuaient à instaurer une atmosphère calme et relaxante.

— J'aurais presque peur d'allumer ma clope ici, dit Sophie.

— Par ici. (Amala lui fit signe de la suivre.) Vous jetez vos cendres dans cette urne et y laissez votre mégot de cigare ou de cigarette.

Sophie lorgna l'urne, un tantinet alarmée. Ça paraissait pouvoir contenir des cendres, en effet, mais pas du genre tabac. Plutôt du genre humain, comme dans une crémation… le pire mot qu'on ait jamais inventé, selon elle. L'espace d'une seconde, Sophie eut des doutes sur le docteur Sameer. Mettait-il le feu à ses patients et disposait-il ensuite de leurs cendres tout en s'offrant une petite pause cigare ? Amala la laissa à ses pensées, disant qu'elle devait rejoindre une patiente.

— Oh… naturellement, c'est pour ça que nous sommes là !

Sophie attendit qu'elle ait réintégré le bâtiment pour allumer une cigarette.

Mavis et Coco firent un petit tour de patio, gardant leurs distances.

— Sophie, comme j'aimerais que tu arrêtes de fumer ! Je déteste voir ce que ça te fait. Tu es tellement dépendante de ces cochonneries… Tu aurais pu attendre.

Cette dernière remarque était lancée d'un ton si accusateur que Sophie en eut honte. En effet, elle aurait dû attendre.

— C'est l'hôpital qui se moque de la charité ! riposta Sophie, qui le regretta aussitôt.

Au moins, Mavis s'efforçait de respecter son régime, elle. Sophie nota dans un coin de sa tête de renoncer au tabac au 1er janvier. Une merveilleuse résolution du Nouvel An. Ha !

Mavis reposa Coco, et le petit chihuahua s'empressa de se soulager dans un coin.

— Tu as raison, mais, au moins, j'essaie de lutter. On ne peut pas en dire autant de Toots et de toi. Je m'en voudrais de paraître vieux jeu, mais c'est une sale habitude, et tu le sais. Ce n'est pas pour rien qu'on ne peut plus fumer n'importe où en public. En plus, la nicotine est en train de te jaunir les doigts, tout comme les dents.

— Je sais que c'est moche, et il se pourrait que j'y renonce un jour, mais pas maintenant. J'aime trop ça. J'en ferai peut-être ma résolution de Nouvel An.

Là, c'était la confirmation verbale qu'elle envisageait sérieusement de renoncer à cette terrible manie.

Toots entra en trombe, cherchant une cigarette dans sa pochette à la seconde où elle se retrouva dehors. Elle l'alluma, puis vint s'asseoir près de Sophie.

— Le médecin vient de faire entrer Ida dans son bureau. S'il ne peut rien pour elle, ou si Ida ne se montre pas raisonnable, il faudra se résoudre à la faire interner. Sinon, on sera toutes bonnes pour l'asile en un rien de temps. Cette petite scène à l'hôtel m'a épuisée.

— J'entends bien, répondit Sophie. Plus question que je la dorlote.

— Essaie d'être gentille avec elle, l'adjura Mavis.

Toots lança un coup d'œil à Sophie pour voir sa réaction.

Toutes les trois éclatèrent de rire.

Chapitre 23

Une heure plus tard, le docteur Sameer et Toots escortèrent Ida jusqu'à la limousine, Sophie et Mavis fermant la marche.

—Le docteur a dit que ça allait être beaucoup plus facile à soigner que tu ne le craignais. Il veut que tu prennes tes médicaments. Selon lui, ça accélérera le processus de guérison, ça le stimulera en quelque sorte. Je connais ton sentiment sur le sujet, mais il faut que tu essaies au moins, Ida. Au risque de me répéter, ce n'est pas une vie, ça.

—Je sais, Teresa. C'est juste que j'ai tellement peur, admit Ida. Je prendrai ces médicaments, si tu penses que je le dois.

—Peu importe ce que je pense, c'est ce que le docteur recommande qui compte. Je te l'ai dit, c'est le meilleur dans son domaine. À ta place, je remuerais ciel et terre pour retrouver la vie que j'avais avant, mais ça, c'est ta décision, Ida. J'ai fait ma part. Autrement dit, copine, ce sera l'épreuve de vérité.

Toots s'écarta tandis que le chauffeur ouvrait la portière.

Prenant soin de ne pas entrer en contact avec quoi que ce soit, Ida, les joues ruisselantes de larmes, se glissa à l'intérieur de la limousine. Toots suivit, puis Sophie et Mavis. Coco se lova sur les genoux de sa maîtresse.

Ils quittaient à peine le parking quand Sophie déclara :

— Ida, écoute, je te dois des excuses pour la façon dont je t'ai parlé tout à l'heure. J'ignore par quoi tu passes, mais j'ai eu de sales quarts d'heure moi aussi, alors sache juste que tu iras mieux. J'ai foi en toi. Les mauvaises périodes ne durent pas. Hein, Toots ?

Toots savait qu'elle faisait allusion aux nombreuses années de mauvais traitements qu'elle avait endurées. Elle haussa les épaules.

Ida eut un sourire sincère.

— Merci, Sophie.

— Je ne suis pas l'ogresse que je feins d'être parfois. (Sophie sourit à son tour.) Mais je te jure, Ida, il y a des jours où tu me fous dans une de ces rognes ! Toots a raison, il faut que tu t'en tiennes à tes prescriptions.

— Tu veux rire ? Tu es pire qu'une ogresse ! blagua Toots.

— Bon, les filles, on arrête là, les admonesta Mavis d'un ton ferme et assuré. Oh, non, je viens de parler comme sœur Marie Elizabeth !

Sœur Marie Elizabeth était la nonne la plus implacable au monde, ou c'est du moins ce qu'elles avaient pensé au cours de leur première année de lycée.

— Personne ne parle comme sœur Marie Elizabeth. Je la haïssais vraiment, celle-là. Je me demande ce qui lui est arrivé, ajouta Toots.

— Je me disais qu'elle terrifierait le Diable en personne, au point de le chasser de l'enfer ! Je suis bien certaine qu'elle est morte et enterrée à l'heure qu'il est. Vous vous souvenez qu'elle nous répétait que les hommes, et non l'argent, étaient la source de tous les maux ? Je crois qu'elle avait raison, en fait. Mais elle devait déjà avoir dans les cent dix ans au bas mot ! ricana Sophie.

Toutes éclatèrent de rire, Ida aussi.

— C'est sûr qu'on a de bons souvenirs, commenta Mavis.

— Parle pour toi. Tu te rappelles le bal de promo, Ida ? Quand tu as été élue reine de beauté ?

Ida rit de bon cœur. Un rire sincère.

— Mais oui ! Et je ne veux même pas y penser ! Ce fut le pire jour de toute ma vie.

— Pas possible. Lorsque Toots t'a piqué Jerry, là, ce fut le pire jour de ta vie. C'est ce que tu as toujours dit.

— Boucle-la, Sophie ! Je jure que tu es la pire fauteuse de troubles que j'aie jamais vue. Avoue-le : tu prends une sorte de plaisir pervers à nous tourmenter ainsi, pas vrai ? Mets-la un peu en sourdine, et profitons du paysage. Tu me fatigues, conclut Toots sur un ton sans appel.

Il ne serait plus question du bal de promo d'Ida.

— Oh, toutes mes excuses, Votre Altesse ! On peut toujours compter sur toi pour me gâcher la fête, riposta Sophie.

Le portable de Toots sonna, lui épargnant la peine de répliquer. Elle sortit de sa pochette le petit appareil.

— Allô ? Abby ! Mais naturellement, on adorerait ça. Une minute... (Elle tourna la tête vers Ida.) Ida, en forme pour un petit tour à *The Informer* ?

Elle vit la peur s'afficher sur les traits finement ciselés de son amie.

— Non, non, je ne suis pas encore prête pour ça ! Dis à Abby que je viendrai plus tard. Un jour.

— Toots, tu penses que je peux amener Coco avec nous ? Je détesterais devoir la laisser au bungalow. Elle se sent si seule sans moi.

— Abby, Ida ne se sent pas d'aller y faire un tour là, tout de suite. Mais Mavis voudrait savoir si elle peut amener Coco.

— Absolument. Chester est dans mon bureau en ce moment même. Ils auront ainsi la chance de faire connaissance, tous les deux.

— Alors, nous arrivons, le temps de déposer Ida à l'hôtel. Je suis tellement impatiente, Abby, tu sais que j'adore ton tabloïd !

— Oui, je sais. À dans une heure, donc. Demande à ton chauffeur s'il connaît l'adresse.

— Bien sûr. Une minute… (Toots posa la question à l'intéressé qui hocha la tête.) Oui, il dit que tout le monde à L.A. sait où se trouve *The Informer*.

— OK, maman. À tout à l'heure, conclut Abby avant de couper la communication.

Toots remit le portable dans sa pochette.

Puisqu'elle avait du temps à tuer avant que sa mère et ses marraines arrivent, Abby décida de se reconnecter. Elle fit des recherches, espérant glaner du nouveau à propos de la vente du journal. Chou blanc. Elle reprit son portable et appela Ragot pour la centième fois. Ce n'était décidément pas normal. Ragot était un crétin de première, mais ça ne lui ressemblait quand même pas de ne prévenir personne s'il s'absentait la journée entière. Même quand il avait la gueule de bois après ses excursions à Vegas le week-end, il appelait toujours au bureau avec une excuse farfelue. Pour la énième fois,

Abby tomba sur sa boîte vocale et laissa un message de plus, différent de tous ceux qu'elle avait énoncés auparavant :

— C'est Abby. Écoutez, quand vous mettez les voiles comme ça, il faut que vous préveniez l'un d'entre nous. J'espère bien que vous n'avez pas dépensé hier tout l'argent de nos salaires parce que la paie c'est cette semaine ! Rappelez-moi dès que vous aurez ce message.

Elle balança le portable sur sa table. Elle devrait peut-être aller faire un tour chez Ragot, ne serait-ce que pour s'assurer qu'il était toujours en vie. Il était tout à fait possible qu'il ait fait une mauvaise chute, surtout qu'il buvait décidément trop.

Abby leva les yeux vers la pendule murale. Il lui restait assez de temps pour foncer chez lui et revenir avant que sa mère et les autres ne se pointent. Une idée morbide la frappa alors. Elle rappela sa mère et la mit au courant de ses intentions.

— Maman, navrée de te soûler. Je viens juste de me rendre compte que j'avais une course à faire. Tu peux attendre deux ou trois heures avant d'arriver ici ?

— Pas de problème, Abby. C'est même mieux ainsi, en fait, ça nous donnera le temps de nous rafraîchir. On se voit tout à l'heure.

Abby attrapa sa mallette, se demandant ce qu'elle avait bien pu faire pour mériter une mère aussi merveilleuse. Même si elle avait grandi avec plus de beaux-pères que la moyenne, Toots ne l'avait jamais négligée. Tout au contraire, Toots avait toujours prévenu ses conjoints successifs qu'Abby compterait toujours plus qu'eux à ses yeux. Et elle était très sérieuse. Elle jurait souvent qu'elle portait la poisse aux hommes qu'elle épousait, au point d'avertir le troisième – ou était-ce le quatrième ? – que ses ex étaient morts et que, s'il voulait tirer gracieusement sa révérence, c'était le moment ou jamais, avant la cérémonie nuptiale. Car Teresa Amelia Loudenberry ne tolérerait jamais l'humiliation cuisante de se voir abandonnée au pied de l'autel.

Abby attrapa la laisse de Chester.

— Allons faire un tour.

À cette formule magique, Chester bondit vers la porte et attendit sa maîtresse. Il franchit le seuil, le couloir sombre, puis s'arrêta en atteignant l'escalier qui menait à l'accès principal. Abby était prête à jurer qu'il était plus malin que nombre d'hommes avec lesquels elle avait flirté. En fait, elle en était sûre et certaine. Ces idiots ne se donnaient même pas la peine de lui tenir la porte.

— Tu es un bon gars, Chester. Tu vas peut-être rencontrer la chienne de tes rêves aujourd'hui. Mon petit doigt me dit que, dans ton cas, la taille ne sera pas un problème.

Le berger allemand inclina la tête pour regarder sa maîtresse. Abby savait qu'il comprenait chacune de ses paroles. Au rez-de-chaussée, elle acheta une bouteille d'eau au distributeur.

Par rapport aux bureaux sombres, sa Mini Cooper jaune était comme un rayon de soleil. C'était d'ailleurs la raison pour laquelle Abby avait acheté ce modèle. En repensant au bureau, elle se demanda si les nouveaux propriétaires seraient prêts à investir dans quelques travaux. Des fenêtres supplémentaires et un peu de peinture fraîche feraient toute la différence.

— Monte, Chester.

Elle déverrouilla la portière du côté passager, attacha le chien avec la ceinture de sécurité, puis s'installa prestement au volant.

Circuler sur Santa Monica Boulevard tenait du cauchemar – rien de nouveau à cela. Elle regardait les touristes tout en attendant que les feux repassent au vert. Des jeunes, des vieux, des gros, des fluets, de toutes les nationalités du monde. Certains portaient des sacs remplis à ras bord de livres, d'autres, d'énormes appareils photo en bandoulière et, immanquablement, quelques élégants vieillards avec leur proverbiale chemise à fleurs. Elle sourit. C'était exactement comme dans les films. Parfois.

Un bruyant coup de klaxon, derrière elle, lui fit écraser la pédale d'accélération plus vivement que d'habitude, déstabilisant Chester.

— Navrée, mon garçon. Tout le monde semble pressé ces jours-ci.

Elle jeta un coup d'œil à son rétroviseur. Encore un petit futé typique de Hollywood, se dit-elle. Un cabriolet BMW noir, lunettes de soleil griffées, portable greffé à la tempe… Elle fut tentée de lui décocher un doigt d'honneur, comme elle avait vu sa mère le faire plus d'une fois, mais se ravisa juste à temps. Il y avait probablement une loi contre ça, de toute façon. Elle nota dans un coin de sa tête de le vérifier et, dans ce cas, de persuader Toots de s'en abstenir à l'avenir, au moins tant qu'elle serait en ville.

Ragot vivait dans un secteur plus ancien de L.A., qui donnait toujours l'impression à Abby de pénétrer dans une bulle spatio-temporelle. Des maisons basses de style ranch, comparables à la sienne, mais sans les mises aux normes et les rénovations. Des rues bordées d'arbres malingres. Des bicyclettes qui avaient connu des jours meilleurs, de grosses cylindrées qui avaient passé trop de temps au soleil et des balançoires rouillées jonchaient des pelouses à l'herbe jaunie. Dans une cour, elle avisa une vieille camionnette Volkswagen décorée de grosses fleurs orange passé, vieille rescapée d'un trip hippy... Un chien errant patientait à un tournant, comme s'il attendait son tour de traverser. Voir des bêtes abandonnées, sans foyer, brisait toujours le cœur d'Abby. Elle ralentit puis, mue par une impulsion, se retourna pour voir s'il portait un collier. Sinon, eh bien, elle aviserait. Soulagée, elle vit qu'il avait autour du cou un collier rouge vif. Ses propriétaires étant sans doute trop occupés pour l'emmener en balade, le chien avait décidé de partir se promener de son propre chef. La pensée fit sourire Abby.

Elle tourna à gauche sur Sable Street, remontant jusqu'à Greenlawn Drive, cul-de-sac qui donnait sur le complexe immobilier où logeait Ragot. La résidence Timberland, millésime des années 1960, était d'une teinte vert moche, avec des volets noirs. La toiture basse se terminait par un auvent d'une soixantaine de centimètres – une sorte de corniche, à la mode de l'époque – et donnait à l'ensemble l'allure d'une boîte. Franchement, Abby se dit que ce devait être la résidence la plus laide de toute la ville. Elle se gara devant l'appartement B-2. La nouvelle Chrysler de Ragot n'était pas à sa place de parking habituelle, ce qui n'était pas vraiment surprenant. Abby ne s'était pas attendue à le trouver chez lui, occupé à guetter d'éventuels visiteurs. Chester se mit à geindre, impatient de bondir à l'air libre.

— Viens, mon vieux, on fait une petite pause. (Abby lui ouvrit la portière.) Reste près de moi, Chester.

Le chien sur les talons, elle traversa le modeste parking pour gagner l'appartement de Ragot. Elle frappa à coups redoublés, espérant qu'il était là, bien vivant. Rien. Elle refit une tentative.

— Merde !

Abby fit le tour du petit bâtiment de plain-pied, en espérant que personne ne l'observait. Il ne manquerait plus que la police vienne l'épingler comme une vulgaire voyeuse en maraude. Cela dit, ce devait être le genre de résidences où chacun se mêlait de ses oignons en s'abstenant surtout de fourrer son nez dans les affaires du voisin.

Abby tapa à la vitre de la fenêtre, en vain. Si Ragot était là, il se serait manifesté. Inquiète, et agacée de s'inquiéter et de s'énerver pour son patron, elle retourna devant l'appartement où elle se remit à tambouriner à la porte.

— Si vous êtes là et que vous ne répondez pas parce que vous avez la gueule de bois, je vous promets que vous allez souffrir ! Je suis sérieuse, quand j'en aurai fini avec vous, vous aurez les burnes qui vous ressortiront par les oreilles ! brailla-t-elle.

Elle se moquait bien que les voisins l'entendent, mais l'image qu'elle venait d'évoquer la fit sourire.

Finalement persuadée que Ragot n'était pas chez lui, Abby tourna la poignée et, étonnée, constata que ce n'était pas fermé à clé.

— Suis-moi, Chester. J'ai comme un mauvais pressentiment.

À l'intérieur aussi, l'appartement de Ragot était franchement moche. Des chaises en vinyle orange étaient disposées autour d'une table ronde en verre. Au centre trônait un présentoir avec six bouteilles de vin et six verres ornés de feuilles peintes dans des tons d'or bruni. Une table basse à deux niveaux était placée à un bout d'un divan aux motifs zébrés.

Le degré zéro de la décoration d'intérieur.

Abby se dirigea vers la chambre, au bout du petit couloir. Quelle était la probabilité qu'elle se trouve un jour en ces lieux ? Elle chassa cette idée avec un frisson.

Quand elle entra, ce qui s'offrit à ses regards la stupéfia. La porte ouverte de la penderie laissait voir des cintres métalliques libres. Bizarrement, ça ne la surprenait pas plus que ça que son boss utilise encore des cintres métalliques. Abby baissa les yeux sur le sol de la penderie, où elle remarqua des Nike bien élimées. En face se dressait une armoire aux tiroirs presque entièrement tirés hors de leur logement, et tout aussi vides que la penderie. Abby se hâta de passer dans la salle de bains vétuste au carrelage vert et blanc. Une vieille baignoire sur pieds affligée d'une énorme tache de rouille et d'un rideau de douche tout crasseux en bas, un lavabo sur pied et des toilettes noires étaient aménagés de façon si serrée qu'Abby eut une horrible vision : Ragot en train de se soulager, les pieds dans la baignoire, tout en se brossant les dents… Elle referma vivement l'armoire à pharmacie. Aussi vide que la penderie et l'armoire à linge.

Elle subodora que, cette fois, ce cher vieux Ragot s'était fourré dans un immonde pétrin et que, faute de solution honnête, il avait préféré prendre ses jambes à son cou.

Chapitre 24

Richard Allen Goodwin demeurait un joueur dans l'âme, même si, par le passé, la chance lui avait rarement souri. Dès son arrivée sur Grand Cayman, il s'était dit que Dame Fortune semblait vouloir rattraper le temps perdu. Il avait eu un sacré manque de pot pendant cinquante-deux ans – ramenés maintenant officiellement à quarante-huit, à en croire ses papiers d'identité flambant neufs. Il était grand temps qu'il soit en veine, pour changer.

Et ce changement de fortune l'effrayait presque. Voilà qu'il se retrouvait sur Grand Cayman pour prendre un nouveau départ dans la vie, à savourer la seconde chance qui lui était offerte – ou, plus précisément, qu'il avait saisie au bond. Ce que ces enfoirés au journal ne pigeaient pas, c'était que pour faire la une ils devaient mouiller leur chemise et prendre des risques au lieu de geindre en voyant leurs concurrents les coiffer continuellement au poteau. Par les temps qui couraient, il ne s'agissait pas de relâcher ses efforts. Et lui, il avait cavalé partout pendant des jours.

Il était multimillionnaire. Il pouvait parier jusqu'au bout de la nuit s'il voulait. Et picoler au point de rouler sous la table. Il pouvait faire tout ce que bon lui semblait !

— S'ils savaient ! s'exclama-t-il.

Gagnant une grande baie vitrée qui s'élevait du sol au plafond, dominant les eaux turquoise des Caraïbes, il n'arrivait pas à croire à quel point son destin avait basculé en quelques heures à peine. Les yeux baissés, il regarda les vagues s'écraser sur la plage, en contrebas. Les palmiers, courbés telles des ballerines, ondulaient comme s'ils dansaient. La pluie s'écrasant contre les vitres évoquait des jets de pierres.

Coincé au beau milieu d'un putain de cyclone ! Il avait entendu dire que la moitié de l'île était en panne d'électricité. Il avait appelé les services de l'aéroport, prétextant un vol à prendre. Selon son interlocutrice, une femme à l'accent charmant, tous les vols étaient annulés. Quelle honte. Il avait ensuite pris ses renseignements auprès du concierge : un des casinos resterait-il ouvert en dépit du mauvais temps ? L'homme lui avait assuré que tous le seraient, au service de leur clientèle.

Après s'être douché et rasé, Ragot passa un pantalon kaki et une chemise bleu clair. Il s'inspecta dans le miroir en pied. Il avait quinze kilos à perdre, mais, avec l'argent dont il disposait, une liposuccion suffirait. Il peigna ses cheveux clairsemés ; il décida qu'il se renseignerait pour des extensions dès la fin du cyclone. Il pinça son double menton. Ça aussi, ça devrait disparaître. D'ici à deux ou trois mois, il serait un homme nouveau. Littéralement.

Le restant de la soirée, il allait se faire plaisir au casino. Oui, la vie était belle.

En Californie, Micky regardait la jeune journaliste – un sacré petit lot – repartir au volant de sa voiture jaune vif, avec un chien aux allures de Rintintin. Il se dirigea avec circonspection vers la porte de derrière de *The Informer* et s'aventura à pas de loup dans les lieux.

— Hé, il y a quelqu'un ?

Comme si on allait lui répondre, à cette heure ! Parfois, il se montrait stupide.

Remontant lentement le couloir sombre qui, il le savait, conduisait aux bureaux, Micky poussa une autre porte. Rien. Un bureau en métal avec un siège bon marché et un ordinateur dépassé. Pas étonnant que ce journal de merde soit dans le rouge cramoisi. Il suffisait de voir les vieilles cochonneries qui servaient de matériel à l'équipe de reporters. Ils en étaient peut-être bien encore à se connecter à Internet par modem téléphonique. Il recula dans le couloir. C'était censé être un journal, ce torchon ?

Putain, mon propre espace de travail bat cette décharge publique à plates coutures !

Secouant la tête, il jeta un coup d'œil au bureau voisin. Mêmes saloperies. Bureau, siège, pas d'ordi. Les mecs devaient en être réduits à se servir encore de papier et de crayon, ma parole. Se trouvant spirituel, Micky gloussa.

Dès qu'il recula, il entendit des voix.

Le fils de pute ! Ragot a dû décider de revenir travailler aujourd'hui, après tout. Dans ce cas, il va au-devant d'une sacrée déculottée.

Micky se réfugia dans le bureau qui se trouvait juste devant lui.

Bingo ! C'était celui du boss. Il alluma et prit place sur le fauteuil défoncé du poste de travail. C'était un homme patient. Il n'avait rien de mieux à faire ce jour-là.

Oui, monsieur. Il allait rester assis là, dans ce satané bureau, jusqu'à ce que Monsieur Patron-De-Presse en personne se pointe. *Yes*, pour cinquante mille dollars, il avait tout le temps au monde.

Chapitre 25

Ne sachant quoi penser de la disparition subite de Ragot, Abby décida de reléguer temporairement ce mystère dans un coin de sa tête. Selon toute vraisemblance, il se terrait dans quelque hôtel miteux, à cuver sa dernière beuverie au fond d'un lit. Abby avait plus urgent à faire pour le moment, notamment la petite visite des locaux de *The Informer* promise à sa mère. Elle revint au bureau en un temps record.

Se garant à sa place habituelle, elle inspecta le parking du regard avant de sortir, cherchant la Chrysler de Ragot au cas improbable où il serait revenu là par miracle pendant qu'elle tentait de le débusquer chez lui. *Pas de bol*, se dit-elle, avant de changer d'avis. Dans son cas, toute journée de travail sans Ragot était une aubaine. Prenant sa mallette sur le siège arrière, elle la fit passer par-dessus l'appui-tête tout en cherchant la laisse de Chester.

—Allez, mon garçon, viens que je te passe ça autour du cou. Je ne voudrais pas qu'on dise que je te laisse vagabonder sans laisse.

Un jour, Ragot avait surpris Chester en liberté dans le parking. Il s'en était violemment pris à Abby, arguant qu'une action en justice leur pendait au nez et que, dorénavant, dès que le chien serait dans la propriété de *The Informer*, il devrait être tenu en laisse ou bien…

c'était ce « ou bien » menaçant qui avait rendu Ragot plus que jamais haïssable aux yeux de la jeune femme.

— Chester ! Pourquoi tu grondes comme ça ? (Abby lui attacha son collier autour du cou.) Je sais que tu n'aimes pas Ragot. Moi non plus. La triste vérité, c'est que personne ne l'aime, si tu veux mon avis.

Mallette serrée sous le bras droit, Abby tenait la laisse de la main gauche ; elle ouvrit la portière à Chester de la main droite, le libérant de sa ceinture de sécurité. Les chiens étaient comme les gamins : ils avaient autant besoin de protection.

Dès qu'elle eut fixé la laisse au collier, elle nota dans un coin de sa tête d'appeler *Pattes de velours* et de réserver une journée « remise en forme » pour Chester. Elle inviterait peut-être Coco. Chester n'était pas trop branché spa, mais il se pourrait qu'il change d'avis s'il avait de la compagnie. Surtout celle d'une délicieuse petite femelle chihuahua.

Traversant le parking précédée de Chester qui tirait sur sa laisse autant qu'il pouvait, Abby sursauta en entendant crier son nom. Elle se retourna à temps pour voir une élégante limousine blanche aborder l'asphalte du parking. Sophie se pencha à la vitre arrière en brandissant une cigarette. Amusée, Abby secoua la tête.

— Chester, au pied !

Docile, le chien s'assit aussitôt.

Abby avait hâte de faire visiter son lieu de travail à sa mère et à ses marraines. Elle jeta un coup d'œil à sa montre. Il lui restait deux ou trois heures avant que les pigistes se présentent pour la journée.

L'une après l'autre, les femmes sortirent de la limousine : d'abord Sophie, puis Toots et enfin Mavis, serrant contre elle une petite chienne qui ne devait pas peser plus d'un kilo et demi ; elle la tenait d'une main – délicatement – possessive sur son opulente poitrine.

— Kaï, kaï !

En se dandinant, Mavis rejoignit Abby et son chien.

— Ce doit être Coco.

Abby tendit la main pour que la femelle chihuahua la renifle. Coco grogna, dévoilant de minuscules crocs.

— Elle a peur.

Mavis jeta un coup d'œil au gros berger allemand, assis aux pieds de sa maîtresse. Chester était aussi hiératique qu'une statue.

— Ne t'en fais pas, Mavis, Chester est inoffensif.

— C'est vrai. Quand il le faut, Chester est un tueur, mais, le reste du temps, il est aussi adorable qu'un chaton, confirma Toots en se penchant pour étreindre rapidement sa fille.

Elle ébouriffa son « petit-fils » canin entre les oreilles.

— C'est le meilleur d'entre les meilleurs ! Je ne sais comment je ferais sans lui. Entrons. Je tiens à vous offrir une visite guidée des locaux avant que les autres se pointent. (Abby reprit la laisse en main, entraînant son chien vers la porte de derrière.) Qui m'aime me suive ! lança-t-elle par-dessus son épaule.

— Je n'arrive pas à croire qu'on est vraiment là ! C'est tellement excitant ! Tu as des numéros que je n'ai pas encore vus ? ajouta Toots tandis qu'elles entraient dans l'immeuble décrépit.

— Il doit y en avoir deux ou trois. Toutes les quinzaines, on imprime sept numéros. Ce qui nous donne vingt-quatre à quarante-huit heures pour composer nos articles avant la mise sous presse, puis vingt-quatre heures de plus pour glaner de nouvelles infos.

Abby présenta d'abord son lieu de travail.

— Ce n'est pas grand-chose mais c'est le bureau le plus sympa de tout ce vieil immeuble froid et humide. Si jamais j'apprends l'identité des nouveaux propriétaires, j'espère les motiver pour tout rénover. Avant, les locaux abritaient le *Los Angeles Examiner*. Ils ont plus de cent ans. Hélas, rien n'a changé ou presque depuis, à part qu'on est maintenant un torchon de troisième zone. Je ne saurais même plus dire si c'est une bonne ou une mauvaise chose.

Abby remarqua que Mavis, d'un teint habituellement pâle, avait les joues rouge vif. Elle lui désigna un siège.

— Soulage un peu tes jambes et viens t'asseoir, ajouta-t-elle d'un ton enjoué.

— Merci, ma puce. J'ai un peu trop chaud.

Toots et Sophie admiraient, intimidées, les couvertures encadrées de *The Informer*, qui ornaient les murs.

— Je dois en avoir raté quelques-unes, commenta Toots, en continuant d'examiner les gros titres exposés.

— Tu as peut-être oublié, tout simplement. Maintenant, si vous êtes prêtes pour la visite guidée, autant y aller.

— Nous sommes prêtes, Abby. J'espère qu'on ne te retarde pas dans ton travail. Si tu aimes mieux qu'on remette ça à un autre jour, je suis sûre que Sophie et Mavis n'y verront aucun inconvénient.

Toots leur jeta un coup d'œil pour jauger leur réaction. Elles acquiescèrent.

— L'instant est parfait, car Ragot n'est pas là. Je n'ai plus de nouvelles, en fait. Je commence à m'inquiéter.

Toots tiqua.

— Et c'est inhabituel de sa part ?

Abby réfléchit. Ce n'était pas inhabituel chez lui, voilà bien le hic. Que ça la rende inquiète à son sujet, voilà qui n'était pas normal, en revanche. Elle avait un mauvais pressentiment.

— Pas vraiment. Il s'est probablement enfermé dans un hôtel pourri de Vegas avec une de ses bimbos.

— On dirait bien que ton boss ne t'inspire qu'admiration et respect, marmonna Sophie, ironique.

Elle avait espéré un peu d'extravagance et de glamour, et tout ce qu'elle récoltait, c'était du sordide et du trivial.

Abby s'esclaffa.

— Dans ses rêves ! Ragot n'était pas si moche – jusqu'à ce que le démon du jeu le rattrape. C'est ce qui l'a poussé à boire, à mon avis, et le reste… Inutile de préciser que je ne peux pas le sentir. Pas plus que les autres, d'ailleurs. Ce qu'il subsiste de son équipe s'absente le plus souvent possible des bureaux pour éviter de le croiser. À part lui, je suis la seule journaliste qui pointe encore le matin. Du moins quand il se décide à venir. Alors, on la fait, cette visite ?

Elle appela Chester. Apparemment, Coco était captivée par le berger allemand : dès qu'il trottina vers la porte, elle le suivit.

— Pourquoi tu ne démissionnes pas ? demanda Mavis, qui était à la traîne derrière, les yeux rivés sur sa petite chienne.

Souriant à cette perspective, Abby répondit :

— Je ne peux pas. En dépit de Ragot, j'adore mon boulot. Je sais qu'il n'inspire guère le respect, mais faut bien qu'il y ait des gens pour informer le public.

Abby les guida dans le couloir jusqu'à une porte, sur sa gauche.

— Au sous-sol, il fait noir comme dans un four, alors ne faites rien avant mon signal. Il y a un problème d'électricité dans ce vieil immeuble. Les éclairages ne fonctionnent pas toujours.

Une fois qu'elle eut atteint l'accès au sous-sol, elle se retourna pour s'assurer que tout le monde suivait.

— Les marches sont raides, mais il y a une rampe, soyez prudentes.

Elle mania l'interrupteur, et, une seconde plus tard, le sous-sol s'éclaira.

Au milieu se dressait, tel un monument spectral, la presse d'imprimerie de conception allemande. Des rouages de différentes tailles, aux centaines de dents métalliques, s'engrenaient avec une précision qu'un bon horloger eût enviée. Abby arrivait presque à imaginer le vrombissement assourdissant de la presse autrefois, à une époque révolue. Si l'on faisait abstraction des câbles effilochés pendant du coffret de branchements électriques, la machine paraissait dans un état impeccable. Pour peu qu'on fasse venir un électricien qualifié, il faudrait sans doute quelques minutes tout au plus pour la remettre en état de marche.

Des rames de papier, s'empilant du sol au plafond près de plusieurs bidons d'encre de deux cents bons litres, n'attendaient plus que le dernier article de clôture. Sur la droite se trouvait un petit bureau où les compositeurs avaient inlassablement peiné à composer à rebours et de droite à gauche les lignes de minuscules caractères.

Sur des établis maculés d'encre, des outils de composition et de réglage de colorants multiples s'alignaient avec une précision toute militaire, comme pour monter une garde attentive sur leur domaine.

Les femmes se réunirent au pied de la presse d'imprimerie, où Abby leur expliqua brièvement le fonctionnement de la machine.

— Pourquoi est-ce que ce bazar est encore là ? voulut savoir Sophie. Comment pouvez-vous être compétitifs si vous ne vous tenez pas à jour des dernières innovations ?

— Ce n'est pas un vieux « bazar ». Quand William Randolph Hearst a fait l'acquisition de ce matériel de fabrication au début des années 1900, c'était une machine haut de gamme, et elle pourrait encore imprimer un journal aujourd'hui, si besoin était, expliqua Abby.

À l'autre bout de la salle, Chester et Coco patientaient, au pied de l'escalier.

Mavis rejoignit les deux canidés de sa démarche chaloupée.

— Les chiens s'impatientent, dit Abby. Remontons, que je vous montre le restant des locaux.

Au sommet de l'escalier, elles attendirent Mavis qui, à mi-chemin, reprenait péniblement son souffle.

— Navrée. Raison de plus pour que je perde du poids.

— Et si tu ramenais les chiens dans mon bureau le temps que je fasse visiter les trois autres étages à maman et Sophie ? Il s'agit des bureaux de tri et de distribution, des bureaux de vente et de la campagne de vente, tu ne rateras rien.

— Merci, ma puce. J'y vais.

Vingt minutes plus tard, le trio rejoignit Mavis. Et la scène qui s'offrit à ses regards le fit éclater de rire. Devant le bureau d'Abby, Chester et Coco s'étaient pelotonnés l'un contre l'autre, le jouet du berger allemand coincé entre eux. Mavis souriait jusqu'aux oreilles, ravie de ses prouesses.

Perplexe, Toots s'exclama :

— Eh bien ça alors ! Comment diable as-tu réussi pareil tour ?

— Que veux-tu que je te dise, les chiens m'adorent.

— Pas étonnant. On t'adore toutes, dit Abby avec le sourire.

— On ferait mieux d'y aller, on t'a pris assez de ton temps pour aujourd'hui. Je suis sûre que tu as encore des dizaines de papiers à rédiger. (Toots serra vivement sa fille dans ses bras.) Je te rappellerai plus tard.

— On fait comme ça, répondit Abby en l'étreignant à son tour. Ne m'avais-tu pas déclaré un jour, il y a des années, que ça te dirait d'avoir ton propre journal ?

Toots, qui allait sortir, s'arrêta net et fit volte-face, prise au dépourvu par la question inattendue de sa fille. Elle pesa ses mots avant de répondre :

— C'est bien possible, mais je ne m'en souviens pas. C'était quand, il y a une centaine d'années ? Pourquoi me demandes-tu ça, ma chérie ? ajouta-t-elle, en affectant un air nonchalant.

— C'était juste une idée en l'air, rien d'important, assura Abby.

Toots fut saisie d'un frisson d'appréhension. Elle n'avait pas mis au monde – ou élevé – une fille stupide. Abby flairait quelque chose.

— Bon, répondit Toots. C'est bien au-dessus de mes compétences. Mavis, si tu es prête, nous ferions mieux de rentrer. Je veux voir si Ida va mieux et vérifier qu'elle a bien pris son traitement.

À contrecœur, Mavis reprit Coco, détestant mettre fin à son heure de gloire de duo canin.

Tandis qu'elles se dirigeaient vers la limousine, Toots promit qu'elles se réuniraient de nouveau avant la fin de la journée. Abby les salua jusqu'à ce que la longue voiture de luxe soit hors de vue.

Micky capta des éclats de voix dans le couloir. Il retint son souffle, puis soupira en entendant le groupe quitter l'immeuble. Lorsque la voie fut libre, il se glissa précautionneusement au-dehors, puis se hâta de regagner sa Corvette bleu roi là où il l'avait garée, dans une allée, derrière un restaurant japonais. Il fit le tour du véhicule, s'assurant qu'il n'avait pas de rayures ou de bosses. Satisfait, il s'installa au volant avant de pêcher son portable au fond de sa poche pour vérifier la messagerie vocale. Il écouta le message du type qui avait fait les faux pour Ragot. Un chapelet d'imprécations lui parvint.

« Rodwell Godfrey ferait mieux d'avoir neuf vies car je compte bien lui en ôter huit à la seconde où je poserai les yeux sur cette sale enflure ! Ce vieux Ragot a entubé le mec qu'il ne fallait pas ! »

Mettant la gomme, Micky faillit perdre le contrôle de son véhicule en débouchant sur Santa Monica Boulevard. D'un bon coup de frein, il s'inséra dans le trafic – qui faisait presque du sur-place – et réfléchit au sort qu'il allait réserver à l'enfant de salaud qui l'avait roulé. Ce ne serait pas beau à voir. Il caressa l'idée de le scalper – ou du moins de couper le peu de tignasse qui restait à ce cave – puis, à l'aide de tenailles rouillées, il lui arracherait ses couronnes d'un blanc éclatant. Oh oui, voilà une image qui le bottait bien !

Personne, mais alors personne, n'arnaquait impunément Micky Constantine. Cet enfoiré de Ragot venait de passer en tête de liste noire. Une très longue liste noire.

En fin de compte, Rodwell Godfrey le supplierait pour lui allonger les 50 000 dollars qu'il lui avait royalement escroqués.

Chapitre 26

Chris consulta sa montre pour la centième fois. Vingt-huit secondes depuis qu'il y avait jeté un coup d'œil. La journée promettait déjà d'être la plus longue de toute sa vie. Ça lui rappelait l'époque où, gamin, il attendait Noël. Enfant, il avait été sûr et certain que le père Noël revenait une fois l'an seulement parce que les voyages lui prenaient un temps fou. Avec un sourire, il se souvint que son père lui disait d'attendre de grandir un peu – là, Noël arriverait et repartirait si vite qu'il le verrait à peine passer. Papa avait eu raison.

Attendre qu'arrive son grand soir avec Abby serait comme d'attendre le matin de Noël quand, enfant, il bondissait hors du lit pour dégringoler l'escalier, débouler en trombe au rez-de-chaussée et s'attaquer à la montagne de cadeaux, au pied du sapin. Toujours impatient et excité, l'estomac noué tant il anticipait le grand événement.

Il s'imagina en train de bondir sur Abby au milieu d'une montagne de présents, au pied d'un grand sapin. Quel cadeau ce serait ! Et l'on n'était même pas près d'aborder la saison des fêtes. Il repensa aux nombreux Noëls qu'il avait passés aux côtés de Toots. Elle avait toujours veillé à ce qu'il se sente autant aimé que sa fille, quand bien même Abby et lui ne passaient pas tant de temps que ça ensemble. Il n'aurait su dire comment il le savait, c'était juste une de ces choses dont il était convaincu.

Soudain, penser à Typhon Toots lui gâcha les fantasmes qu'il aurait pu nourrir à propos de sa fille. Elle lui tordrait le cou si jamais elle apprenait que les sentiments qu'Abby lui inspirait n'étaient pas de nature fraternelle. Mais à quoi bon s'en soucier puisqu'elle ne le découvrirait jamais ? Il n'y avait, du reste, rien à découvrir.

Il jeta un autre coup d'œil à sa montre. Une minute seize secondes. À ce rythme, il serait sénile avant qu'il soit l'heure de rejoindre Abby au *Buzz Club*. La raison pour laquelle elle lui avait demandé de l'accompagner à cette soirée ne flattait en rien son statut de célibataire parmi les dix plus en vue de L.A. ; il avait l'impression que c'était elle qui lui faisait une faveur.

Néanmoins, si Abby avait besoin de lui pour un article, un scoop, à propos des starlettes avec lesquelles il sortait – et tant qu'il n'avait pas de contrat légal avec elles –, il savait qu'il lui balancerait tout en un clin d'œil. Il ferait n'importe quoi pour Abby. Il n'irait peut-être pas jusqu'à lui livrer des détails croustillants ou sordides sur ses idylles, mais, cette fois, il volerait à la rescousse, car il savait combien c'était dur pour la jeune femme de demander de l'aide. Sa farouche indépendance était quelque chose qu'il avait toujours admiré chez elle, mais, parfois, ça ne lui plaisait pas du tout. Il voulait qu'Abby ait besoin de lui et le désire autant que lui avait besoin d'elle et la désirait. Aussitôt, il s'adjura d'oublier tout ça, car cela ne risquait pas d'arriver dans un avenir proche. Ou lointain, d'ailleurs.

Il lui restait deux heures à tuer. Il alluma prestement son portable. Se connectant au Net, il accéda à sa messagerie avec l'espoir de glaner du nouveau au sujet de *The Informer*. Il passa en revue ses soixante-quatre e-mails, répondit à trois qui avaient trait au boulot, puis envoya à l'ami de l'ami d'un ami du hacker un message pour lui demander où en était l'enquête. Chris avait un mauvais pressentiment à propos de la transaction. Toots risquait fort de devoir faire une croix là-dessus, d'en tirer la leçon et de passer à autre chose. Une perte sèche de 10 millions de dollars… Chris fit la grimace. Si le journal courait à l'échec, ce qu'il prévoyait – il l'aurait même parié –, Abby n'aurait plus qu'à offrir ailleurs ses services de journaliste. Elle était douée. N'importe lequel des grands quotidiens l'embaucherait, mais il savait d'avance que ces perspectives-là n'enthousiasmeraient pas la jeune femme. Là n'était pas ce qui nourrissait sa passion du métier. Elle adorait faire des reportages pour la presse à sensation, et Chris doutait qu'elle change de style de sitôt. Il ne l'en blâmait pas. Au contraire même, il admirait sa détermination en dépit de la réputation sulfureuse que se traînaient les paparazzis. Abby était une journaliste-née, une professionnelle consommée, il fallait bien le reconnaître. Elle ne harcelait pas les célébrités sur lesquelles elle écrivait ses articles, elle ne s'imposait pas quand, d'aventure, elle tombait sur des stars en quadrillant la ville. Non, Abby prenait tout au sérieux.

Tout, sauf Chris.

Abby éteignit les lampes de son bureau, rangea sa mallette avec trois articles légers qu'elle avait pêchés sur le Net concernant une certaine célébrité qu'elle comptait interviewer en chemin, puis appela son chien.

— Il est l'heure, Chester. J'ai un rancard d'enfer ce soir !

Remontant le couloir, elle aurait pu jurer qu'elle sentait l'eau de Cologne bon marché de Ragot. Elle savait de source sûre que Ragot s'aspergeait de Brut à 3 dollars la bouteille, car elle se rappelait avoir offert un de ces trucs fétides à Chris un soir de Noël, à des années-lumière dans le passé. Ragot s'était peut-être faufilé en catimini dans les lieux alors qu'elle était absorbée par ses lectures ? Elle marqua une pause devant son bureau ; s'il était là, elle entendrait gueuler toutes les télés. Non, le silence régnait. Elle tourna la poignée, et, de nouveau, la porte s'ouvrit. Entrant dans le bureau miteux de son boss, elle remarqua des changements. Sur le seuil, Chester gronda tout bas. Abby se retourna. C'était un grondement d'alerte.

— Qu'est-ce qu'il y a, mon garçon ?

La queue entre les pattes, les oreilles aplaties sur le crâne, Chester se remit à gronder, troublant le silence des lieux.

— Chut ! murmura Abby.

Quelque chose clochait.

Parcourant rapidement le bureau du regard, elle chercha ce qu'elle pouvait bien trouver de changé par rapport à ce qu'elle avait vu des heures auparavant. En s'avisant de ce que c'était, elle prit une vive inspiration. Quand elle avait jeté un coup d'œil plus tôt, se rappelait-elle, le fauteuil était écarté, ce qui n'avait rien d'inhabituel en soi ; lorsque Ragot se levait, il ne se donnait jamais la peine de caler le fauteuil contre le bureau. Or, quelqu'un l'avait repoussé si près que les accoudoirs étaient coincés sous la table. Mavis avait pu déambuler un peu en attendant qu'Abby revienne avec sa mère et Sophie. Sauf que Mavis n'empestait pas le Brut. Ses collègues journalistes avaient circulé dans les locaux tandis qu'elle était à son bureau. Mais si quiconque était passé dans le couloir, Chester aurait aussitôt alerté sa maîtresse – l'une des nombreuses raisons pour lesquelles Abby aimait garder son chien avec elle en toutes circonstances. L'immeuble craquait et grinçait de toutes parts, mais elle y travaillait depuis assez longtemps pour s'être familiarisée avec ces bruits. Quelqu'un s'était décidément introduit dans le bureau de Ragot. Abby était certaine qu'il s'agissait d'une intrusion. Et Chester en paraissait tout aussi sûr.

De crainte qu'un des potes louches de Ragot soit venu le trouver pour collecter une dette, Abby se hâta de vider les lieux.

— Filons, Chester ! Je ne veux pas être là lorsque Ragot se prendra une dérouillée.

Elle guida son chien vers la sortie, courant presque en direction de sa Mini Cooper. Elle sauta au volant, boucla sa ceinture de sécurité et celle de Chester, et quitta le parking sur les chapeaux de roue.

Elle se félicita que la circulation ne soit pas un pur cauchemar, ce qui était d'ailleurs des plus inhabituels à cette heure de la journée. Elle gagna Brentwood en un temps record et se rangea dans l'allée, sous le petit auvent. Un jour, elle viderait le garage du bric-à-brac qu'y avait laissé l'ancien propriétaire afin de pouvoir enfin s'y garer, mais, en attendant, ça faisait l'affaire. Elle ôta la clé du contact, attrapa sa mallette, puis libéra

Chester. Elle jeta un coup d'œil à sa montre. Il lui restait exactement quatre-vingt-dix minutes pour se doucher et se changer avant son rendez-vous.

Abby lança son trousseau de clés ainsi que sa mallette sur une desserte dans l'entrée. Elle pendit la laisse de Chester au crochet. Se débarrassant de ses chaussures, elle en fit voler une à gauche et l'autre à droite avant de passer dans la cuisine prendre une bouteille d'eau fraîche.

— Ouah !

Chester signalait qu'il était l'heure de dîner.

— Je sais que tu as faim.

Abby remplit son bol d'eau et préleva trois poignées de croquettes dans un récipient en plastique du garde-manger. Elle ajouta à l'écuelle quelques cuillerées de jus de viande maison, remua un peu puis la posa par terre.

— OK, mon pote, je te laisse un peu tout seul.

Tandis que Chester dînait en privé, Abby gagna prestement sa chambre, où elle passa quinze minutes à chercher une tenue. Rien de trop habillé, même si elle pouvait se permettre quelque chose d'osé – après tout, c'était pour le boulot. Elle ne voulait pas que Chris s'imagine qu'elle s'était bien sapée pour lui. Elle opta donc pour un jean noir slim et un débardeur lamé argenté. Elle mettrait ses chaussures de pouf, les argentées. Chris la surnommait toujours « Demi-Portion ». Elle lui en ficherait, des « demi-portions » !

Abby prit une longue douche bien chaude, savourant la caresse de l'eau dans son cou et son dos. Elle fit mousser le shampooing à la douce fragrance de pomme verte, se lavant deux fois les cheveux. Drapée dans une serviette de bain maxi, elle se peigna, décidant de laisser ses cheveux sécher naturellement, avec ses boucles et tout. Elle appliqua une ombre à paupières gris foncé et souligna le tout d'un trait de khôl. Du fard à joues, un gloss rose transparent, et elle fut fin prête. Elle ne voulait pas trop forcer sur le glamour. Peut-être plus tard, elle sortirait le grand jeu, et ce vieux Chris en tomberait à la renverse. Ha !

Abby fouilla dans son tiroir, dénichant un soutien-gorge en dentelle rose et une culotte assortie. Avant de changer d'avis, elle se glissa dans sa lingerie fine et sexy, se disant qu'elle avait simplement envie de se sentir féminine ce soir. Qui sait ? Elle rencontrerait peut-être l'homme de ses rêves.

Ben, voyons.

L'homme de ses rêves était inaccessible.

Chapitre 27

À en croire la chaîne Style, le *Buzz* était la dernière boîte de nuit à la mode à Hollywood. Vingt minutes plus tôt, Chris avait balayé la foule du regard, espérant ne pas tomber sur des clientes ou des femmes dangereuses pour son statut envié de célibataire branché. Les couples, hétéros ou gays, s'entassaient comme des sardines en boîte. Il se fraya un chemin, en quête d'une table inoccupée. Des haut-parleurs gros comme des maisons diffusaient du rock plein pot. Chris aurait voulu se boucher les oreilles, mais, à L.A., ce n'aurait pas été considéré comme cool. Il ne se souciait pas particulièrement des règles dites « socialement acceptables », mais il semblait toujours se fondre dans à peu près n'importe quel groupe ou communauté tout en restant fidèle à lui-même. Plus ou moins.

Repérant une table libre, Chris fonça dessus pour se l'approprier. Il venait tout juste de prendre place sur un des tabourets hauts quand une serveuse aux longues jambes et aux lèvres artificiellement gonflées l'accueillit.

— Vous êtes seul ? demanda-t-elle dans un ronronnement câlin, en le frôlant de ses seins voluptueux.

Chris détestait déjà l'endroit. Ça lui rappelait pourquoi il était si las de tout ce cirque.

— En fait, j'attends mon épouse. J'ai embauché une baby-sitter pour la nuit, histoire de lui offrir un break.

Quatre gosses à élever, ce n'est pas de tout repos, vous savez ?

En moins de deux secondes, la serveuse passa du mode séductrice un peu chatte à celui de couguar carnassière ; les duos mari-femme n'étaient pas connus pour leurs généreux pourboires, surtout avec quatre marmots.

— Et pour vous, ce sera ? demanda-t-elle, impatiente.

— Je prendrai un Coca-Cola, et mon épouse… de l'eau avec une tranche de citron.

La serveuse griffonna sur un bout de serviette et lâcha deux dessous de verre en carton sur la table avant de foncer vers trois hommes d'âge mûr qui, eux, avaient l'air susceptibles de laisser de gros pourboires.

Chris consulta sa montre : 22 heures. Abby devrait arriver d'une minute à l'autre. Il savait de source sûre qu'elle était ponctuelle, détestant qu'on la fasse poireauter, car elle-même mettait un point d'honneur à se présenter en avance, sinon pile à l'heure. Sa montre avançait peut-être un peu. Il continua de balayer la foule à la recherche d'une femme menue aux longs cheveux blonds bouclés.

— Qui cherches-tu ? Ta dernière bimbo en date ?

Chris fit volte-face.

— Petite sournoise, va ! À t'approcher de moi en catimini comme ça ! (Il lui offrit un sourire immense comme l'océan Pacifique.) Soulage un peu tes jambes et assieds-toi, Demi-Portion. (Il se leva pour tirer galamment vers elle l'autre tabouret vacant.) Tu voudrais que je t'aide, c'est bien ça ? Crache le morceau, Miss Reporter !

— Non, je ne veux pas de ton aide. Enfin, si, je la voulais, mais j'ai changé d'avis. Je suis petite, Chris, pas handicapée, répliqua-t-elle sèchement.

Pourquoi était-elle toujours aussi… pointilleuse avec lui ? Elle eut soudain l'impression d'avoir de nouveau seize ans.

— Je crois en fait que tu as grandi de… (Il lorgna ses talons aiguilles.)… dix centimètres, je dirais. Comment diable arrivez-vous à marcher avec ces trucs, vous, les femmes ?

Abby sourit. Entre tous, Chris allait forcément remarquer ses talons hauts.

— Ils font un peu moins de huit centimètres, et je marche avec beaucoup de précautions. J'ai dû m'entraîner avec à la maison avant de m'aventurer dans le monde. Juste pour info, ils me font mal en bas du dos. Je parie que tu n'avais pas besoin de savoir ça, hein ?

Elle émit un son de gorge que Chris interpréta comme un gloussement. Un gloussement !

La hautaine et sourcilleuse serveuse leur apporta leurs verres, posant le Coca-Cola si rudement devant Chris que le verre déborda.

— Qu'est-ce que tu as fait pour l'énerver comme ça ? s'enquit Abby, se moquant que la serveuse l'entende.

— Ce doit être parce que je lui ai dit que j'attendais ma femme, à qui j'offrais cette soirée en amoureux, sans les quatre gosses.

Chris lui décocha un clin d'œil.

— Elle t'a peut-être reconnu d'après ce grand panneau en ville, tu sais, celui où s'affichent les dix célibataires les plus convoités de L.A., et elle sait que tu mens.

— Je n'ai pas demandé à ce qu'on me décerne pareil honneur et, pour info, sache que c'est gênant.

Au début, cette distinction l'avait amusé, avec son cortège de femmes assidues à le draguer. Puis ça l'avait très vite agacé.

Abby observait Chris du coin de l'œil tout en tâchant de repérer quels mauvais garçons et quelles filles faciles étaient en chasse au *Buzz* ce soir.

— Je suis sûre que tu n'as rien demandé, mais, pour autant que je sache, aucun mâle américain au sang chaud ne rejetterait cette couronne-là. J'imagine que ça a ses… avantages en nature.

Et comment… Mais il n'allait pas débattre de ses idylles avec Abby. Ni maintenant ni jamais. La seule relation dont il voulait discuter avec elle, c'était celle qu'ils auraient ensemble. Et qui n'était pas près de se nouer. Oh, non.

Subitement, il eut la gorge aussi sèche que le désert Mojave. Il but son Coca-Cola avant de répondre :

— En effet, c'est le cas. C'était le cas.

— Tu choisis. Ou ça l'est ou ça l'était.

— Abby, si tu dois le savoir, je… Peu importe. *(Qu'est-ce qui me prend, putain ? Ma langue a failli fourcher, et pas qu'un peu !)* J'ai tiré un trait là-dessus. Je ne suis pas surpris que tu m'asticotes avec ça. Mais j'y ai renoncé depuis un bon bout de temps déjà. Je me suis bien amusé, OK, seulement, il ne m'aura pas fallu longtemps pour comprendre que ce mode de vie effréné n'était pas aussi génial qu'on voudrait nous le faire croire. On commet tous des erreurs de temps à autre, même toi, Miss Perfection !

— Dois-je comprendre que le strass et les paillettes ont perdu de leur attrait ? le taquina-t-elle.

Pourvu qu'il dise « oui » !

— Je viens de te le dire, ce genre de vie n'est pas aussi merveilleux qu'on le prétend, Abby. J'attends plus de l'existence qu'une aventure sans lendemain avec une femme qui veut être avec moi uniquement pour m'utiliser et promouvoir sa carrière.

Il n'avait pas plus tôt proféré ces paroles qu'il les regretta ; impossible de les retirer. Mais c'était Abby, là, et elle n'était pas comme les autres.

— Si je ne te connaissais pas si bien, Chris, je me sentirais offensée. Mais il se trouve que je suis d'accord avec toi. Sache juste que je ne suis pas venue ce soir pour « promouvoir ma carrière ». Quand je t'ai appelé en te demandant un sujet d'article, j'avais sur le moment besoin d'un tuyau, d'un potin quelconque, mais j'ai changé d'avis. Je n'ai besoin de rien venant de toi.

Ouh, la menteuse, elle est amoureuse ! se chantonna-t-elle. *Je veux tout ce que tu pourrais m'offrir, Chris ! À moi et rien qu'à moi, Abby.*

Si elle l'avait giflé, elle n'aurait pas pu plus le choquer qu'avec pareille déclaration. Il aurait voulu avoir le cran de libérer sa conscience, mais il ne le pouvait pas. Tout ce qui lui était envisageable, c'était de se montrer à la hauteur de leurs joutes verbales, en jouant son rôle habituel d'impudent « Bel-Ami ».

— Tant mieux, car si je te livrais tous mes secrets, il faudrait ensuite que je t'exécute, badina-t-il.

Pourquoi ne voyait-elle pas que ça le tuait de rester assis là à faire comme si elle ne représentait rien de plus à ses yeux qu'une bonne copine ? Mais s'il ne pouvait rien espérer d'autre, il vivrait en s'en contentant.

Abby plongea les yeux dans les siens, de son regard bleu attentif et résolu. Chris eut de nouveau l'impression d'être un petit garçon le matin de Noël. L'estomac tout noué, la pointe des oreilles échauffée, la nuque en feu… Et merde, il était tout chose, qui croyait-il donc abuser ? Il aurait voulu détourner le regard, mais il n'arrivait plus à se détacher de celui d'Abby. Ce fut elle la première qui baissa les yeux sur la table, passant l'index dans la petite flaque de Coca renversé. Elle fit mine de reprendre la parole, se ravisa et jeta un coup d'œil au bar comme si elle le voyait pour la première fois – et n'appréciait pas ce qu'elle avait sous les yeux.

— Tu veux qu'on aille ailleurs ? Dans un endroit moins… artificiel ? suggéra-t-elle de but en blanc.

Ne sachant que répondre, Chris se contenta de hocher la tête.

— Tu as dîné ?

— Est-ce qu'un demi-litre de glace à la menthe avec des copeaux de chocolat, ça compte ? blagua-t-il.

— Ça dépend à qui tu poses la question. En ce qui me concerne, je dirais « oui ». Mais ça fait des jours que je rêve d'un hot-dog au chili de chez *Pink's* ! Brûlures d'estomac garanties, mais qu'est-ce que c'est bon !

Chris s'esclaffa, se souvenant à quel point elle raffolait de leurs hot-dogs au chili. Et lui aussi.

— Va pour *Pink's* !

Il prit un billet de 20 dans son portefeuille et le lâcha sur la table.

— Allons-y, cette musique me casse les oreilles.

Abby bondit trop vite de son tabouret, titubant sur ses hauts talons. Chris la rattrapa par le bras et l'attira contre lui. Elle fleurait bon les fleurs printanières et le soleil chaud. Un instant, fou et affolant, il crut qu'il allait tomber dans les pommes.

— Je t'avais bien dit que ces chaussures étaient un danger public. (Il examina la foule qui se pressait dans la boîte de nuit, cherchant du regard la sortie la plus proche.) Suis-moi.

Sans lui donner une chance de répondre, il lui passa un bras autour de la taille, la guidant à travers la cohue des fêtards. À deux reprises, quelqu'un les bouscula, manquant de peu de faire trébucher Abby. Quand ils atteignirent la sortie, Chris se fraya un passage au milieu d'un groupe de starlettes en train de pouffer. Il reconnut l'une d'elles pour l'avoir vue dans un film récent, *Les hommes préfèrent les truffes*. Le titre était encore plus truffe que le film.

Au-dehors, le fond de l'air était frais et venteux, mais, après la touffeur du bar archibondé, c'était une bénédiction.

— Je suis garée là-bas, dit Abby. Tu veux qu'on y aille ensemble ou bien on prend chacun notre voiture ?

— Je vais conduire.

Elle hésita un peu avant d'acquiescer.

— Je ne peux pas veiller trop tard. Chester est tout seul à la maison. En outre, j'ai l'intention de passer du temps avec maman et mes trois marraines demain.

— Je promets de ne pas te faire veiller toute la nuit. Parole de scout.

Il sourit en déployant trois doigts devant lui.

— Tu n'as rien d'un boy-scout, Christopher Clay. N'oublie pas que je te connais, toi et ta réputation.

Elle lui écarta la main d'une tape espiègle tout en le suivant à sa voiture, ses chaussures de pouf à la main.

À cette minute très précise, Chris Clay aurait voulu tomber à genoux et déclarer à Abby qu'il avait renoncé à ses frasques de mauvais garçon et n'attendait plus qu'une chose : qu'elle le remarque. Mais il ne pouvait pas faire ça. Même si, par miracle, il se mettait à genoux et lui donnait son cœur, son instinct lui soufflait qu'Abby lui rirait au nez, sans croire un traître mot de ce qu'il dirait.

Chapitre 28

Calée contre l'appui-tête, Abby soupira.

— Je n'arrive pas à croire que je viens de m'envoyer trois hot-dogs au chili ! Je sais juste que je ne vais pas tarder à le regretter. Tu aurais dû m'arrêter au deuxième.

Chris tendit le bras pour lui tirer les cheveux, comme à son habitude.

— Je n'aurais pas pu même si je l'avais voulu. Nom d'un chien, ils m'avaient manqué, ces hot-dogs ! Ça faisait des années que je n'en avais plus mangé.

Chris se dit que ça faisait des années aussi qu'il ne s'était plus autant amusé, mais il se remémora aussitôt le dîner au *Polo Lounge*, qui avait été presque aussi formidable. Presque, mais pas tout à fait, car, ce soir, il avait Abby pour lui tout seul.

— Traîne un peu avec moi, et je te montrerai ce qu'est un bon dîner. (Chris gloussa.) Ça t'arrive, des fois, de manger du popcorn le soir ? Tu ne me parais pas avoir le moindre problème de poids.

Malédiction, il venait vraiment de dire ça ? Dans l'univers des femmes, il ne fallait jamais parler d'âge ni de poids : tous les hommes le savaient bien.

Ça t'arrive, des fois, de manger du popcorn le soir ?

Quel couillon, si ce n'était pas se tirer une balle dans le pied, ça !

— Tout le temps, railla Abby. Hé, tu veux savoir un truc ?

— De toi, je veux tout savoir, répondit-il d'un ton sérieux qui n'avait plus rien de léger ni de badin.

Il sentit peser sur lui le regard d'Abby, mais ne pouvait détourner les yeux de la route ; ils approchaient du *Buzz Club*, et il y avait des bouchons.

— J'allais dire que… j'étais… je t'aime bien… c'est tout, bafouilla Abby en regardant par la vitre les attroupements qui se formaient devant la boîte de nuit.

Tendant le bras devant le tableau de bord, il lui prit la main.

— Moi aussi, je t'aime bien, Abby. Plus que tu ne le sais.

Là, c'était dit. Il attendit qu'elle lui flanque une bourrade, qu'elle lui tire sèchement les cheveux à son tour… Bref, il guetta une réaction de sa part, mais elle resta sur son siège, à regarder par la vitre en silence. Il n'aurait sans doute pas dû dire ça, bon sang, il n'aurait rien dû dire. Il venait probablement de gâcher l'amitié fraternelle de toute une vie.

— Moi aussi, répondit-elle si bas qu'il ne fut même pas certain qu'elle ait parlé.

Il parvint à manœuvrer sa Toyota Camry dans le parking sans percuter un autre véhicule. Il se fit soudain l'impression d'être redevenu ce gamin à Noël. Serrant la main d'Abby, il trouva une place près de sa Mini Cooper, coupa le moteur puis se tourna vers elle.

Sois sage, mon cœur.

— Viens-tu de dire ce que je pense que tu viens de dire ? Et, dans ce cas, est-ce que ça veut dire que tu acceptes de dîner avec moi de temps en temps ? Par exemple demain soir ?

Il faisait partie des dix célibataires les plus courtisés de L.A., et il n'avait rien de plus original en magasin ? Tant pis, au moins, il se montrait vrai et authentique. Très vrai. Plus qu'il ne l'avait jamais été en trente-trois ans d'existence.

Abby se tourna vers lui, une lueur espiègle dansant au fond des yeux.

— Ça dépend.

Quand il vit qu'elle le taquinait, il entra dans son jeu, comme il l'avait toujours fait, sauf que, cette fois, c'était différent. Spécial. Bon sang, c'était carrément grisant !

— De quoi ?

— De beaucoup de choses. D'abord, naturellement, l'endroit où tu m'emmèneras. Je ne veux pas manger de caviar ni boire du champagne à 1 000 dollars la bouteille mais qui a un goût de vieille chaussette. Personnellement, j'aime le steak. Saignant. Et plein de pommes de terre au four avec du fromage et du bacon. Je n'aime pas trop les salades en général ; en revanche, les légumes, j'adore. À condition qu'ils soient cuits d'une certaine façon, pas trop mous mais croquants, tu sais, quand on les entend presque craquer en mordant dedans ?

Chris la dévisagea, ne sachant trop si elle était sérieuse ou… fidèle à elle-même. C'était exactement ainsi qu'il aimait ses légumes, et sa viande, et ses pommes de terre. Nom de nom !

Inspirant à fond, il porta la main d'Abby à ses lèvres et lui embrassa le bout des doigts. Un par un, doucement, posément, comme s'il l'avait déjà fait. C'était mieux que dans ses fantasmes, mieux que tout ce qu'il aurait pu imaginer dans ses rêves les plus fous. Il lui prit l'autre main et recommença, lentement, amoureusement, un doigt à la fois. Quand il l'entendit hoqueter, il faillit perdre toute maîtrise de lui-même.

— On ira où tu voudras, promit-il en continuant à lui effleurer le poignet de baisers délicats.

Abby retira sa main et toucha la zone érogène à l'intérieur de son poignet, là où il venait de promener ses lèvres. Irréel, voilà ce que c'était. Comment une invitation à aller manger un hot-dog avait-elle pu se transformer en quelque chose d'aussi sensuel et grisant ? Avec lui ? Pas juste Chris, mais l'homme de ses rêves ?

— Je m'imaginais vivre cet instant depuis la première fois où je t'ai vu. On dirait qu'il y a des années-lumière de ça, dit Abby d'un ton léger.

N'étant pas certaine qu'il l'ait entendue, elle se racla la gorge ; si l'un ou l'autre ne mettait pas un terme à cette sensuelle séduction, elle ne saurait être tenue pour responsable de ce qui allait se produire.

Haïssant ce qu'elle allait faire, mais sachant qu'elle le devait, Abby déboucla sa ceinture et prit sa pochette. Elle se tourna vers Chris.

— Je dois y aller. Chester… il faut que je le sorte. Alors je pense que…

— OK, OK. Je t'appellerai à la première heure demain. Promis. Ça te va si je t'appelle tôt ? Tu sais, d'ici quelques petites heures ? Je ne dormirai probablement pas, alors je serai vite levé. Et je sais que tu te lèves tôt aussi, mais ça ne veut pas forcément dire la même chose pour tout le monde. Tu veux que je te raccompagne à ta porte ?

Malheur, on dirait un ado de quatorze ans en rut !

Oui, elle voulait qu'il la raccompagne à sa porte, qu'il entre chez elle et qu'il lui fasse ce dont elle n'avait fait que rêver, mais tout ça, elle ne pouvait pas le lui avouer. Pas encore. Elle se rabattit donc sur :

— Merci, mais ça ira. Je fais ça tout le temps, tu sais ? Appelle-moi tôt, d'accord ? Vraiment tôt. Tu as raison, je dors comme toi. Tôt, c'est très bien. Euh… je serai debout, alors c'est OK de m'appeler tôt. Tu sais, vraiment tôt.

Il faut que je sorte d'ici tout de suite !

— Il faut vraiment que tu y ailles ?

— Oh, arrête ! Tu sais ce que je veux dire. Sérieusement, il faut que je rentre.

— OK, Abby. Nous parlerons demain. Tôt. Vraiment tôt.

Elle hocha la tête et regagna sa voiture, regardant Chris qui l'observait. Elle le salua d'un petit geste avant de pêcher ses clés dans sa poche. Elle déverrouilla les portes puis, comme en transe, s'effondra sur le siège en posant sa pochette du côté passager. Jamais au grand jamais elle n'aurait imaginé pareille chose. Qu'avait-elle donc raté toutes ces années ? Chris ne lui avait jamais fait du plat comme ça, n'avait jamais – réellement – flirté avec elle. Il avait toujours été un bon ami enclin à la taquiner, à l'appeler « Demi-Portion » et… il lui avait embrassé les doigts. Un à un. Elle se demanda si elle arriverait encore à les laver. Elle pourrait peut-être les protéger comme le faisait Ida, en portant des gants en latex ?

Secouant la tête pour s'éclaircir les idées, elle inséra la clé dans le contact, puis enclencha la marche arrière. Elle était tellement à ce qu'elle faisait qu'elle ne vit pas la Corvette se garer juste à côté d'elle, manquant de peu d'accrocher l'arrière de son pare-chocs.

Quel crétin! pesta-t-elle en reculant.

On aurait presque dit que le gars avait cherché à la percuter. Il devait avoir un coup dans l'aile et n'aurait certainement pas dû tenir un volant. Elle regarda le véhicule bleu étincelant, attendant de voir si le conducteur allait descendre et s'excuser. Quand elle constata que ça n'était pas près de se produire, elle embraya et oublia la Corvette. Elle aurait dû lui faire un doigt d'honneur. Sa mère ou Sophie, elles, ne s'en seraient pas privées. Non, plus exactement, Sophie aurait jailli de la voiture et flanqué un coup de pied à la Corvette nickel du malotru avant de lui en décocher un entre les jambes. Après quoi, elle lui aurait fait un doigt d'honneur sous les encouragements de sa mère. Ou vice versa, avec Typhon Toots pour allonger les coups de pied et Sophie pour la coacher.

Refusant de laisser l'abruti à la Corvette lui gâcher ce qui était à ses yeux une soirée idéale, Abby s'engagea dans la voie principale et jeta un coup d'œil au rétroviseur, cherchant la Toyota de Chris. Ne la voyant plus, elle eut un pincement au cœur. Avait-elle vraiment désiré qu'il la suive jusqu'à Brentwood alors qu'elle venait de lui assurer que ce n'était pas nécessaire ? Au fond, elle devait admettre que oui. Dans les deux relations amoureuses passagères qu'elle avait connues, elle n'avait pas ressenti d'amour sincère ni de prévenance à son égard. Était-ce ce qu'elle attendait à présent de Chris ? Là encore, elle admit que ça ne la chagrinerait certes pas, mais il était trop tôt, et c'était trop nouveau pour commencer à se perdre en conjectures sur tout ce qu'il pouvait dire ou ne pas dire.

Chris était son ami depuis toujours. Il lui faudrait du temps pour s'habituer à le voir autrement. Souriant, Abby sut qu'elle se ferait volontiers à l'idée.

Vingt minutes plus tard, elle glissa sa Mini Cooper sous l'auvent, à sa place habituelle. Jetant un coup d'œil à l'horloge numérique du tableau de bord, elle vit qu'il était 1 heure et des poussières. Il lui restait plein de temps pour faire ce qu'elle avait à faire. Se débarrassant de ses talons hauts avant de descendre, histoire d'éviter de trébucher encore, elle passa les lanières en cuir autour de son index puis reprit sa pochette. Elle entendait Chester haleter de l'autre côté de la porte quand elle inséra la clé dans la serrure.

—J'arrive, mon garçon.

Elle ouvrit, puis se pencha pour qu'il puisse lui faire fête avant de franchir le seuil d'un bond pour gagner le jardin de devant. Abby lui laissa le temps d'asperger consciencieusement tous les buissons avant de le rappeler à l'intérieur.

Après s'être changée pour revêtir sa chemise de nuit Wonder Woman, elle transféra son ordinateur portable dans sa chambre, le posa sur l'édredon, se cala deux ou trois oreillers dans le dos et se mit au travail. Le berger allemand sauta au pied du lit, où l'attendaient sa couverture et son oreiller, installés par-dessus l'édredon.

—C'est tout prêt, Chester, mais ça, tu le sais, hein ?

—Ouah, ouah !

Abby s'esclaffa et revint à son boulot. Ragot et sa mystérieuse disparition l'avaient turlupinée toute la journée. Elle consulta sa messagerie pour voir si elle avait eu une réponse à son e-mail du matin. Négatif.

Se souvenant du siège informatique déplacé dans le bureau de Ragot, elle se demanda si l'un de ses potes joueurs n'était pas à la recherche de ce salaud. Mais, dans ce cas, pourquoi diable se faufiler dans les lieux et en repartir tout aussi discrètement ? Pourquoi ne pas faire le tour des bureaux, questionner les gens, voir si quelqu'un, parmi le personnel, savait où il était passé ? Tout ça n'avait aucun sens. Si le journal n'avait pas été récemment vendu, Abby n'aurait sans doute pas réfléchi à deux fois à la disparition du boss. Mais, ayant récolté une telle somme, ne voudrait-il pas se vanter, ou rappeler à ses employés que leurs nouveaux patrons allaient faire venir leurs propres équipes ? Bien sûr que si. Elle se souvenait très clairement de ses propos. Elle en était sûre et certaine. Impossible de s'y méprendre quand on était sur le point de perdre son emploi. Abby avait même appelé sa mère pour qu'elle la console. Mais là… non, décidément, elle restait perplexe.

Elle envisagea de contacter quelques-uns des lieux de prédilection de Ragot à Vegas, pour voir si quelqu'un l'avait vu ou avait entendu parler de lui, mais abandonna aussitôt cette idée. Si elle s'y risquait et que Ragot le découvrait, il la hacherait menu. Non, trop risqué, pour le moment. Y aurait-il là-dessous une femme ? Elle tenta de se remémorer s'il y avait eu une mention quelconque d'une dernière petite copine en date, mais il y en avait véritablement trop. Ce vieux salaud citait rarement des noms, de toute façon. Quand il en parlait, c'était habituellement des « ma chérie », « ma poupée », « ma nana » ou autre référence machiste.

Elle devrait peut-être demander à Chris d'enquêter sur la disparition de Ragot. Il était avocat, donc connaissait sûrement un détective qui pourrait mener ses propres investigations sans que ça soit porté sur la place publique. Oui, Chris saurait quoi faire. Elle songea qu'il était bien tard, mais il avait dit qu'il ne se coucherait pas et l'appellerait tôt. En repensant à leur conversation, elle eut comme une vague de chaleur. Que penserait-il si elle prenait les devants, sans attendre qu'il lui téléphone ? Il s'agissait de Chris, se rappela-t-elle. Il se moquerait bien de l'heure à laquelle elle allait l'appeler. Elle courut dans la cuisine, où elle avait laissé son téléphone portable à charger. Elle composa rapidement son numéro tout en repassant dans sa chambre.

— Chris Clay.

Abby sourit.

— Tu te souviens, tu es censé dire « bonjour » ?

Elle crut entendre un froissement de draps, puis le cliquetis d'une lampe qu'on allume.

— J'aurais dû me douter que c'était toi. Quoi ? Tu ne pouvais pas attendre que je t'appelle ? Personne ne m'appelle si tard à part ta mère. Je dis toujours ça, pas vrai ?

Il se comportait encore comme un morveux de quatorze ans. Ç'avait dû être un bel âge dans sa vie.

— Tu étais au lit ?

Abby se représenta ses grandes épaules, ses traits d'une beauté classique, ses cheveux noir comme le jais tout ébouriffés tant elle passait les doigts dedans… Puis elle s'imagina blottie contre lui.

— Oui, mais je ne dormais pas. Il se pourrait même que je ne dorme plus jamais. J'attendais juste qu'il soit… tu sais, tôt, pour t'appeler. Abby ?

Quatorze ans et un mois.

— Oh, désolée ! Quoi ?

— Tu m'as demandé si j'étais au lit, et je t'ai répondu, répéta Chris.

— Tu veux que je te rappelle demain ? demanda-t-elle – avant de se souvenir qu'on était demain.

— Non, je suis réveillé. En fait, je pensais à toi. Alors, qu'est-ce qui se passe ?

— Tu vas croire que je suis dingue, mais ça, je suis certaine que tu le penses déjà. (Abby prit une vive inspiration.) De même que je suis certaine que tu nous as entendues, maman et moi, discuter hier soir de *The Informer* au dîner.

Elle marqua une pause, lui laissant une seconde pour la suivre. Puisqu'il n'ajoutait rien, elle continua sur sa lancée :

— Ragot, mon boss, n'est pas venu au bureau aujourd'hui. Enfin, je veux dire hier. Ce qui, en soi, n'est pas inhabituel. Tout le monde sait qu'il passe ses week-ends à jouer les flambeurs et à picoler à Vegas. Il se pointe rarement le lundi, mais au moins il passe un coup de fil pour prévenir, sous un prétexte à la noix ou un autre. Se remettre de sa gueule de bois lui prend généralement une journée. Là, c'est le milieu de la semaine, le journal vient d'être racheté, et il n'est nulle part. J'ai envisagé de contacter les casinos où il traîne, mais si, jamais il le découvre, il va me tuer, ce qui m'amène à l'objet de cet appel. Je me dis qu'un avocat comme toi connaît forcément un enquêteur dont je puisse m'assurer les services pour retrouver Ragot. Je sais ce que tu vas dire, mais, avant que tu le dises, ne gaspille pas ta salive. Bien sûr que j'ai mes contacts, moi aussi. C'est juste que je rechigne à m'en servir dans cette affaire.

Quand Ragot décidera de nous faire l'honneur de sa présence, il me dézinguera pour avoir osé me renseigner sur lui. Alors est-ce que tu penses pouvoir m'aider sur ce coup-là ? On peut encore s'appeler tout à l'heure, tu sais. Ce coup de fil, c'est juste… un ballon d'essai.

Oh, Dieu, peut-on être plus gauche que ça ?

Plusieurs secondes s'écoulèrent avant que Chris réponde et, quand il le fit, ce fut un choc pour elle.

— J'ai peur de ne pas pouvoir, Abby.

— De ne pas pouvoir ou de ne pas vouloir ? le reprit-elle, fâchée par sa réaction.

— Ni l'un ni l'autre. C'est un simple conflit d'intérêts. Ta mère m'a engagé pour un travail. Je suis désolé. C'est tout ce que je peux te dire.

Et elle qui croyait qu'après l'avoir langoureusement embrassée sur le bout des doigts Chris se plierait à tous ses désirs ! Elle avait tout faux. Ce qui l'amenait forcément à en déduire que la soirée entière avait été un « conflit d'intérêts ».

Il fallait qu'elle réponde quelque chose.

— Je vois. Alors j'imagine que je ne te dérangerai plus. Bonne nuit.

Elle raccrocha sèchement et se promit de ne plus jamais demander de faveur à Christopher Clay tant qu'elle vivrait.

Dût-elle vivre éternellement.

Chapitre 29

Sophie, Mavis et Ida se réunirent dans la salle à manger de Toots. Pour une raison ou une autre, ce bungalow-là était devenu leur QG officieux. Toots devait admettre que ça lui plaisait bien ainsi, car elle était flemmarde. Si elle décidait de fumer, c'était son droit. Son bungalow était une zone fumeurs. Et si ça déplaisait, tant pis ! Vu qu'elle réglait la note pour ces petites vacances, ses désirs devaient compter pour quelque chose. Ce qui lui rappela sa perte sèche de 10 millions de dollars. Elle était tellement en pétard que la fumée lui sortait presque par les oreilles. Pour le moment, elle devait composer avec ses amies. Elle avait le restant de sa vie pour ourdir la perte de l'escroc qui lui avait volé ce fric. En cet instant même, les filles et elle s'envoyaient des cocktails sous forme de *jelly*. Elle se ferait du mouron pour ses 10 millions de dollars le lendemain.

— Mavis, il suffit de te le verser dans la gorge. Tu n'as pas besoin de mâcher, en fait, dit Toots en la voyant se servir d'une cuillère pour déguster son cocktail au citron vert.

Toots avait commandé ces drôles de *shots* après avoir vu deux jeunes femmes en siffler allégrement au bord de la piscine. Une nouvelle expérience à ajouter à sa liste évolutive.

— Je savoure.

— Laisse-la faire, Toots. Si elle veut se servir d'un couteau et d'une fourchette, c'est son affaire, l'admonesta Sophie.

— OK, OK. Mais je vous rappelle que Mavis est au régime et, aux dernières nouvelles, l'alcool fait grossir.

— Arrêtez de vous bouffer le nez, toutes les deux, s'interposa Mavis.

Elles continuèrent sur leur lancée, comme toujours.

— Si Sophie gardait pour elle ses avis dont personne ne veut, insista Toots, on ne se « boufferait pas le nez », comme tu dis.

— Peu importe ! Tu es aussi agaçante que moi, Toots, admets-le. Bon, donne-moi un autre *shot*. J'ai l'intention de m'enivrer ce soir.

Toots sortit du réfrigérateur un nouveau plateau de cocktails en gelée.

— Une raison en particulier ?

— J'ai passé un coup de fil à la maison et j'ai parlé à l'infirmière de Walter. Il ne va vraiment pas bien. Selon elle, ses organes vitaux commencent à succomber pour de bon. Pour un homme qui n'a plus de foie, à quoi s'attendait-elle ? Elle a fait comme si j'étais censée être surprise ou attristée. Elle a dit que ce ne serait peut-être plus qu'une question d'heures avant qu'il décède. Puis elle a insinué que n'importe quelle épouse serait aux côtés de son mari en de pareils moments. J'aurais voulu lui demander combien des maris qu'elle avait veillés sur leur lit de mort avaient battu leur femme comme plâtre, mais je me suis bien tenue. Je l'ai simplement priée de me rappeler si ça s'aggravait. Alors, est-ce que ça répond à ta question ? (Sophie avala un nouveau cocktail et s'empara du suivant.) Pourquoi ne porterions-nous pas un toast, Toots ? Mavis ? Ida ?

— D'accord, répondit Toots.

Mavis leva son verre à *shot* vide.

— Je ferai comme s'il était plein.

— Ce sera sans moi, répondit Ida, présidant à la tête de la table.

— À Walter, puissent sa fin être douloureuse et le règlement de son assurance-vie rapide !

Elles trinquèrent, inclinant leurs petits verres.

— À Walter !

Toots observait Sophie du coin de l'œil. Elle savait bien qu'au fond cette vieille chouette coriace était mal et souffrait. Non pas tant en raison de la mort imminente de Walter que de la tristesse qu'inspiraient ces moments de rupture.

— Je peux te réserver un jet privé quand tu devras y aller, OK ?

— Ça marche, Toots. Merci.

Le petit groupe marmonna, maugréa et continua à boire. Et à cloper.

Sophie leva son verre vide. Toots rouvrit le réfrigérateur et en sortit les deux derniers *shots*, qu'elle lui tendit.

— Tu peux les prendre. Moi, j'en ai assez. Tu avais raison de vouloir t'enivrer cette nuit, Sophie. Après les funérailles de Leland, je me suis envoyé une bouteille entière de champagne. Toutes les veuves devraient se pinter, à mon avis. Déjà, ça atténue la peine de devoir porter du noir. Mais ça, c'est juste quand on s'en fout. Moi, je m'en foutais de Leland, et il est clair que Sophie s'en fout aussi. Alors, vous voyez ? J'ai raison !

— Je t'ai déjà dit que je ne porterai pas de noir. Je mettrai du rouge. Je ne veux pas porter le deuil, Tots, Tits… tu vois ce que je veux dire ? Je veux juste régler les funérailles de Walter, lui cramer le cul et en finir. Je ne suis même pas certaine de vouloir rester en ville. C'est tellement moche, avec tous ces gros sacs-poubelles qu'on balance sur la chaussée. Ça pue ! Pourquoi je devrais retourner là-bas, hein ? Est-ce que l'une de vous peut me donner une bonne raison ? (Sophie commençait à parler d'une voix pâteuse.) Ida ?

— Tu peux venir dans le Maine vivre avec moi, offrit Mavis. J'ai une jolie petite maison de campagne. Tu n'aurais rien à me verser.

— Oh, Mavis, tu es bien trop gentille ! En deux jours à peine, tu en aurais déjà marre de moi. Je pourrais aussi venir emménager avec Ida, ça lui plairait, pas vrai, Ida ?

L'appréhension qui transparut sur les traits d'Ida fit pouffer Sophie. Quand elle eut repris son souffle, elle précisa :

— Je plaisante, OK ? Tu en fais quoi de tes poubelles, Ida ? Je voulais te poser la question.

— Sophie, tu te crois maligne ? réagit Toots.

— Au moins, je suis une maligne honnête. (Sophie se tourna vers Ida.) Alors comment tu gères tes poubelles, toi qui as si peur d'y toucher ?

Toots ne put lutter. Elle se plia en deux en se tenant les côtes de rire.

— Sophie, tu as toujours été une garce, répliqua Ida. Je retourne dans mon bungalow. Bonne nuit, Mavis, Teresa.

— J'imagine que ça veut dire qu'elle ne va pas me répondre. Bonne nuit, Ida, dors bien, ne laisse pas les punaises te mordre! s'exclama Sophie dans un éclat de rire.

Ida sortit, mais Sophie continua sur sa lancée comme si de rien n'était:

— Je dénicherai peut-être un endroit ici. Le climat est idéal, et je n'ai pas encore senti de poubelles dans le coin.

Elle se cala une cigarette au coin des lèvres, l'alluma et prit une grande bouffée qu'elle retint aussi longtemps que possible avant d'exhaler d'un coup. Un glorieux rond de fumée s'éleva au-dessus de Toots.

— Tu ne devrais pas être si dure avec Ida. Nous savons toutes qu'elle est dingue, mais c'est notre amie, lui rappela Toots.

— Oh, au diable Ida et ses grands chevaux! s'emporta Sophie. J'en ai marre de sa phobie, de sa maladie ou de ce qu'elle peut bien avoir, franchement! S'il y avait un homme dans sa vie, je suis bien certaine qu'elle oublierait sa folie comme ça, d'un coup! Au fait, j'ai décidé de ne pas garder l'assurance-vie de Walter. J'en ferai don à des œuvres de bienfaisance. Que dites-vous de ça?

— Ce pourrait être la solution au problème d'Ida, mais elle ne l'admettra jamais. Il se peut que tu aies raison, Sophie, et que ce soit aussi simple que ça, vu qu'elle ne peut pas vivre sans homme. Elle n'était pas aussi atteinte avant la mort de Thomas. Je me demande si elle n'aurait pas juste besoin de s'envoyer en l'air, genre, toute la nuit, fit remarquer Toots, songeuse.

— Oh, vous deux, je vous jure! Je vais me coucher avant de mourir de rire. J'ai une séance programmée à 7 heures demain matin.

Mavis se souleva de sa chaise, attrapa Coco en accrochant la laisse minuscule au collier incrusté de strass, puis se dandina en direction de la porte.

— Bonne nuit, les filles. Soyez sages, hein.

— Bonne nuit, Mavis. Appelle-moi au bungalow sitôt que tu auras fini ta séance d'entraînement, dit Toots.

Elle aurait pu jurer que son amie se déplaçait déjà un peu plus vite que la veille.

— Promis. Bonne nuit, Sophie.

Celle-ci agita une main.

— Bonne nuit, Mave.

Dès qu'elles se retrouvèrent seules, Toots mit du café en route.

— Tu veux rester là cette nuit ? Tu es trop ivre pour errer à la recherche de ton bungalow, et je suis trop lasse pour traîner ta carcasse dans la bonne direction.

— Je ne suis pas ivre à ce point ! C'est juste que j'aime titiller Ida et Mavis, les choquer un peu.

— C'est ce que je me disais. Tu étais sérieuse à propos des associations caritatives ?

— Oui, mais, à la réflexion, si je t'en faisais don, plutôt, pour compenser tes pertes ? Tu as du nouveau sur le voleur qui a fait main basse sur tes 10 millions ? Je voulais te poser la question, mais l'occasion ne s'est pas présentée.

Toots fut abasourdie par l'offre de son amie. La perspective de toucher cette indemnité de 5 millions de dollars était tout ce qui avait permis à Sophie de ne pas perdre la raison durant tant d'années. Toots comprit alors que ça n'avait jamais été une question d'argent. D'où son offre. En attendant que le café passe,

Toots sortit deux tasses du placard et de la crème allégée du frigo. Le sucrier était déjà sur la table.

— Tu n'es pas ivre, n'est-ce pas ? Tu dois être la plus grande bluffeuse du monde. Et, pour répondre à ta question, non, je n'ai rien de nouveau. J'espérais que Chris m'appellerait, justement, mais je n'ai toujours rien. Je me demande si je n'aurais pas intérêt à contacter ma banque à Charleston ? Elle devrait pouvoir retrouver trace de mon argent plus rapidement que Chris. Le problème, c'est qu'en moins d'une heure la ville entière sera au courant.

— Non, je ne suis pas ivre. Comme c'est astucieux de ta part de le remarquer, Toots. Mais, pour répondre à ta question, je ne vois pas quel mal il y aurait à ça, et je parierais tout ce que tu voudras que Chris n'a pas les connexions dont dispose ton grand ami Henry. J'en connais un rayon là-dessus. N'oublie pas que j'étais mariée à un banquier. Walter était un époux minable, mais, en revanche, il était sacrément doué dans son boulot, jusqu'à ce qu'il se mette à boire. À moins que tu ne veuilles vraiment pas que la ville en fasse des gorges chaudes, à ta place, je passerais ce coup de fil.

— Je le ferai quand la banque ouvrira. Tu sais, il y a quelque chose qui me tracasse dans ce qu'a dit Abby cet après-midi. Tu te souviens, elle s'inquiétait à propos de son boss, le flambeur alcoolo ?

Toots servit le café.

— Ouais, je me souviens. (Sophie versa de la crème dans sa tasse.) À quoi tu penses ?

— Si c'est lui qui m'a piqué le fric, comme tout porte à le croire, il doit être en cavale. Selon Abby, il croule sous les dettes, son journal est hypothéqué, et voilà soudain que le compte de garantie de Chris est crédité de mes 10 millions. Le boss d'Abby était au courant de mon versement. Qui d'autre le savait ? Et voilà qu'un hacker y accède et, pouf, envolé mon argent ! avant même que Chris ait le temps de le transférer sur le compte de *The Informer* comme paiement du rachat. Et, pour couronner le tout, voilà que cette raclure de bidet se déguise en courant d'air ! Je me demande encore pourquoi diable je n'avais rien vu venir...

— Chris a bien dit que l'argent avait été transféré sur un compte en banque aux îles Caïmans. Je crois que tu tiens une piste, Toots. Nous devrions peut-être y faire un saut.

— Exactement, mais tu n'es pas au courant ? Ils sont en plein cyclone, là-bas. Je l'ai vu sur Internet ce matin quand je consultais ma messagerie. L'aéroport est fermé, et les îles sont presque toutes privées d'énergie, d'après ce que j'ai lu. Un retour à la normale pourrait prendre des jours.

— Alors, que vas-tu faire ?

— C'est bien le souci. Je ne peux rien faire, du moins pas avant que tout soit rétabli sur Grand Cayman. Je continuerai de suivre les nouvelles et les communiqués sur le Net. Maintenant que j'ai déballé toute l'histoire, franchement, je n'en reviens pas à quel point ça crevait les yeux ! Je perds 10 millions de dollars, subtilisés sur le compte de Chris avant même qu'il puisse les transférer sur celui de *The Informer*, et, comme par hasard, le propriétaire du journal se fait la malle !

» Je crois fermement au bon sens. Le seul problème, c'est que je ne peux pas formuler mes accusations officiellement sans qu'Abby apprenne du coup que c'est moi qui ai voulu racheter ce canard, moi la pauvre poire qui s'est fait arnaquer de 10 millions de dollars. Si ça venait à se savoir, que sa mère a cherché à racheter le journal, Abby en serait humiliée ; un journal largement en perte de vitesse, par-dessus le marché ! Celui pour lequel elle travaillait... Et voilà que la mère est victime d'une escroquerie avant même que la transaction ait pu se faire. Les autres tabloïds s'en donneraient à cœur joie, ça leur ferait des manchettes d'enfer ! Le scoop ultime, et ce ne serait même pas celui d'Abby.

— Je vois les gros titres d'ici... « Ragot rafle la mise ! » C'est bien le surnom qu'Abby lui donne : « Ragot » ?

— Oui, en fait, elle m'avait dit un jour que ses initiales sont RAG et qu'ils le surnommaient « Ragot » dans son dos. Tu as raison, ce serait vraiment moche. Quand je lui mettrai la main dessus, je lui tordrai le cou !

— Et tu iras en prison jusqu'à la fin de tes jours, l'informa vertueusement Sophie.

— Je ne disais pas ça au sens propre. C'est juste une façon de parler. Je suppose que les fédéraux se lanceront à ses trousses puisqu'il est question de fraude bancaire. Ils l'enverront à l'ombre si longtemps qu'il en oubliera ce qu'il avait bien pu faire au départ pour échouer là.

— Ce serait encore trop bon pour lui, si tu veux mon avis.

— C'est vrai.

Toots apporta la cafetière à table pour remplir leurs tasses.

— Donc, quand les dégâts du cyclone seront réparés, tu iras là-bas ?

— Peut-être. Je verrai ce qu'en pense Henry. Je suis certaine qu'il a des contacts sur place. Tu l'as dit, les banquiers connaissent d'autres banquiers, ce genre de choses. S'il estime que j'ai intérêt à faire le déplacement, je le ferai. Je demanderai aussi son avis à Chris, cela va de soi. Il a toute ma confiance, il est futé, mais je ne crois pas qu'il tenait à se retrouver mêlé à cette transaction ; il m'a accordé une faveur, en réalité. Il avait essayé de m'en dissuader, et je ne l'ai pas écouté.

— En tout cas, sache que je ferais la même chose à ta place. Merde, et même si je ne l'étais pas ! Tu as agi ainsi dans l'intérêt d'Abby, pas pour toi. Nous voulons ce qu'il y a de meilleur pour elle parce que nous l'aimons toutes.

— Je le sais bien, et Abby aussi. Je sais également qu'elle n'apprécierait pas que je fourre mon nez dans ses affaires. Elle a établi des règles il y a longtemps et, en gros, mère ou pas mère, je m'y conforme. Ou je m'y efforce. Il se peut que ça ne me plaise pas plus que ça, mais au moins je joue le jeu.

— Quand nous quittions l'immeuble tout à l'heure, je l'ai entendue te questionner à propos du rachat du journal. Ça voulait dire quoi ?

— Ça m'a flanqué un de ces coups, mon sang s'est glacé dans mes veines ! Je crois que quelque chose lui a mis la puce à l'oreille. J'ai d'abord eu l'idée stupide qu'elle pourrait me demander d'investir dans le journal, mais elle n'en a rien fait. Mon instinct me souffle qu'elle a des doutes. Un truc entre mère et fille, tu sais.

— Tu as probablement raison. À ta place, je ne remettrais pas ça sur le tapis en tout cas ; laisse-la revenir à la charge. C'est mon conseil, pour ce qu'il vaut.

— Je n'en dirai plus un mot. En ce qui concerne Abby, nous sommes en vacances, et nous sommes venues passer du temps avec elle, rien de plus. Maintenant, je ne sais pas pour toi, mais ma vieille carcasse me pèse. Finissons ce café et allons dormir !

— Tu as toujours des idées géniales, Toots. Je vais m'affaler sur le canapé, après cette journée bien remplie. Tant que ça ne te défrise pas ?

Toots lui confirma d'un hochement de tête que ça ne la « défrisait pas ». Par la force de l'habitude, elle rinça leurs tasses et éteignit la cafetière avant de regagner sa chambre.

— Bonne nuit, Sophie.

— Bonne nuit, Téton Toots !

Toots l'entendit glousser tandis qu'elle refermait derrière elle.

Chapitre 30

Chris s'extirpa péniblement du lit, et se dirigea vers la cuisine. Après sa conversation avec Abby, il ne fermerait plus l'œil de la nuit. Pas moyen. Il se fit du café avant d'aller s'asseoir sur la terrasse.

Une énorme lame de fond se brisa sur la grève à l'instant où une bise balayait la terrasse. Chris s'affala sur une des chaises en fer, sans coussin.

Il revint sur sa dernière conversation avec Abby. Pas question de revenir sur la précédente – pas tout de suite, en tout cas. Il ne pouvait en aucune façon fureter et chercher à en savoir plus sur la disparition du boss d'Abby sans bafouer les règles de l'éthique ni compromettre la confiance que Toots plaçait en lui. Il était pris entre le marteau et l'enclume – entre les deux femmes qui comptaient le plus à ses yeux. Bon sang, il était fou amoureux d'Abby, il lui fallait bien l'admettre s'il voulait être tout à fait honnête avec lui-même.

Il entendit le gargouillement final de la cafetière et rentra se servir une tasse qu'il rapporta sur la terrasse.

S'était-il montré trop empressé cette nuit en avouant à Abby qu'elle l'intéressait – et pas d'une façon fraternelle ? Était-ce prématuré ? Non, car ça faisait des années qu'elle lui inspirait de tels sentiments. La veille au soir, il avait eu une ouverture et il avait sauté sur l'occasion. Abby lui avait dit qu'elle l'aimait vraiment beaucoup, et il avait démarré au quart de tour. L'aurait-il mal comprise ? Lui avait-elle juste déclaré qu'elle l'aimait bien, sans plus ? Non, car alors, quand il avait embrassé le bout des doigts, elle l'aurait giflé à l'étourdir. Il se dit plutôt que ça ne lui avait pas déplu. Il en était même certain.

Il se promit d'appeler Toots à la première heure le lendemain matin. Pas question de dévoiler ce qui s'était produit entre Abby et lui, mais en toute justice, et en toute éthique, il se sentait dans l'obligation morale d'informer Toots de ce que sa fille venait de lui demander.

Il consulta l'horloge : presque 2 heures. Trop tard pour tenter de retrouver le sommeil, mais pas pour rêver d'Abby.

Il retourna dans sa chambre et se glissa sous ses couvertures, mais il se sentait plus nerveux que jamais. Il alluma la télé et zappa entre CNN et FOX News. Rien qui vaille la peine. Il passa sur la chaîne Météo, histoire d'avoir un bruit de fond. Quand il entendit le présentateur mentionner les îles Caïmans, il monta le son.

« Tous les vols prévus ont été annulés. Le courant est coupé presque partout sur l'île… »

Quoi ? Étrange, quand on savait que l'argent de Toots avait été transféré sur un compte bancaire aux Caïmans. Du coup, si l'escroc se trouvait là-bas, ça voulait dire qu'il n'aurait pas accès aux 10 millions détournés. Chris aurait toujours le moyen de contacter la banque des Bermudes. Dans ce cas, il y avait une bonne chance pour qu'il puisse alpaguer la minable enflure qui avait raflé l'argent de Toots.

Micky s'envoya la dernière bière du pack de douze qu'il avait rapporté à la maison après avoir perdu la soirée à traquer la petite poulette du journal. Il était prêt à parier qu'elle savait où avait filé son connard de boss.

Il était retourné au journal, pensant s'infiltrer de nouveau dans les locaux dans le but, cette fois, de s'emparer d'un des portables qu'il avait vus sur le bureau de Ragot. Plutôt que se garer dans l'allée, il avait laissé sa Corvette sur le parking à l'arrière du bâtiment. Au moment de descendre, il avait vu ressortir la blondinette et son Rintintin. Sur un coup de tête, il l'avait prise en filature, pensant qu'elle le conduirait droit à son boss. Il l'avait suivie jusqu'à un quartier chic de Brentwood, s'était garé de l'autre côté de la rue et l'avait observée. En la voyant se pavaner dans son petit haut lamé et ses talons de pouffiasse, il sut qu'il avait pris la bonne décision en la filant.

Le *Buzz,* quelle rigolade ! Il y était entré à la suite de la poulette. L'endroit était bondé de nanas et de bellâtres de type hollywoodien. Il avait perdu dix minutes à se frayer péniblement un chemin dans la cohue. Il ne l'avait pas trouvée, mais elle devrait bien en ressortir tôt ou tard ; alors, il avait rapproché sa Corvette, de l'autre côté de la rue, et était resté en planque. Putain, comment aurait-il pu deviner qu'il ne pouvait pas se garer là après une certaine heure ? Un crétin du service municipal lui avait demandé de déplacer sa caisse pour la voirie. Il avait été tout près de lui grogner de ficher le camp, mais avait changé d'avis. Il s'efforçait de récupérer 50 000 dollars. Il ne pouvait pas se permettre d'embrouilles supplémentaires.

Dans le parking, il avait repéré une place à côté du pot de yaourt jaune que la fille conduisait et, en se ruant sur l'espace libéré, il avait bien failli emboutir la garce. Elle avait quitté le *Buzz* au bras d'un type, et il l'avait ratée.

Il avait eu une idée. Il n'allait pas attendre comme un naze que la blondasse le mène à son boss.

Et le moment était autant indiqué qu'un autre pour mettre son plan à exécution. Il retrouva la chemise qu'il avait balancée sur le dossier d'une chaise et l'enfila. Chaussettes, chaussures, portefeuille.

Dans le garage, il prit son jerrican et le fourra dans le coffre. Quelle meilleure façon d'attirer l'attention qu'un incendie ? Micky gloussa.

The Informer allait voler en cendres. Il n'en faudrait sans doute pas beaucoup, vu toute la paperasse qui devait y être stockée.

Putain, se félicita-t-il en manœuvrant sa Corvette, *y a pas à dire, quand on est doué, on est doué !*

Chapitre 31

Toots appela Henry Whitmore au réveil. Il était 6 heures sur la côte Est, 3 heures sur la côte Ouest.

— J'espère bien que c'est une question de vie ou de mort, Teresa ! Il est 6 heures du matin.

— Merde, j'oubliais. Écoutez, Henry, j'ai besoin que vous prêtiez attention à ce que je vais dire. Vous êtes réveillé ?

— Oui, oui, je vous écoute.

Toots expliqua ce qui se passait et dévoila ses soupçons.

— Je sais que j'ai raison là-dessus. Avant que vous me disiez « je vous l'avais bien dit », je veux bien admettre que j'aurais dû vous écouter, mais il s'agit d'Abby. Vous savez qu'une mère n'est pas rationnelle lorsque le bonheur de son enfant est en jeu.

Piètre excuse, mais c'était la vérité.

— Je m'en occupe de ce pas. Ne prenez surtout plus d'autre décision financière sans m'en parler d'abord. Vous m'avez bien compris, Teresa ?

— Oui, entendu. Appelez-moi à la minute où vous aurez du nouveau.

Toots raccrocha, puis composa le numéro de Chris. Il répondit à la première sonnerie.

— Je t'ai réveillé ?

— Il n'est que 3 heures du matin, Toots. Qu'est-ce qui te fait croire que je ne serais pas réveillé ? fit-il, sarcastique. Abby et toi, ça va ?

— Oui, ça va. Ou du moins, moi, ça va. Abby est sûrement chez elle. Elle s'apprêtait à faire des recherches sur Internet quand j'ai quitté son bureau cet après-midi. Écoute, je sais peut-être qui a détourné mes 10 millions de dollars.

Pour la seconde fois, Toots exposa sa théorie.

— C'est tout à fait sensé. Cela dit, Abby va forcément le découvrir. Surtout si le FBI s'en mêle. Je ne le lui dirai pas, mais fais gaffe, car elle pourrait bien faire le rapprochement. Elle est maligne.

Il se demanda si Toots savait à quel point sa fille était intelligente, en fait.

— Je sais. C'est bien pour ça que je dois faire tout ce qui est en mon pouvoir pour empêcher ça, quitte à recourir à la tromperie et aux coups fourrés.

— Je ferai mon possible aussi, Toots, mais n'oublie pas, si elle découvre tout, c'est toi qui encaisseras, pas moi.

— Tu es le meilleur, Chris. Appelle-moi si tu as du nouveau.

Toots raccrocha. Elle composa alors le numéro d'Abby au cas – fort probable – où elle non plus ne dormirait pas.

— Bonjour, maman. Je ne te demanderai pas pourquoi tu m'appelles si tôt et, oui, j'étais réveillée. Chester et sa vessie se fichent pas mal de l'heure qu'il est.

— Je voulais t'inviter à déjeuner. Tu crois que tu aurais un créneau aujourd'hui ?

Toots croisa les doigts.

— Il faut bien que je mange de temps en temps. Où veux-tu aller ?

— Retrouvons-nous à midi au *Polo Lounge*. Ça te va ?

— OK, ça marche. Tu viendras avec les marraines ? Je n'ai pas encore vu Ida. Dis-lui qu'elle me manque et que je veux la voir. Je n'ai pas de germes ou ce qu'elle croit que les autres ont. Au fait, comment explique-t-elle qu'on se balade partout sans tomber comme des mouches victimes de ce qu'elle redoute tant ? Tu le sais ?

— Je suis certaine que Sophie et Mavis voudront te revoir ; concernant Ida, je ne peux rien te promettre. Elle est vraiment dérangée. Le docteur Sameer estime qu'il peut l'aider. Il lui a prescrit un traitement, mais je ne saurais dire si elle le prend. Un bon coup de pied au cul lui ferait un bien fou à mon avis, mais je ne suis pas médecin.

— Franchement, maman, je suis surprise que Sophie ne s'en soit pas déjà chargée d'autorité.

— Eh bien, elle n'a pas hésité à dire à Ida ce qu'elle pensait de cette situation, tu peux me croire ! Et maintenant qu'elle lui a balancé ce qu'elle avait sur le cœur, elle risque fort de lui balancer autre chose d'une minute à l'autre…

— Je sais. Raison de plus pour expliquer que je l'aime tellement. Écoute, maman, il faut que je laisse rentrer Chester. On se voit à midi.

— À tout à l'heure alors, Abby.

Toots raccrocha et se fit sa deuxième cafetière de la matinée, ourdissant sa vengeance contre le crétin qui l'avait escroquée. On ne plaisante pas avec 10 millions de dollars. Certes, elle avait plus d'argent qu'elle n'aurait jamais le temps de le dépenser jusqu'à la fin de ses jours, mais ça lui appartenait à elle, pas à un quelconque tabloïd minable de troisième zone. Elle se versa une tasse de café, puis remit la main sur la télécommande. Elle zappa sur la chaîne Météo et guetta impatiemment des nouvelles du cyclone Deborah.

« Des milliers d'habitants sont toujours privés d'électricité. Tous les vols à l'exception des urgences médicales et des organisations humanitaires ont été annulés. Bientôt, d'autres… »

Une bande, en bas de l'écran, listait les organisations faisant appel aux dons et aux bonnes volontés. Toots griffonna les coordonnées sur un carnet rose. Elle leur enverrait un chèque, avec l'espoir que ça puisse accélérer les réparations. Comme si un chèque avait ce pouvoir… mais elle consacrait toujours de coquettes sommes aux grandes causes humanitaires.

Elle jeta un coup d'œil à l'horloge qui s'affichait à l'écran. Presque 5 heures du matin. Bon sang, il était déjà tard, elle allait prendre un mauvais départ. À la maison, elle se serait déjà mise en pétard contre Bernice au moins une fois et fumé un minimum de trois cigarettes. Avisant sur la table le paquet de Marlboro, elle en alluma une et inspira goulûment la nicotine. Elle adorait fumer. Qu'en penserait le service fédéral de la santé publique ? Peu importait. C'était mauvais pour elle ; précisément une des raisons pour lesquelles elle n'avait jamais sérieusement envisagé d'arrêter de fumer.

Toots faillit sauter au plafond en entendant quelqu'un taper aux portes coulissantes en verre. Elle leva les yeux et vit Sophie, à qui elle fit signe d'entrer.

— Tu m'as fichu une de ces frousses ! Quand est-ce que tu es partie ? La dernière fois que j'ai jeté un coup d'œil, tu étais affalée sur le canapé. Je me suis dit que tu t'y étais endormie après avoir veillé si tard. Des nouvelles de Walter ?

— J'avais besoin d'une douche, alors je suis repartie au bout d'une heure, quand tu es allée te coucher. Là, tout de suite, c'est un bon café qu'il me faudrait, ajouta Sophie.

Toots remplit la tasse qu'elle avait rincée.

— Tiens.

Sophie alluma une cigarette et but la moitié de son café avant de prononcer un mot. Toots se fit la réflexion que son amie devait être réellement flapie, car il était bien rare qu'elle se taise aussi longtemps.

— J'ai coupé mon portable après avoir parlé à cette infirmière hargneuse hier soir. Et je ne l'ai pas réactivé. C'est trop tôt pour affronter les mauvaises nouvelles. S'il a passé l'arme à gauche ces deux ou trois dernières heures, peu importe que je l'apprenne à la minute même. Donc… (Elle but une gorgée, prit une taffe.)… Tu as appelé le banquier et Chris ?

— Oui. Chris convient que je pourrais être dans le vrai. La mauvaise nouvelle, c'est qu'Abby lui a demandé d'enquêter sur la disparition de son boss. Chris a refusé, lui expliquant qu'il y avait conflit d'intérêts.

— Oh, merde, et qu'est-ce qu'elle a répondu à ça ?

— Il ne me l'a pas précisé, et je n'ai pas demandé. J'ai invité Abby à déjeuner. Je suis sûre que le sujet viendra sur le tapis. Je ne sais pas encore ce que je lui dirai. Des suggestions ?

Sophie s'étira le cou.

— Hum, laisse-moi réfléchir une minute. Le conflit, est-ce que ça pourrait être que tu as engagé Chris pour une action légale comme l'établissement d'un testament par exemple ? Ou tu as aussi pu requérir ses services afin qu'il te déniche une propriété à acheter. Voilà qui aurait des chances de te tirer d'affaire.

— Possible, oui, mais ça ne paraît guère plausible. Évidemment, je suis une vieille dame capricieuse. J'expliquerai simplement à Abby que j'avais besoin de Chris pour établir des documents légaux, et que je ne peux pas lui en dire plus sur ce sujet. Ce qui, d'ailleurs, est la stricte vérité. À partir de là, j'aviserai, le cas échéant. Pauvre Abby, qu'est-ce qu'elle a fait pour mériter une mère aussi sournoise ?

— Tu t'efforces de l'aider, Toots. Nous voulons toutes ce qu'il y a de mieux pour elle. Je te l'ai dit, je ferais pareil à ta place. (Sophie finit son café, se releva et se reversa une tasse.) Une autre ? proposa-t-elle avant de remettre la cafetière en place.

— Non, j'en suis à ma seconde cafetière. J'ai l'impression que je vais me noyer dans toute la caféine que j'ai déjà sifflée !

— Aujourd'hui, j'en ai bien besoin. J'ai promis à Mavis de m'occuper de Coco pendant sa séance avec son coach. Je ne l'ai pas encore vue.

— Elle doit être à la bourre, répondit Toots. Elle a dit qu'elles se retrouvaient à 7 heures.

— Je ferais mieux d'aller voir. D'ordinaire, elle est très ponctuelle. Je reviens.

— Si je ne réponds pas à ton retour, c'est que je suis sous la douche.

Sophie acquiesça, une autre cigarette pendue au bec. Elle s'éclipsa aussi prestement qu'elle avait surgi.

Toots en profita pour consulter sa messagerie, en espérant avoir un e-mail d'Henry ou de Chris. Espoir déçu. Avant que la fine équipe ne revienne l'envahir, elle prit une douche rapide et s'habilla : jupe turquoise et chemisier à motif floral. Elle se coiffa vivement, puis s'appliqua une fine couche de mascara et un soupçon de rouge à lèvres. Elle inspecta son reflet dans le miroir. Elle avait les yeux cernés. Elle camoufla cela sous un peu de poudre, sachant qu'une bonne nuit de sommeil suffirait à les faire disparaître.

Parfois, être une femme, c'était l'horreur, se dit-elle en repassant dans la salle de séjour. Elle avait baissé le volume de la télé quand Sophie s'était pointée. Elle le remonta et changea de chaîne pour avoir des infos locales. Quitte à vivre là à temps partiel, autant se mettre à potasser les actualités du coin. Elle apprendrait peut-être quelque chose d'intéressant à partager à midi avec Abby.

Les incendies attisés par les vents de Santa Ana dominaient l'actualité ; on évacuait des centaines de gens. Plus de soixante-quinze résidences avaient volé en cendres. Toots nota dans un coin de sa tête de ne surtout pas acheter en zone à risque. Pas plus qu'elle ne tenait à venir habiter dans un secteur sujet aux coulées de boue. Il faisait certes très beau en Californie, mais il y avait aussi des dangers.

Sophie tapota de nouveau à la vitre, avec Coco cette fois.

— Mavis m'attendait. La perspective de perdre du poids l'enthousiasme tellement ! Ça me rend un peu malade, tu sais ? ajouta-t-elle avant de déposer le chihuahua sur son coussin attitré.

— Tu devrais avoir honte de toi. Mavis est la meilleure de nous toutes. Sans elle, nous n'aurions probablement pas terminé nos années de lycée, et encore moins d'université. C'est une chic fille, je ne veux pas t'entendre médire sur son compte, tu m'as bien comprise, Sophie ?

Celle-ci ne l'avait encore jamais entendue lui parler sur ce ton.

— Mais putain, qu'est-ce qui t'a mordu le cul ces quinze dernières minutes ? Je ne faisais qu'exposer un fait. Mavis est toute contente à l'idée de perdre du poids. Je ne connais personne de sa corpulence qui serait excité à l'idée de se crever le cul sur un tapis roulant ! Ne sois pas si susceptible ou tu vas finir comme Ida. Une cinglée dans la bande, c'est déjà une de trop, si tu veux mon avis.

— Rien ni personne ne m'a mordu le cul. Tu râles trop, c'est tout. Si tu veux vraiment le savoir, je suis fière de Mavis, et d'Ida aussi. Oui, Ida est un peu branque en ce moment, mais nous savons bien toi et moi qu'elle n'a pas toujours été comme ça. Donne-lui du temps, et elle redeviendra la garce prétentieuse qu'elle a toujours été.

— Je suis sûre que tu as raison. C'est juste que je ne comprends pas comment on peut avoir peur des germes. J'ai passé des années à travailler dans un cabinet médical infesté de microbes, et ça ne m'a pas tuée. Je n'ai jamais raté une journée de travail, je te l'avais dit, ça ? Même quand Walter me rouait de coups, j'allais encore bosser. Le cabinet était le seul endroit où je pouvais me détendre.

— Eh bien, tu aurais dû le quitter à la première beigne, mais à quoi bon ressasser le passé. Personnellement, j'aurais embauché quelqu'un pour… tu sais quoi. Lui faire son affaire.

— Crois-moi, j'y ai songé. Seulement, les répercussions auraient été trop graves. S'il s'était douté que j'envisageais ça, je ne serais probablement plus là pour t'en parler. À l'époque, Walter était un homme très dangereux.

— Eh bien, tu es là, et c'est ce qui compte. Et si je nous préparais un grand bol de Froot Loops ? J'ai besoin d'une dose massive de sucre, moi.

— Ça me dirait bien. Et Coco ? Tu crois qu'on devrait lui en donner un bol ? Elle est tellement riquiqui...

Toots s'esclaffa.

— C'est sa taille normale. Et toi, tu n'es pas censée donner du sucre aux chiens.

— Je sais bien. Je me suis juste dit qu'elle aimerait une friandise.

— Mavis lui en donne déjà beaucoup trop. C'est un miracle que ce ne soit pas un culbuto à pattes !

Le portable de Toots sonna. Elle décrocha aussitôt.

— Abby... Oui, je viens de voir ces incendies à la télé. Quoi ? Oui, bien sûr, ce n'est pas grave. Rappelle-moi dès que tu en sauras plus.

— Tu ne vas pas le croire, Sophie. Ce minable voyou m'escroque de 10 millions et, comme si ça ne suffisait pas, voilà qu'on a tenté d'incendier les locaux de *The Informer* ! C'est ce qu'Abby vient de m'apprendre. Pense aux assurances.

— C'est ce qui s'appelle partir en fumée... Tu parles d'un investissement ! s'exclama Sophie. Abby va bien ? J'espère que personne n'a été blessé.

— Elle va bien. Elle n'était pas au bureau, heureusement. Autant qu'elle sache, l'immeuble était vide quand le feu s'est déclaré.

— Si je ne me trompe pas, tu me disais dans un e-mail que tu avais besoin d'excitation dans ta vie. On dirait bien que ton vœu a été exaucé.

Sophie sourit.

— Oui, j'imagine que je ferais mieux de me méfier de ce que je souhaite, hein ?

Chapitre 32

Après avoir aspergé les autres bureaux d'essence, Micky Constantine lança une allumette dans celui de Ragot, puis quitta l'immeuble en courant comme un dératé. Il s'était garé de l'autre côté de la rue, car, dès que ça exploserait, il aurait une minute à tout casser pour foutre le camp.

Alors qu'il se dégageait, il vit trois camions de pompiers arriver sur le parking arrière. *C'est quoi, ce bordel?* Ils ne pouvaient quand même pas être là si vite! Mettant les gaz à fond pour se tirer en quatrième vitesse, il se demanda si on l'avait vu entrer dans l'immeuble. Il se rappela soudain avoir laissé le jerrican dans le bureau minable de Ragot. Putain de merde! Comment pouvait-on être aussi stupide? Trop tard. S'il y retournait, il se ferait épingler en moins de deux. Ça allait peut-être disparaître dans les flammes. Ouais, ça allait fondre. Il avait vu un truc comme ça dans un épisode des *Experts*. Mais, à la télé, le pauvre diable s'était fait pincer. Les méchants étaient toujours de stupides losers sur le petit écran. Lui, il était bien trop malin pour qu'on l'attrape.

Laissant derrière lui les hurlements de sirènes, Mick heurta le volant du poing. Tout ça, c'était la faute de Ragot. S'il lui avait réglé ses 50 000 dollars comme il était censé le faire, rien ne serait arrivé. Si jamais il se faisait choper – ce qui n'était pas près d'arriver –, Ragot plongerait avec lui. Il lui suffisait de le retrouver.

Pied au plancher, Micky fut de retour chez lui en un temps record. Au garage, il coupa le moteur de la Corvette, verrouilla la porte principale puis passa au salon. Il alluma la télé et zappa sur plusieurs chaînes jusqu'à ce qu'il tombe sur ce qu'il cherchait.

Une journaliste en robe bleu roi – une tenue typique de vieille fille – se tenait à l'arrière de l'immeuble, micro dans une main, calepin dans l'autre. Quand il monta le volume, une voix au débit haché emplit la pièce :

« Les pompiers ont réussi tôt ce matin à maîtriser un incendie dans les locaux de *The Informer*, le célèbre tabloïd. La piste de l'incendie criminel n'est pas écartée pour l'instant. On aurait retrouvé un jerrican dans le bureau du propriétaire, Rodwell Godfrey. Quand nous avons tenté de le contacter, nous avons été informés qu'il était porté disparu par une journaliste inquiète de l'équipe de *The Informer*, Abby Simpson… »

Abby Simpson… La poulette sexy qui conduisait la voiture jaune. Elle avait signalé la disparition de son boss. *Ça, ça m'étonnerait.* Micky était sûr et certain qu'elle avait menti pour couvrir ses arrières. Elle savait où se terrait Rodwell Godfrey, et il ne reculerait devant rien pour lui soutirer l'info.

Disparu, mon cul !

La veille, Richard Allen Goodwin avait vu en Deborah une bénédiction de mère Nature. Vingt-quatre heures plus tard, il aurait pu jurer que le cyclone était une malédiction envoyée par les enfers.

Il avait tenté de sortir de l'hôtel pour évaluer les dégâts, et peut-être tomber sur une femme du coin qui serait toute disposée à se faire quelques dollars. Mais ce qu'il avait trouvé ne correspondait nullement à ce qu'il avait espéré.

Conviées par les autorités britanniques, les troupes de la Garde nationale de Floride étaient postées partout. Les soldats mobilisés s'étaient déployés dans le hall de l'hôtel, dans les rues et devant le casino qui avait fermé parce que l'hôtel s'était rabattu sur les groupes électrogènes. La direction avait expliqué que l'alimentation de secours était réservée au strict nécessaire. Autrement dit, le casino n'avait rien de nécessaire aux yeux des propriétaires, alors que ça l'était sacrément pour lui, Ragot. Pour quelle autre raison serait-il venu là ? Tous ces crétins s'imaginaient-ils vraiment qu'on venait sur les îles Caïmans pour les paysages et la plage ? Apparemment, oui, puisque ces andouilles avaient fermé le casino.

Et le pire, c'est qu'il n'avait plus accès à son nouveau compte en banque.

Chapitre 33

Quand Abby apprit que *The Informer* était sur le point de partir en fumée, elle appela la police pour signaler la disparition de Ragot. Oui, on était sans nouvelles de lui depuis plus de vingt-quatre heures, et non, elle ne le soupçonnait pas d'être derrière cet incendie.

Une fois qu'elle eut pris le temps de se calmer après avoir appris que les seuls dégâts à déplorer dans l'immeuble concernaient les bureaux, Abby avait changé d'avis. Tout s'expliquait parfaitement. Sans nul doute, Ragot avait eu besoin d'argent pour régler le type auquel il cherchait à échapper. Incendier le vieil immeuble du journal était un moyen idéal de toucher la police d'assurance. Mais en était-il toujours le propriétaire légal ? Dans le cas contraire, à quoi bon incendier les locaux, à moins d'escompter arnaquer la compagnie d'assurances ?

Naturellement, Abby venait d'entendre son nom cité aux nouvelles télévisées pour avoir signalé la disparition de son boss. Ce n'était plus qu'une question de temps, désormais, avant que Ragot ou l'un de ses potes se mette à sa recherche. Elle aurait voulu appeler Chris, lui demander conseil, mais elle se rappelait trop s'être juré cette nuit même de ne plus jamais le solliciter pour une quelconque faveur. Qu'avait-il dit, déjà ? Il avait argué d'un conflit d'intérêts en ce qui concernait Ragot ?

À sa connaissance, Chris et Ragot ne s'étaient jamais rencontrés. Quel était donc le lien avec sa mère ?

Abby n'aurait de réponse qu'en s'adressant à l'intéressée. Elle appela sa mère sur son portable.

— Abby ! Je croyais que tu étais au journal. Des nouvelles sur l'incendiaire ?

— Pas encore. Je voulais me réinviter au déjeuner. Les marraines et toi seriez toujours partantes ? J'ai à te parler en privé.

— Absolument. Je n'ai pas annulé les réservations.

— Alors on se voit là-bas.

Abby raccrocha. Chester tournait en rond, signalant qu'il avait besoin de sortir.

— Tu vas devoir garder la maison cette fois encore.

Elle ouvrit les portes-fenêtres ; le chien se rua dehors.

Vingt minutes plus tard, Abby fonçait sur l'autoroute. Elle monta le volume de la radio en entendant parler de *The Informer*. Le présentateur confirma que le feu n'avait pas fait de victimes, mais, durant l'enquête, l'immeuble resterait inaccessible.

Nom d'un chien !

Elle se retrouvait au chômage technique ! Elle se doutait bien que ça allait arriver. Cette sinistre enflure de Rodwell Godfrey avait intérêt à ce que les petites frappes résolues à lui faire la peau le débusquent les premiers, avant elle. Que pouvait-elle bien faire maintenant ? Elle avait un emprunt à rembourser, et charge d'âme avec Chester. Les notes de véto étaient salées. N'était-ce qu'un heureux hasard si sa très riche mère se trouvait justement à Los Angeles en ce moment ? Probablement, se dit Abby en baissant le volume de la radio. Mais peu importait, car elle ne lui demanderait pas un traître sou.

D'une façon ou d'une autre, elle se débrouillerait. Il lui restait un petit bas de laine, en prévision des coups durs. Elle puiserait dedans s'il le fallait. Dès qu'elle aurait de nouveau accès aux bureaux, elle retournerait travailler et gagner sa croûte.

Mais la voix de la raison s'invita dans sa tête… S'il n'y avait trace de Ragot nulle part et que l'immeuble restait fermé le temps que durerait l'enquête sur cet incendie criminel, elle aurait tout intérêt à faire la part du feu et à se chercher un autre job. D'autant que les nouveaux propriétaires auraient leur propre équipe à mettre en place, *dixit* Ragot.

The Enquirer ou *Globe* l'embaucherait peut-être. Mais son instinct lui soufflait que ses liens avec Rodwell Godfrey ne risquaient pas de lui gagner de bons points sur le marché du travail. Elle aurait dû rester au *Los Angeles Times* et rédiger des articles assommants sur les politiciens et leurs affaires. Elle aurait eu des horaires de bureau bien tranquilles.

Au diable tout ça ! Tout ce qu'elle voulait savoir en cet instant, c'était ce que Chris et sa mère pouvaient bien avoir en commun avec le type qui était en train de lui gâcher sa vie.

Abby quitta l'autoroute et, quelques minutes plus tard, confia sa Mini Cooper à un voiturier du *Beverly Hills Hotel*.

Sachant que sa mère et ses trois marraines l'attendaient sûrement au *Polo Lounge*, elle se rendit directement au restaurant sans se donner la peine de contacter sa mère sur son portable. Elle avisa Mavis, Sophie et Toots dans le patio. Celles-ci lui firent signe en la voyant se diriger vers leur table.

— Oh, Abby, ce que tu es belle aujourd'hui !

Mavis la rejoignit de sa démarche chaloupée et l'étreignit.

— Toi aussi. J'adore ta nouvelle couleur de cheveux. C'est parfait.

— Merci. C'est l'œuvre de ta mère, répondit Mavis.

— Oui, maman semble beaucoup se diversifier ces jours-ci.

La jeune femme prit place.

— Et que dois-je comprendre ? demanda Toots, l'estomac aussitôt noué.

— À toi de me le dire, répliqua Abby, un brin agacée par les cachotteries de sa mère et de Chris.

Sans doute.

— Je le ferais volontiers si je savais de quoi tu parles, Abby. Pourquoi tu ne me poses pas directement la question ? Je te connais, tu sais. Tu es vexée.

Toots sourit au serveur qui venait prendre leurs commandes. En Californie, froncer les sourcils était strictement *verboten*. Et tout le monde arborait des dents d'une blancheur éblouissante.

— J'attendrai qu'on ait fini de déjeuner, si ça te va. Je suis affamée.

— Bien sûr que ça me va. Passons commande.

Toutes optèrent pour une salade à l'exception d'Abby qui préféra un steak saignant avec, en accompagnement, une pomme de terre au four avec du fromage et du bacon, et des haricots verts. Ce qui la ramena à sa conversation de la veille, avec Chris. Elle aurait dû garder pour elle ses stupides réflexions. Il avait dû croire qu'elle avait perdu la tête. Tant pis, elle s'en moquait.

Le déjeuner terminé, la conversation roula sur la situation du journal.

— Je soupçonne Ragot d'être mêlé à cet incendie. Il est couvert de dettes, et je suis bien certaine que l'immeuble est assuré. Ragot se terre probablement quelque part en attendant de pouvoir toucher ces assurances afin de continuer à claquer au jeu ses gains mal acquis. Du moins, s'il est toujours propriétaire. Au fait, je suis au chômage technique. Les pompiers ne laisseront plus personne pénétrer dans l'immeuble jusqu'à ce que l'enquête soit bouclée. Il y a aussi le problème que posent la disparition de l'ancien propriétaire et l'absence des nouveaux. Je me demande s'ils savent seulement que le journal n'est plus opérationnel, du moins tant que les réparations ne seront pas faites et qu'on n'aura pas le feu vert. Toutes ces conneries me filent un sacré mal de crâne.

— J'ai de l'aspirine.

Mavis fouilla dans son sac et finit par produire un petit tube.

— Merci.

Abby avala trois comprimés, qu'elle fit passer avec son verre de thé glacé. Comment sa vie avait-elle pu basculer à un tel point dans ce foutoir ? Un jour, elle était parfaite – du moins autant que la jeune femme aurait pu le souhaiter – et, le lendemain, tout allait à vau-l'eau.

— Je pense que je vais faire un tour, puis un petit somme. J'ai veillé trop tard hier soir et bu trop de cocktails en gelée. Qu'en dis-tu, Mavis, tu veux venir avec moi ?

Sophie lui faisait du genou, et Mavis comprit qu'elles devaient s'éclipser afin que Toots et sa fille aient un petit tête-à-tête.

— Mais, bien sûr, la marche est très conseillée dans mon cas.

— Abby, profite un peu de ta mère. Nous allons nous promener, dit Sophie.

Abby les serra dans ses bras en leur disant au revoir. Comment avait-elle eu la chance d'être entourée de femmes aussi aimantes ?

Sophie et Mavis parties, le serveur revint avec la carte des desserts.

— Je prendrai une tarte aux pommes avec une boule de glace à la vanille en supplément, et un café.

Abby sourit. Sa mère et son amour du sucre... C'était un vrai miracle qu'elle ne soit pas diabétique.

— La même chose, s'il vous plaît.

— Alors, tu veux dire à ta vieille mère ce qui se passe ?

Abby hocha la tête.

— Tu as parlé à Chris, aujourd'hui ?

— Oui, je l'ai appelé ce matin. Pourquoi ? Il a des problèmes ? ajouta Toots, sachant pertinemment qu'il n'en était rien.

— Pas que je sache. Hier soir, nous avons dîné ensemble. Je lui ai dit que je m'inquiétais à propos de Ragot. Je lui ai demandé s'il accepterait d'enquêter sur cette prétendue disparition, et il a refusé.

— Vraiment ?

— Il m'a avoué qu'il travaillait pour toi.

Là, c'était dit.

— En effet. Je ne peux pas en discuter avec toi, Abby, c'est... eh bien, une affaire privée. Je suis navrée.

— Et c'est tout ? fit la jeune femme, médusée.

— C'est tout ce que je peux te dire, oui. Je sais que nous partageons quasiment tout, mais il y a des choses qu'une fille n'a pas à savoir sur sa mère. On en reste là, d'accord ?

Abby haussa les épaules.

— J'imagine que je n'ai pas le choix. Du moment que tu n'es pas en train de mourir ou de faire don de ta fortune à un savant fou, je peux bien laisser quelques secrets à ma chère maman.

— Là-dessus, je te rassure tout de suite. Maintenant, je sais que ça ne me regarde pas, mais tu viens d'annoncer que tu n'avais plus de travail. Je suis certaine que c'est temporaire mais… je peux faire quelque chose pour toi, te consentir un prêt, régler tes remboursements ?

Abby s'esclaffa. C'était bien sa mère, ça, de croire que tous les problèmes se réglaient avec du fric.

— Je ne veux pas te prendre d'argent. Je vais bien. J'ai mis un peu de côté. Dans l'immédiat, je m'en sortirai. Si les choses se gâtent, tu seras la première avertie. Merci, maman. Je sais que tu veux bien faire, mais, vois-tu, la solution de facilité, très peu pour moi.

— Ton père était comme toi, une vraie tête de mule, et une volonté d'acier. Je suis ravie que tu aies hérité de ses traits de caractère, Abby. C'est juste que je ne veux pas que tu vivotes entre deux paies tant que ta chère vieille maman sera en vie. Au premier pépin, tu viens me voir, OK ?

— Promis.

— Bien.

Le serveur revint avec la tarte aux pommes et le café. Elles devisèrent de tout et de rien. Abby lui parla de ses projets pour le jardin et la maison. Toutes deux adoraient la décoration d'intérieur, et elles se piquèrent tellement au jeu qu'elles constatèrent, surprises, qu'elles s'étaient attardées plus d'une heure au dessert.

— Pourquoi ne viendrais-tu pas au bungalow ? Je verrai si j'arrive à débusquer Ida de sa bulle aseptisée.

— Maman, tu es terrible, mais c'est vrai que je tiens à la voir avant votre départ. À propos, combien de temps comptez-vous rester ? Tu me l'as probablement dit, mais ça m'est sorti de la tête.

— Oh, quelques semaines tout au plus ! Ida a plusieurs séances de prévues avec le docteur Sameer, et Mavis adore son coach. Il se peut que Sophie soit obligée de repartir plus tôt pour régler les détails des funérailles de Walter.

— Bien, je suis ravie que vous restiez un peu. Maintenant, filons avant que le serveur nous expulse. Ça fait bien dix minutes qu'il nous regarde de travers.

Toots ajouta un pourboire généreux à l'addition.

Main dans la main, mère et fille remontèrent le sentier qui conduisait aux bungalows.

Chapitre 34

Sophie alluma une autre cigarette et tira de furieuses bouffées. Fumer l'aidait quand sa nervosité la rattrapait, mais, cette fois, ça ne marchait pas tant elle avait les nerfs en pelote. Elle avait l'impression que sa tête allait exploser.

Elle tapota ses poches à la recherche de son portable. Pas de portable. Puis elle se rappela qu'elle l'avait laissé sur la console en marbre rose de la salle de bains. L'avait-elle délibérément abandonné là parce qu'elle ne voulait plus l'entendre sonner ?

De retour dans son bungalow, Sophie courut dans la salle de bains à la recherche du téléphone. Elle l'avait désactivé un peu plus tôt. Se mordillant la lèvre inférieure, elle posa un regard fixe sur le petit gadget.

En cet instant, Sophie aurait voulu être blindée, se montrer davantage maîtresse d'elle-même. Elle haïssait devoir l'admettre, ne serait-ce qu'à elle-même, mais elle ne voulait pas être seule en réactivant son portable. Elle avait besoin du soutien de Toots. Un peu plus tôt, Toots l'avait appelée dans sa chambre pour lui dire qu'Ida avait finalement accepté de déserter son refuge pour revoir sa filleule, et que toutes trois se retrouveraient chez Toots.

Un point pour la reine des germes tueurs.

Sophie fourra le portable dans sa poche et remonta en trombe le sentier du bungalow de Toots. En de toutes autres circonstances, elle aurait prêté attention aux arcs-en-ciel floraux et à l'émeraude du gazon, mais pas en un jour pareil. Moins d'une minute plus tard, elle frappait à la porte-fenêtre en verre. Elle attendit un instant puis entra.

— Coucou, Sophie. Maman m'a dit que tu passerais peut-être. Ça t'a plu, ta balade ?

— Mais oui. Un peu de marche me rappelle toujours que je vieillis.

— Pfff ! Tu nous enterreras toutes ! la taquina Abby.

Sophie s'humecta les lèvres et s'approcha de Toots.

— Je peux te parler une minute ? En privé, si tu veux bien.

Toots jeta un coup d'œil aux autres. Les voyant lancées dans une conversation enjouée, elle fit signe à son amie de la suivre dans sa chambre.

— Tu as une mine affreuse, Sophie. Qu'est-ce qui ne va pas ? chuchota Toots dès qu'elle eut refermé la porte, pour plus d'intimité.

— Tu te souviens, la nuit dernière, quand je t'ai dit que j'avais coupé mon portable après avoir rappelé l'infirmière de Walter ?

— Oui, pourquoi ?

— Je ne l'ai jamais rallumé.

— Eh bien, qu'est-ce que tu attends ? Vas-y ! Si c'est des mauvaises nouvelles, on agira en fonction.

Sophie hocha la tête et réactiva son téléphone. Elle avait six messages. D'une voix rauque à peine audible, elle annonça :

— Il y a six messages.

— Vas-y, Sophie, l'encouragea Toots.

Son amie les écouta. Quatre venaient de l'infirmière de Walter, le cinquième, de Lila, sa voisine depuis trente ans, et le sixième, de la morgue. Sophie effaça ce dernier d'une main tremblante. Ses yeux se remplirent de larmes ; Toots lui passa les bras autour des épaules.

— Ce n'est pas un mal d'être triste, Sophie. Ou de craquer.

Toots serra son amie contre elle tandis qu'elle pleurait à chaudes larmes.

Toots tendit le bras vers une boîte de mouchoirs, sur sa table de chevet, et aida Sophie à s'asseoir.

Celle-ci martela les accoudoirs du fauteuil jusqu'à ce qu'elle n'ait plus de larmes à verser, ce qui parut être un long moment alors qu'il ne s'était pas écoulé plus de dix minutes.

— OK, j'ai fini de brailler.

Toots sursauta, les yeux ronds.

— Quoi ? ajouta Sophie en grommelant.

— Tu es sûre que ça va ? Une minute, tu sanglotes comme pas possible, la suivante, juste comme ça… (Elle claqua des doigts.)… tu as fini ? Je t'ai chronométrée : dix minutes exactement.

Sophie étira les lèvres en ce qui ressemblait à un faible sourire.

— Quand c'est fait, c'est fait, Toots. Les larmes ne vont rien résoudre. Il fallait que je pleure sur tout ce qui aurait pu, ce qui aurait dû être. Et voilà. C'est comme de porter du noir pendant dix jours. Il fallait que tu le fasses. Eh bien, moi, il fallait que je pleure ! Fin de l'histoire.

Toots éclata de rire. Il ne fallut qu'une minute à Sophie pour s'esclaffer à son tour. Une minute de plus, et elles se roulaient sur le lit comme deux ados, en riant à s'en tenir les côtes.

— Oh, Sophie, tu es une vieille routière, exactement comme moi ! On n'a plus besoin d'hommes dans notre vie. Je dis, qu'ils aillent tous au diable ! À moins bien sûr que l'homme idéal se pointe enfin. Auquel cas nous devrons peut-être opérer un repli stratégique.

Les deux femmes partirent d'un nouvel éclat de rire.

— Pour l'instant, le devoir nous appelle. Je dois retourner là-bas et faire ce que j'ai à faire. Walter n'avait pas de famille, alors il n'y aura que moi et ceux de ses vieux amis qui viendront lui rendre un dernier hommage.

— J'ai une idée, Sophie. S'il y a bien quelqu'un qui sait organiser un événement – rappelle-toi que c'est toujours un événement, pas des funérailles –, c'est moi. Après huit maris, j'ai la formule bien au point. Que dirais-tu si je prenais l'avion avec toi ? Nous pourrions organiser un service funéraire décent, tu te charges des papiers d'assurance, puis on fera du shopping histoire de t'acheter des fringues sur la Vᵉ Avenue, et ensuite on reprend un jet direct pour Los Angeles. Trente-six heures, à tout casser.

— Tu ferais ça pour moi, Toots ? Avec toutes ces embrouilles à propos du journal ? Seigneur, si tu es partante, moi aussi !

— Bien sûr, oui. Je ne peux rien faire de plus pour l'instant. Henry m'a promis qu'il ferait tout son possible pour récupérer mon argent, encore que ça risque de prendre du temps à cause du cyclone. Chris a chargé son ami hacker de voir quelle sorte de piste électronique il pourrait remonter au juste. Il me suffit d'appeler le centre aéronautique de l'aéroport. Je louerai un jet pour l'aller et le retour ; alors, qu'en dis-tu, Sophie Manchester ?

— Je dis oui, Teresa Loudenberry, si c'est bien toujours ton patronyme. Tu es une amie comme on n'en fait plus, Toots.

— Arrête les violons avant que je te botte ton vieux cul flapi !

— Flapi, mon cul ? Mais qu'est-ce que tu en sais, d'abord ? Walter… Peu importe… oublie Walter. Sortons de cette chambre et allons prévenir les autres avant qu'Ida commence à faire courir le bruit que nous sommes lesbiennes.

— Tu es sûre que ça va ? insista Toots en redevenant sérieuse.

— Si je te disais que je priais pour qu'un tel jour arrive, qu'est-ce que tu penserais de moi ?

— Honnêtement ? Je te répondrais sans doute un truc du genre : « Pourquoi n'as-tu pas donné un coup de pouce au destin ? » Non, je ne crois pas que je dirais ça. Tout vient à point à qui sait attendre. C'est comme ça qu'il faut voir les choses, Sophie. Tu as fait ce que beaucoup de femmes à ta place n'auraient jamais fait. Tu es restée en veillant à ce que ce fils de chienne passe ses dernières années dans le confort. Tu n'as rien à regretter. Eh, tu veux que je chante au service funèbre ?

Sophie cilla.

— Voilà une offre que je ne peux pas refuser. Ouais, Toots, chauffe-moi ces cordes vocales et envoie-le dans l'au-delà sur une note aiguë.

Toots se tamponna les yeux.

—Allons donc prévenir les autres, mais sans approcher trop près d'Ida surtout, que tes larmes n'aillent pas lui couler dessus, tu sais.

—Qu'Ida aille se faire foutre.

—Elle en serait sûrement ravie si elle avait un homme sous la main, mais ce n'est pas le cas.

Toots se remit à pouffer, au point que Sophie dut lui flanquer une bourrade dans le dos.

Au salon, les autres se retournèrent quand elles reparurent.

—Sophie a une annonce à faire, alors écoutez-la. (Quand Toots fut sûre qu'elle avait toute leur attention, elle regarda Sophie.) OK, crache le morceau.

—Walter a cassé sa pipe. Ça va bien, je n'ai pas besoin de vos condoléances. Je n'ai jamais caché que j'attendais ce jour depuis très longtemps. Je retourne à New York pour régler les obsèques.

—L'événement, Sophie. C'est toujours un événement.

Abby leva les yeux au ciel.

—Maman!

—C'est un événement, peu importe ce que tu dis, assura Toots à sa fille. Je ne crois pas que Sophie engage un septuor à cordes, mais elle m'autorise à chanter aux obsèques. Mourir est un événement au cours d'une vie. N'essaie même pas de le contester, ajouta-t-elle d'un ton ferme.

—Je suis terriblement navrée, Sophie. Je sais à quel point tu attendais ce jour, mais ça doit quand même être un choc, dit Mavis.

—Je suis désolée aussi, Sophie. Quand j'ai perdu Thomas, je ne voulais plus continuer à vivre. Mais maintenant…

— Plus rien ne te retient à la vie, je sais, coupa Sophie.

— Ce n'est pas ce que j'allais dire. Ces derniers jours ont été une révélation pour moi. Avec l'aide du docteur Sameer, je vais surmonter cette maladie. Vous n'avez sûrement pas remarqué mes mains, j'imagine.

Les regards convergèrent sur elle. Ida avait ôté ses gants en latex.

— Oui ! s'exclama Abby. C'est merveilleux, Ida, et tu n'as consulté le docteur qu'une fois. Je suis très fière de toi.

— Nous le sommes toutes. Je sais que c'est difficile pour toi. Maintenant, je vais te prendre rendez-vous pour une manucure sitôt que Sophie et moi reviendrons de New York.

— Je ne sais pas si je serai prête pour ça, mais ça se tente. Prends rendez-vous si tu veux bien. Ce sera un but pour moi. Mavis et moi avons discuté des objectifs à viser et des meilleurs moyens de les atteindre.

— Bien dit, Ida ! Étape suivante, je te plongerai les mains dans cette benne à ordure dont je parlais, la taquina Sophie.

— Je ne ferais jamais une chose pareille en quelques circonstances que ce soit. Vraiment, même si je n'étais pas aussi… excentrique !

On aurait bien dit qu'Ida était en passe de redevenir celle qu'elle avait été et que ses amies aimaient.

— Je sais, moi non plus, mais c'était une riche idée, admets-le. Bon, maintenant que nous sommes toutes réunies là, si nous commandions des *shots* en gelée ?

Toots secoua la tête.

— Pas aujourd'hui. Nous boirons au dîner, mais les cocktails solides sont hors de question tant que nous ne serons pas de retour.

— Je n'arrive pas à en croire mes oreilles. Ma mère et mes marraines qui s'envoient de la *jelly* alcoolisée…

Abby feignit d'être horrifiée.

— Et on a savouré jusqu'au dernier ! s'esclaffa Toots.

— Mavis a dégusté les siens à la cuillère, renchérit Sophie.

— On dirait bien que les quatre femmes que j'aime le plus au monde se sont payé du bon temps. Je ne voudrais pas jouer les rabat-joie. Désolée, Sophie, tu sais ce que je veux dire. Il faut que je rentre à la maison. Chester m'attend. Maman, donne-moi un coup de fil quand tu t'envoleras pour New York. Je vais sans doute passer du temps à bricoler chez moi ces prochains jours, du moins jusqu'à ce que je découvre ce qui se trame au journal. J'entends faire ma part quoi qu'il advienne. Comme ça, quand les nouveaux proprios se décideront à se pointer, ils ne pourront pas me traiter de tire-au-flanc.

Abby distribua des bises à toutes avant de partir. Elle promit de rappeler le soir même.

Sophie attendit que la porte se soit refermée sur elle avant de reprendre :

— Une fille comme elle, il n'y en a pas deux, Toots. Quand elle découvrira – si jamais elle le découvre – ce qu'a manigancé sa vieille mère dans son dos, tu ferais mieux d'espérer qu'elle ne… Oh, mais qu'est-ce que je suis en train de dire ? Dans ce cas, tu feras avec. Nous ferons toutes avec. Bon, je… j'ai des appels à passer, alors, si vous voulez bien m'excuser, je vais m'y mettre tout de suite.

Les amies de Sophie hochèrent solennellement la tête.

— Demain, j'ai rendez-vous avec la diététicienne de l'hôtel, annonça Mavis. Est-ce que tu es d'accord, Toots ? Je sais que ce n'est pas gratuit, alors, si tu ne veux pas, il te suffit de me le dire.

— Fais tout ce qu'il faut pour perdre du poids, voilà ce que je te dis. Je ne sais pas si vous avez remarqué, vous autres, mais je crois que tu en as déjà perdu un peu, Mavis.

Elle sourit.

— En effet. J'ai perdu quatre kilos depuis mon arrivée à Charleston.

— Je savais que tu y parviendrais, Mavis. Il faut juste y aller progressivement.

Ida se leva du canapé.

— Je retourne à mon bungalow. Mavis, aimerais-tu te joindre à moi ce soir pour dîner ?

— Ce serait génial. Moi aussi, il faut que j'y aille. Toots, Sophie, si vous avez besoin que je fasse quoi que ce soit pour vous, il suffit de demander, OK ?

— Merci, Mavis, mais non, reste là et profites-en, aux frais de la princesse Toots. Tout est payé.

Ensemble, Ida et Mavis regagnèrent leurs bungalows respectifs, bras dessus, bras dessous. Toots et Sophie échangèrent un regard lourd de sens. Leurs deux amies avaient déjà fait de sacrés progrès.

Il fallut vingt minutes à Toots pour organiser leur vol et réserver deux chambres à l'hôtel *Four Seasons*.

— Nous pouvons loger chez moi, Toots.

— Je sais bien, mais ma réponse est « non ». Je ne veux pas que tu y retournes, du moins pas tout de suite. Tu as besoin que je passe des coups de fil en ton nom ?

— Non merci. C'est à moi de m'en charger. Ça ne prendra pas longtemps.

Faute d'autre occupation en vue pour tuer le temps, Toots refit du café. En attendant qu'il passe, elle sortit sur la terrasse allumer une cigarette. Sans qu'elle sache pourquoi, d'un coup, elle se sentait bien.

Réfléchissant aux coups de fil qu'elle avait besoin de donner, Sophie se demanda qui appeler en premier. Après s'être décidée pour la morgue, elle se ravisa.

Non, je vais appeler cette infirmière. Je vais lui dire ma façon de penser, à cette garce collet monté. Et je vais le faire tout de suite.

Sophie composa rageusement le numéro.

— Ça va ? lui demanda Toots dix minutes plus tard, quand Sophie la rejoignit sur la terrasse.

— On va dire ça, Toots. Qu'est-ce que tu comptes chanter aux obsèques ?

— Je trouverai. Je compte m'exercer durant le vol. Tu ferais mieux de t'acheter des boules Quiès avant notre départ.

Chapitre 35

Le jet privé atterrit à 13 heures. En quelques minutes, une limousine emmena les deux femmes à la banque de Manhattan, où Sophie préleva dans son coffre-fort les documents à remplir pour la police d'assurance-vie de 5 millions de dollars qu'elle avait attendu de toucher durant toutes ces années. L'arrêt suivant fut pour l'entreprise de pompes funèbres Daley, sur la 57e.

En une heure, avec Toots aux commandes, toutes les dernières dispositions furent réglées. Walter Manchester allait rejoindre la grande banque céleste dans un cercueil Springfield en bronze aux finitions soignées, haut de gamme. La veillée, devant le cercueil fermé, fut programmée pour 19 heures. Un service funèbre de cinq minutes était prévu le lendemain à 7 heures et, à 7 h 30, après le court trajet au cimetière, l'inhumation aurait lieu. Un fleuriste de la 51e promit qu'il livrerait fleurs et couronnes à profusion.

Sophie devait bien le reconnaître : Toots savait y faire.

— Pourquoi ne pas faire embaumer Walter ?

— Ça prend trop de temps. Le cercueil est scellé. Tu as dit que tu voulais en finir. Voilà comment on en finit. Tu as un problème avec ça ?

— Absolument pas.

— OK. Alors maintenant, direction la Ve Avenue. Notre vol de retour est prévu pour 9 heures demain matin. Nous allons souffrir du décalage horaire, mais plus vite nous en aurons terminé avec ça, plus vite nous pourrons vivre notre vie, Sophie. À moins que tu ne veuilles t'attarder et pleurer sur ton sort ?

Sophie réfléchit.

— Tout me va. Tope là, copine. J'entends *Saks* qui m'appelle.

— C'est marrant, j'allais dire la même chose.

L'événement de feu Walter Manchester se déroula sans accroc. Toots chanta *Ave Maria* légèrement faux, mais Sophie ne parut pas le remarquer, ni même s'en soucier.

Toots aurait bien aimé avoir un peu plus de temps pour se préparer à l'événement, mais, vu les contraintes horaires, elle n'était pas mécontente. Elle déposa une rose jaune sur le cercueil, déclara : « Adieu, Walter » et recula pour laisser Sophie approcher.

Celle-ci déposa sa rose près de la sienne, les joues ruisselantes de larmes.

— J'ignore où tu vas, Walter… où tu t'en es allé, mais je ne pense pas qu'on se revoie jamais, toi et moi…

Toots lui prit le bras.

— OK, c'est fait, et maintenant on file. Écoute-moi, Sophie, ne regarde pas en arrière. Cette partie de ta vie est terminée, et tant pis pour Walter. Tu es quelqu'un de merveilleux. Dieu t'a mise sur cette terre pour une raison, alors ne va pas t'imaginer une seconde que tu as échoué. C'est Walter qui t'a déçue et pas le contraire. Fin de l'histoire.

L'avion décolla pile à l'heure. Les deux amies atterrirent à L.A. à midi et furent de retour dans leurs bungalows à temps pour le déjeuner.

— J'aime ta façon de faire, Toots. Je pourrais m'habituer à ce mode de vie, dit Sophie en consultant la carte du service de chambre.

— Tu ferais mieux de t'y faire, ma vieille, car tu es sur le point de passer à une tranche d'imposition supérieure. Que vas-tu faire de tout cet argent ?

— Je pourrais m'offrir un tour dans l'espace en fusée. C'est possible pour 200 000 dollars. Le genre de trip qui coûte un max. Honnêtement, je ne pense pas que je vivrai différemment. Je vais juste acheter une maison, avec un immense jardin où je planterai des fleurs. Après toutes ces années à vivre dans la jungle urbaine, je crois qu'une maison sera ma seule folie. Avec des fleurs partout. Je pourrais peut-être acheter une résidence en Caroline du Sud. Et cultiver du tabac. Je vais faire don d'une bonne partie de cet argent, Toots. C'est ferme et définitif. J'investirai le restant.

— Je t'aiderai à faire les plantations pour ton jardin.

Chapitre 36

Micky fut réveillé en sursaut : on tambourinait à la porte. Il se retourna dans son lit pour jeter un coup d'œil à son réveil.

Putain, mais qui peut bien se pointer à 3 heures du matin ?

Il se plaqua l'oreiller sur la tête dans l'espoir d'étouffer le vacarme. Constatant que c'était peine perdue, il brailla :

— Une minute !

Il repéra, jeté en tas par terre, le jean qu'il avait porté la veille, l'enfila et gagna l'entrée d'un pas lourd en beuglant :

— Ça va, j'arrive, bon sang !

Il lorgna l'importun par l'œilleton, fronçant les sourcils. Il ne reconnaissait pas l'individu planté sur son paillasson. Le type aux faux papiers lui envoyait peut-être quelqu'un pour collecter l'argent ?

Il ouvrit d'un geste brusque, s'apprêtant à envoyer vertement promener le mec.

— Michael Constantine ?

Michael Constantine…

— Ça dépend. Qui le demande ? Qu'est-ce que vous voulez ?

— James Wilson, enquêteur en incendies criminels du comté d'Orange.

Putain de bordel de merde! Du calme… Joue-la cool.

Micky fulminait.

— Et alors? C'est censé m'impressionner?

Wilson dévisagea la fouine qu'il avait devant lui.

— Je me fiche pas mal que ça vous impressionne ou pas. J'ai des questions à vous poser.

— À quel sujet?

Micky s'écarta du seuil, s'efforçant de mettre un peu de distance entre l'enquêteur et lui, au cas où il devrait se débiner fissa.

— Vous conduisez une Corvette bleu roi de 1987?

— Ouais.

Ça s'annonçait mal. Il n'avait pas eu d'accident. Pourquoi diable ce mec venait-il lui poser des questions sur sa voiture? Son regard vola vers la table basse, où il avait balancé ses clés.

— J'aimerais y jeter un coup d'œil.

— Vous avez un mandat de perquisition?

— Vous croyez vraiment que j'aurais fait tout ce chemin à 3 heures du matin sinon?

Micky fit un pas en avant et vit deux voitures de patrouille garées de l'autre côté de la rue.

— Ouais, vous pouvez y jeter un coup d'œil. Donnez-moi juste une minute, elle est dans mon garage.

— Je vais vous suivre, si ça ne vous ennuie pas.

Joue-la cool, Micky, joue-la cool.

Il n'avait rien laissé dans la voiture qui puisse le relier à l'incendie. Certes, il n'avait pas escamoté le jerrican, mais bon, ce n'était qu'un jerrican. Tout le monde en possédait un.

Micky ramassa ses clés et fit signe à l'enquêteur de lui emboîter le pas, passant de la cuisine à la porte qui ouvrait sur le garage. Il appuya sur l'interrupteur et lança le trousseau de clés à ce faux caïd d'enquêteur en incendies criminels.

— Allez-y.

Wilson sortit de sa poche un appareil de liaison pour transmettre un message et, deux minutes plus tard, quatre officiers de police le rejoignirent au garage.

— Pourquoi ils sont là, eux ? Qu'est-ce que vous cherchez ? Je n'ai rien fait.

Mickey détestait la peur qu'il entendait percer dans sa voix.

— Contentez-vous de nous laisser faire notre job, M. Constantine. C'est une façon comme une autre de vous rappeler que je n'ai pas à vous dire quoi que ce soit.

Il tapota le mandat, dans la poche de poitrine de sa veste. Micky eut l'impression qu'il allait cracher ses tripes.

Les enquêteurs passèrent la demi-heure suivante à inspecter le coffre de la Corvette, puis ils ouvrirent le capot pour examiner le moteur. Ils s'intéressèrent à la boîte à gants, puis regardèrent sous les sièges. Ils passèrent le véhicule au peigne fin. Quand Micky vit Wilson inspecter le coffre une seconde fois, il crut qu'il allait tourner de l'œil. Aurait-il renversé de l'essence ? Il bricolait avec les moteurs, des traces d'essence pouvaient toujours s'expliquer. Mais que diable cherchaient-ils ?

Puis Wilson fourra quelque chose dans un sachet en plastique.

— Micky Constantine ?

— Ouais ?

L'enquêteur dit à l'un des officiers de patrouille quelque chose qu'il ne put pas entendre. L'officier hocha la tête, puis vint se camper devant lui.

— M. Constantine, vous êtes en état d'arrestation. Vous avez le droit de garder le silence…

Le flic le menotta avant de finir de lui notifier ses droits.

— C'est quoi, l'inculpation ? Eh, vous n'avez rien contre moi ! Je vous collerai un procès au cul pour arrestation arbitraire !

— Dites ça à votre avocat, M. Constantine. Voilà ce que nous avons trouvé.

Wilson brandit le sachet en plastique contenant un paquet d'allumettes de *Carl's Garage*.

— Putain, ça veut dire quoi, ça ? Depuis quand c'est un crime d'avoir des allumettes ? Carl est un ami, fulmina Micky.

— Non, M. Constantine, avoir les allumettes du garage d'un ami n'est pas un crime. Mais quand on retrouve les mêmes sur une scène de crime, portant vos empreintes digitales, qui plus est, ça en devient un.

Fils de pute ! (Il avait été sûr et certain que les allumettes se consumeraient dans les flammes !) *Tout ça, c'est la faute de Rodwell Godfrey. Quand je remettrai la main sur cette ordure, je le saignerai comme un goret !*

Soudain, ça le frappa comme la foudre. Il n'était pas près d'alpaguer ce vieux Ragot puisqu'on allait le coffrer.

— Je ne suis pas habillé, mec, laissez-moi le temps de passer quelque chose.

— Là où on vous emmène, on vous fournira une combinaison orange taille unique très seyante. Allez, bougez-vous.

L'officier qui lui avait passé les menottes le bouscula.

— Eh, faites gaffe ! C'est de la brutalité policière, ça !

— Bien sûr, sourit l'officier.

Une heure plus tard, Micky était inculpé et dûment enregistré dans la prison du comté de Los Angeles.

On le transféra dans une pièce de la taille d'un placard à balais, où on le laissa mijoter dans son jus jusqu'au lever du soleil. Il avait envie de pisser et voulait savoir ce qu'on allait faire de sa Corvette. Un officier en civil entra.

— Micky Constantine, je suis l'agent spécial Brett Gaynor. Vous et moi avons à parler, je pense.

— Vous êtes du FBI ?

— C'est exact. J'aimerais vous poser quelques questions.

— Eh, je ne suis pas stupide ! J'ai le droit de passer un coup de fil. Je veux appeler mon avocat.

— Et vous pourrez le faire, mais pas tout de suite. D'abord, j'ai des questions auxquelles j'aimerais que vous répondiez. Libre à vous de refuser, mais sachez qu'il serait dans votre intérêt de me dire tout ce que vous savez sur Rodwell Godfrey.

Le fils de pute ! J'aurais dû m'en douter.

— Je ne parlerai qu'en présence de mon avocat.

L'agent spécial Brett Gaynor se leva et regagna la porte. Avant de sortir, il se retourna.

— Rodwell Godfrey est coupable de fraude bancaire. Si vous y êtes mêlé, vous risquez la perpétuité à San Quentin. Aux dernières nouvelles, ce n'était pas une partie de plaisir.

Micky Constantine se pissa dessus.

Chapitre 37

— Henry Whitmore, je vous dois une invitation à dîner, Sally et vous, et un voyage aux Bahamas ! s'exclama Toots, rayonnante.

— On fera ça dès que vous reviendrez à Charleston.

— Comment y êtes-vous parvenu ? Je m'étais résignée à tirer un trait sur ces 10 millions de dollars. Je ne peux même pas vous dire par quoi j'en suis passée, Henry. Je ne sais pas comment vous remercier.

— En fait, c'était tout simple. Il est quasi impossible d'effacer une trace électronique à moins d'être de la CIA, et je me suis laissé dire que même la CIA n'y arrivait pas toujours. Vous m'aviez expliqué que l'argent avait été transféré à une banque des Bermudes, sur Grand Cayman. Par chance, les établissements bancaires là-bas sont très professionnels. Vu leur implantation et le fait que les cyclones représentent un très grand risque de calamité naturelle, leurs systèmes sont contrôlés par satellite. Les pannes de courant ont bien sûr affecté les centres financiers, et certains ont momentanément perdu l'accès à leurs comptes clients, mais pas la banque des Bermudes. Les générateurs de secours ont pris le relais, naturellement. Bref, quoi qu'il en soit, cette banque a toujours accès aux comptes. J'ai passé quelques coups de fil et appris que vos 10 millions de dollars avaient été transférés sur un compte au nom de Richard Allen Goodwin. Ce nom vous dit quelque chose ?

Toots réfléchit. Richard Allen Goodwin. Le boss d'Abby… c'était forcément lui. Un nouveau nom, les mêmes initiales.

— Non, rien du tout, mais Rodwell Archibald Godfrey, ça, oui. C'était le propriétaire de *The Informer*, et je suis pratiquement certaine que c'est lui qui m'a volé cet argent ! Je pense pouvoir certifier que les deux ne sont qu'une seule et même personne.

Henry gloussa.

— En fait, Teresa, ce n'était qu'une question de temps avant que cette transaction soit découverte. Votre homme n'est pas très malin. Après mon appel, le président de la banque a contacté Emmanuel Rodriguez, de la banque de Los Angeles d'où l'argent avait été transféré. Et après m'avoir confirmé l'origine frauduleuse de ce virement, la banque des Bermudes a accepté d'inverser le transfert sur le compte de garantie de votre beau-fils. Il se peut même que l'argent y soit déjà.

— Non, il n'est pas malin. Écoutez, Henry, il ne faut pas que cette information s'ébruite.

— Teresa, je ne peux en aucun cas l'empêcher. La fraude bancaire est un crime fédéral. Et votre fraudeur sera inculpé devant une cour de justice fédérale. Ce qu'en feront ensuite les médias échappe totalement à mon contrôle.

— Les autorités devront d'abord retrouver notre homme avant de pouvoir l'inculper, pas vrai ? Et que se passera-t-il si on ne le retrouve pas ? S'il s'aperçoit qu'on est sur le point de l'arrêter et qu'il disparaît, qu'adviendra-t-il dans ce cas ?

— Teresa, c'est le cadet de vos soucis. Récupérer votre mise, voilà tout ce qui devrait vous préoccuper. Laissez donc le soin aux autorités de rattraper cet escroc. Si vous comptez acheter le journal après ça, assurez-vous les services d'un bon avocat et ne prenez plus d'intermédiaires cette fois. C'est le meilleur conseil que je puisse vous donner.

— J'apprécie, Henry. Merci encore.

Toots coupa la communication et appela aussitôt Sophie.

— Peux-tu me rejoindre tout de suite ? Je vais refaire du café. On a besoin de parler.

— Un peu plus, et tu me ratais. J'étais sur le point de passer au jacuzzi. Il vaudrait mieux que ce soit important, Toots. Ce n'est pas si souvent que je peux m'offrir un jacuzzi.

— Oh, boucle-la et radine-toi en vitesse !

Toots raccrocha.

Cinq minutes plus tard, Sophie, dans sa robe de chambre en tissu écossais rouge et bleu, revint frapper à la porte coulissante avant d'entrer.

— Je veux d'abord une tasse de café. Tu as dit que tu en préparais.

Toots fit le service, prenant de la crème dans le frigo.

— Tu ne vas pas le croire si je te dis avec qui je viens de parler au téléphone.

— George Clooney ? Tom Hanks ?

— Faut vraiment que tu t'envoies en l'air, Sophie ! soupira Toots. Henry Whitmore m'a appelée. Il a retrouvé mes 10 millions de dollars ! Et, au moment où je te parle, ils sont reversés au crédit du compte de Chris. Ça, c'est la bonne nouvelle. Tu veux entendre la mauvaise ?

— Que pourrait-il bien y avoir de fâcheux à récupérer tes 10 millions de dollars ? s'enquit Sophie avant d'en allumer une.

— File-m'en une. (Toots alluma sa clope.) L'argent avait été transféré sur un compte au nom de Richard Allen Goodwin. RAG, comme Ragot. Nous avions raison, Sophie ! Le boss d'Abby m'a piqué le fric et s'est débiné avec. La mauvaise nouvelle, c'est que si on le pince il sera inculpé de fraude bancaire, et Abby découvrira quelle menteuse sournoise je fais.

— Et si on ne lui remet pas la main dessus ?

— Je ne sais pas. J'appellerai Chris et lui poserai la question. Il a besoin d'apprendre la bonne nouvelle, lui aussi.

Aussitôt dit, aussitôt fait : Toots répéta à son beau-fils ce qu'elle venait d'annoncer à Sophie.

— Alors, on va l'inculper même si on ne le retrouve pas ? demanda-t-elle, irritée.

— Bien sûr. Il doit être inculpé si le FBI arrive à identifier en lui le fraudeur dont la banque est victime. Mais, à l'heure où on parle, on ne dispose que d'un faisceau de présomptions contre Ragot, au sujet de ce transfert frauduleux. Ce que nous savons, c'est que les initiales du détenteur du compte créditeur, celui où l'argent a été transféré, sont les mêmes que les siennes. Et Ragot a disparu. Ce qui ne suffit pas à déterminer que Goodwin et lui ne sont qu'une seule et même personne. Et si on ne peut pas l'identifier comme le hacker en cause, ce dont je doute fort, il n'y aura pas suffisamment de preuves pour l'incriminer tant que le lien ne sera pas établi. Mais, une fois qu'il y aura assez d'éléments à charge, il sera inculpé. C'est la loi, Toots.

» Je ne suis pas certain que citer nommément la victime de cette fraude soit une obligation, cela étant. Je ne sais pas ce que dit la loi dans ces cas-là. Il doit être possible de préserver le secret de ton identité dans cette affaire, au moins temporairement. Tu comptes toujours acheter *The Informer* ?

— Bien sûr. Je le fais autant pour Abby que pour moi. Nous avons toutes les deux à y gagner. Tu sais combien je raffole des tabloïds. Quand la vente sera effective, je commencerai par rénover entièrement l'immeuble. Je veux que *The Informer* devienne un journal avec lequel compter, qu'on se bouscule pour s'y faire embaucher, qu'on fasse la queue pour avoir son exemplaire, et que ma fille soit heureuse.

— J'ignore comment tu pourras t'y prendre pour accomplir tout ça en restant anonyme.

— J'y ai réfléchi, Christopher. Ragot était couvert de dettes ; la banque détenant son prêt hypothécaire est bien la véritable détentrice, n'est-ce pas ?

— En effet.

— Dans ce cas, il n'y a rien de changé. Nous épongeons les emprunts, la banque nous cède les titres de propriété du journal, avec une décote même, pourquoi pas, et nous fondons une société dont le P.-D.G. souhaite conserver l'anonymat. J'œuvrerai en coulisse, voilà tout. Si nous convenons tous de rester discrets, ça devrait marcher. C'est toi l'avocat, Christopher. Fais que ça se réalise.

— Tu veux que ça marche pour Abby, je sais. Je ferai de mon mieux, mais je ne peux rien te promettre, Toots. En fait, je désirais te recommander un confrère, un avocat d'entreprise. C'est un ami, et il est très doué dans son domaine. Autrement, je ne me permettrais pas de te le recommander.

— Abby m'a parlé du conflit d'intérêts que tu avais opposé à sa demande. Je n'aurais pas dû te mêler à cette affaire, alors entendu, prends-moi rendez-vous avec ton ami. Abby et toi seriez-vous en désaccord, Chris ? Elle ne m'a pas paru heureuse quand ton nom est apparu dans la conversation. Vous ne seriez pas fâchés, par hasard ?

Si tu savais, Toots.

— Oui. Non. Enfin… on est toujours en conflit pour une chose ou une autre. C'est ce qui se produit en général quand M. et Mme Je-Sais-Tout se prennent la tête. On surmontera cette brouille.

— Naturellement. Prends-moi rendez-vous avec ton ami le plus vite possible. Je veux en finir avec ça et passer enfin aux choses sérieuses.

— Je m'en occupe de ce pas. Bon, et sinon, que tramez-vous, toi et tes excentriques de copines ? Pourrais-tu me donner des détails ou est-ce confidentiel ?

— Nous venons d'enterrer le mari de Sophie, mais ça, tu le sais. Ida revoit le docteur Sameer demain. Elle a réussi à se passer de ses gants en latex, tu imagines ? Mavis progresse vaillamment, résolue à se délester de sa graisse, et je pense qu'elle y arrivera. Elle est très motivée.

— Je n'ai pas encore vu Ida, dit Chris. J'attendrai qu'elle se sente assez sûre d'elle pour me serrer la main.

— Quelle bonne idée, je le lui dirai ! Elle commence à se fixer des objectifs. Elle m'a même laissée lui prendre un rendez-vous pour une manucure ici, à l'hôtel. Voilà justement autre chose dont je souhaitais te parler, Chris. Nous ne pourrons pas rester éternellement au

Beverly Hills Hotel. Je songeais à acheter une maison. Ton ami avocat pourra-t-il m'aider aussi là-dessus ?

— C'est un avocat d'entreprise. Mais je connais des dizaines d'agents immobiliers qui seraient tout à fait en mesure de t'emmener visiter des biens. Tu recherches une propriété proche de celle d'Abby ?

Toots réfléchit. Non. Abby avait besoin de sa tranquillité.

— En fait, j'envisageais d'acquérir le manoir d'Aaron Spelling.

Toots crut entendre son beau-fils pouffer à l'autre bout de la ligne. Il se disait probablement qu'elle blaguait – ce qui était le cas.

— C'est censé être drôle ? Quitte à me plier à cette existence de semi-nomade, Christopher, j'entends bien vivre avec classe. Tu me connais, je ne fais jamais les choses à moitié, il faut toujours que j'aille au bout.

— Tu as une idée du tarif pour un palace pareil ?

— Non, c'est bien pour ça que j'ai besoin d'un agent immobilier, qui me fera visiter. Je plaisantais, mais je recherche effectivement un bien comparable. Je suis certaine que Sophie, Mavis et Ida voudront séjourner ici le plus longtemps possible. Elles adorent être proches d'Abby.

— Je n'en doute pas. Laisse-moi contacter une amie. Je lui donnerai ton numéro si tu veux bien, et tu pourras commencer par là.

— Entendu. J'y tiens vraiment, Chris. Et pas un mot de tout ceci à Abby. Je le lui apprendrai moi-même en temps voulu. Ton père aurait été fier de toi, Christopher. Tu es un homme bien, tout comme lui.

— Venant de toi, Toots, ça signifie beaucoup pour moi. Je sais que tu ne dis pas ça à tout le monde. Bon, il faut que je te laisse. J'ai un rancard d'enfer avec la prochaine coqueluche de Hollywood ! Je donnerai ton numéro à mon amie qui est dans l'immobilier.

— Merci, Chris. On en reparlera. (Toots raccrocha.) Verse-nous une autre tasse de café, Sophie. J'appelle Abby.

— Oui, Ta Seigneurie, salua Sophie.

Toots lui fit un doigt d'honneur, et son amie éclata de rire.

Elle composa le numéro de sa fille.

— Bonjour, maman.

— Il t'arrive de ne pas répondre dès la première sonnerie ?

— Tu plaisantes ? Je suis journaliste. Nos portables, c'est notre bouée de sauvetage, notre lien vers ce qui pourrait bien faire les couvertures de demain. Alors, quoi de neuf au Pink Palace ?

— C'est pour ça que je t'appelle. Je songe à acquérir une propriété ici, mais je voulais avoir ton sentiment sur la possibilité que ta mère vienne habiter tout près de toi. J'aime bien le climat, ici. Et je pense que tes marraines elles aussi aimeraient passer leurs hivers dans la région. D'où ma question : qu'en dirais-tu si ta vieille maman achetait un pied-à-terre pour la morte-saison ?

— J'adorerais ça ! Tu peux m'aider à finir de rénover ma maison, et ensuite je t'aiderai avec la tienne. Mais que deviendra ta propriété de Charleston ? Tu ne songes pas à la vendre, tout de même ?

— Jamais de la vie, Abby. C'est mon foyer. Je ne quitterai jamais Charleston pour de bon. Mais, cela dit, je sais à quel point tu te plais ici. Ce serait merveilleux qu'on se voie plus souvent, pas simplement pendant les vacances. Je désirais savoir ce que tu en pensais. Je ne voudrais pas que tu aies l'impression que je cherche à m'immiscer dans ta vie privée.

— Maman, tu me connais mieux que ça. J'adorerais avoir la possibilité de passer te voir deux ou trois fois par semaine. Et vice versa. À part Chester, il n'y a pas d'homme dans ma vie.

— Ça, je n'arrive pas à le comprendre. Tu es aussi belle que ces stars sur lesquelles tu écris. À propos de stars, je viens de parler à Chris. Il a dit qu'il avait un rancard ce soir avec la prochaine coqueluche de Hollywood. C'est certainement un homme à femmes.

Toots gloussa.

Abby eut l'impression d'encaisser un uppercut.

Un rancard… La prochaine coqueluche de Hollywood…

Elle repensa à l'appel du petit matin, celui qui n'avait jamais eu lieu.

— Abby, tu es toujours là ?

— Euh… Chester vient de sauter par-dessus la palissade. Je te rappelle, maman.

— À plus, Abby.

Chapitre 38

Abby avait l'impression que son monde s'écroulait. Elle n'avait plus de travail, son boss était porté disparu, elle avait peu d'espoir de décrocher un poste dans l'un ou l'autre des deux tabloïds concurrents de L.A., et ce vil menteur de Christopher Clay la laissait tomber à son tour !

Monsieur avait un rancard avec une autre bimbo hollywoodienne ! Tout juste ce qu'une fille avait besoin d'entendre de la bouche de sa mère. Et dire qu'elle avait caressé l'idée de lui présenter des excuses. Elle avait passé un temps fou à se remémorer ses baisers sensuels, sur ses doigts, et refusait catégoriquement de continuer. Elle était juste un fleuron de plus à son tableau de chasse !

Elle regagna la cuisine d'un pas rageur, où elle sortit brutalement de sous l'évier une bouteille de détergent pour s'en verser sur les mains. Marraine Ida ne lui arrivait pas à la cheville sur ce coup-là.

Désormais, c'est la guerre !

Elle espérait que ce salopard l'appellerait, rien que pour avoir le malin plaisir de lui raccrocher au nez. Elle se demanda combien de temps il lui faudrait pour se rendre compte qu'elle n'était pas dupe de ses combines.

Elle avait envie de fondre en larmes.

Puis elle s'inquiéta… Et si elle se retrouvait brusquement en compagnie de Chris et de sa mère ? Aurait-elle le cran de le renvoyer dans ses buts, ce beau parleur, M. Oh-Je-T'aime-Tellement-Plus-Que-Tu-Ne-L'imagines ?

Chester était le seul « homme » de sa vie et, en ce qui la concernait, ça ne changerait pas. Chris pourrait toujours courir : il n'était pas près de la revoir.

Elle prit dans le frigo une bouteille d'eau. Elle se ferait peut-être inviter à l'hôtel par sa mère pour s'envoyer des *shots* de *jelly*. Une bonne cuite, voilà ce qu'il lui fallait. Sauf qu'elle tenait mal l'alcool, et elle chassa vite cette idée.

Elle avait eu une vie géniale et bien huilée jusqu'à ce que Ragot lui annonce qu'il vendait le journal. À partir de là, tout était parti en sucette et, selon toute vraisemblance, elle n'y pouvait pas grand-chose. Les options qui s'offraient encore à elle étaient à pleurer.

Abby aurait bien aimé cesser de ruminer à propos du journal. Ragot s'était fait la malle, en chargeant peut-être l'un de ses casseurs d'incendier l'immeuble afin de toucher l'assurance. Mais à quoi cela rimait-il ? Comment aurait-il pu toucher l'assurance de quelque chose qui ne lui appartenait plus ?

La jeune femme secoua la tête, histoire de remettre de l'ordre dans ses idées. Tout ça n'avait aucun sens et, en cet instant précis, elle était trop lasse pour s'efforcer d'assembler les pièces d'un puzzle décidément très étrange.

Elle ouvrit la porte et rappela son berger allemand, qui revint vers elle au galop. Elle flatta ses grandes oreilles et, avant qu'elle comprenne ce qui lui arrivait, des larmes roulèrent sur ses joues. Parfois, la vie était franchement injuste. Abby renifla en remplissant le bol d'eau de Chester.

— C'est rien que toi et moi, mon grand. Nous allons passer un bel après-midi ensemble à désherber.

— Ouah !

Les deux heures suivantes, la jeune femme élagua, arracha et extirpa les mauvaises herbes du jardin – ou de sa « cour » comme elle aimait à l'appeler. À chacun des coups secs qu'elle donnait pour arracher une herbe folle, elle jurait contre Christopher Clay.

Quand elle fit une pause, deux heures plus tard, elle jaugea le travail accompli et fut surprise de voir combien elle avait progressé. Sous ses mains, le jardin reprenait vie. Elle trouva à l'ensemble un air de décontraction, de la fluidité, une absence de contraintes – ce qui était précisément son but. Elle balaya le patio, fourra les plantes grimpantes dans des sacs-poubelles, puis ouvrit l'arrosoir avec l'espoir de revitaliser le gazon sans devoir tout replanter. Elle croisa les doigts : le fertilisant qu'elle avait ajouté ferait-il effet, lui donnant un beau gazon verdoyant ? Hélas, elle était assez réaliste pour ne pas se bercer d'illusions.

— On rentre, Chester. Toi et moi avons un rancard avec un sachet de popcorn à passer au micro-ondes et un film. Ce sera peut-être un de ces thrillers où l'héroïne engage un sniper pour buter son petit ami, qui sait. Qu'en dis-tu, Chester ?

— Ouah, ouah !

Abby se pencha et lui passa les bras autour du cou ; il se dressa en équilibre et lui posa les pattes avant sur les épaules.

— Tu es l'homme de mes rêves, Chester. L'amour de ma vie, conclut Abby d'une voix étouffée.

Chapitre 39

Micky avait passé ces trois dernières heures à déballer à l'agent spécial Gaynor tout ce qui s'était passé, avec l'espoir de passer un accord. Mais, n'étant pas en position de force pour négocier, il était tout simplement devenu une balance, chose qu'il avait en horreur. Et quoi, il avait lancé une allumette là où il n'aurait pas dû ? Personne n'avait été blessé, l'immeuble n'avait pas été englouti par les flammes. Les sapeurs-pompiers s'étaient pointés avant que ça tourne mal ! Quelqu'un l'avait vu filer en quatrième vitesse, et le fils de pute avait noté sa plaque d'immatriculation puis appelé la police. Quelle poisse...

Voilà qu'il se retrouvait interrogé par le FBI tout ça parce qu'il avait fait une fleur à un – ancien – pote en lui fournissant une nouvelle identité. Il préférait oublier que le trafic de faux papiers était un crime fédéral à part entière. Il avait comme dans l'idée qu'il n'était pas près de négocier quelque arrangement que ce soit.

— Et c'est tout ? Vous ne savez pas du tout où est ce Ragot maintenant ?

— Pour la centième fois, non. Si je le savais, je me serais chargé de le retrouver moi-même et de lui botter le cul ! J'étais à sa recherche, figurez-vous.

Micky avait tout dit de la consigne à l'aéroport de L.A., où il avait déposé comme convenu les faux papiers, sans trouver ensuite le versement de 50 000 mille dollars.

— Je vous dis la vérité. Quoi ? Vous préféreriez que j'invente des bobards ? J'ignore ce que vous voulez m'entendre dire.

— J'ai envoyé un inspecteur visionner les bandes vidéo de surveillance. Quand nous aurons l'assurance que vous n'avez pas menti, nous en reparlerons.

Micky lui aurait bien boxé le nez, mais il était menotté. Et ça n'aurait fait qu'aggraver son cas. Il n'était pas débile à ce point.

— Ça prendra combien de temps ? On a un accord ou pas ?

— On vous le fera savoir.

Micky avait envie de fondre en larmes.

Il serra les poings à s'en blanchir les phalanges.

— Je vais vous coller un procès au cul ! fulmina-t-il. Quand j'en aurai fini avec vous, vous serez tous désolés d'avoir posé les yeux sur moi. J'ai des relations !

— Et si vous m'en parliez, de vos relations, le temps qu'on attende ces bandes ?

Putain !

— Je suis furieux, OK ? J'ai coopéré. Vous aviez dit qu'on passerait un accord si je déballais tout. Je n'ai pas de relations, c'étaient des conneries. Si j'en avais, je serais déjà loin, et vous pourriez toujours vous téter, monsieur l'agent.

— Vous n'avez pas encore comparu devant un juge. Et vous avez déjà été écroué par le passé, monsieur Constantine. Ne croyez pas qu'on n'a pas vérifié votre casier judiciaire. Vous devriez vous être familiarisé avec le système et vous sentir comme chez vous dans une cellule.

— Si vous le dites.

— Bonne réponse. Ça dénote de l'intelligence.

— Je ne dirai plus un mot hors de la présence de mon avocat.

En entendant taper à la vitre, l'agent spécial Gaynor se leva.

— Je reviens tout de suite, mec. Restez là, surtout.

Il ricana.

Gaynor sorti, Micky se mit à brailler à tue-tête tous les jurons de son répertoire. Quand il eut fait le tour, il en inventa d'autres, sachant qu'on l'entendait sûrement derrière le miroir sans tain.

L'agent spécial Gaynor revint en salle d'interrogatoire les bras chargés de bandes vidéo.

— Vous avez de la chance, monsieur Constantine. On dirait que vous avez dit la vérité, pour une fois. On vous a vu déposer les documents dans ce casier, puis M. Godfrey venir les retirer. Bon, indépendamment de l'enquête sur votre tentative d'incendie volontaire, j'en ai maintenant fini avec vous.

— Comment ça ? Vous disiez qu'on passerait un accord !

— J'ai menti, conclut l'agent Gaynor.

Le cyclone Deborah avait durement frappé Grand Cayman. Le courant avait été rétabli dans certains secteurs, l'aéroport avait rouvert, mais les vols en partance étaient encore très rares. Miami et Fort Lauderdale étaient les seules destinations desservies.

Richard Allen Goodwin avait reçu un message des mains d'un garçon basané d'une douzaine d'années, juché sur une vieille bicyclette délabrée. Apparemment, les lignes téléphoniques étaient en cours de réparation. Goodwin relut le billet pour la dixième fois.

« Il est urgent que vous veniez tout de suite à la banque des Bermudes. Ça concerne une transaction illégale sur votre compte. »

Ragot fit les cent pas, se demandant s'il devait y aller ou pas. Était-ce un traquenard ? Possible, même s'il jugeait improbable que quelqu'un ait essayé de pirater son compte. Un escroc quelconque, tentant de l'arnaquer à son tour ? Possible aussi. Il était de plus en plus nerveux. Il avait dû foirer, à un moment ou à un autre.

Si les fédéraux étaient sur sa piste – ce que son instinct lui soufflait –, ce n'était plus qu'une question de temps avant qu'ils débarquent pour l'épingler. Qui sait s'ils ne se trouvaient pas déjà à la banque, en train de le guetter ?

Il lui restait quelque 50 000 dollars, l'argent détourné de la comptabilité de la paie.

Eh non, les mecs, vous ne serez pas payés cette semaine !...

Au fond, il aurait bien aimé être de retour dans son bureau miteux pour signer les chèques.

Alors, que faire ? Rester, au risque de finir en prison ? Ou prendre l'argent qu'il avait et tout recommencer ailleurs ?

Il opta pour la seconde option. Rapidement, avant que le gamin de la banque revienne avec un autre message ou, plus vraisemblablement, que les fédéraux se pointent, il fourra toutes les affaires qu'il put dans un sac orné de son monogramme.

Il ne héla un taxi qu'une fois sorti de l'hôtel. Ce n'était pas la première fois qu'il filait à l'anglaise d'un hôtel. Il ricana sous cape en repensant à la fausse carte de crédit que Micky lui avait procurée. Il regrettait maintenant de ne pas avoir commandé de langouste et de champagne au service d'étage.

— Par ici ! cria Ragot en agitant le bras en l'air.

Un taxi jaune tout déglingué qui avait connu des jours meilleurs – en un lointain passé – pila au beau milieu de la route.

— Il faut que je file à l'aéroport. Urgence familiale !

— Tout de suite, monsieur.

Brûlant l'asphalte, le chauffeur ne perdit pas une seconde. Ragot se demanda s'il allait survivre à cette course folle.

Bon sang, ces gens ne savent donc pas conduire ?

Une fois à destination, il bondit hors du taxi, lança un billet de 20 au chauffeur puis courut au terminal, espérant contre tout espoir arriver à embarquer pour Miami. De là, il verrait à rallier la République dominicaine. Il se rappelait vaguement avoir entendu dire que la vie n'y était pas chère.

Il sourit à l'hôtesse de guichet.

— J'ai une urgence familiale. Je dois me rendre à Miami le plus vite possible.

— Il reste trois places à bord du prochain vol, monsieur. Il décolle dans quarante-cinq minutes.

— Ça me va. Je prends.

Il paya volontiers les 800 dollars cash que coûtait un aller simple pour Miami.

Tu parles de tarifs exorbitants…

Mais Dame Fortune lui souriait de nouveau. On annonça par haut-parleur que les deux vols restants étaient complets, puis que son propre vol était avancé. Les passagers faisaient déjà la queue pour embarquer à bord du bimoteur. Capacité d'accueil : douze places… Oui, Dame Fortune l'avait à la bonne. Le vol dura trente minutes. On ne leur offrit ni boissons, ni bretzels, ni cacahouètes, mais il s'en foutait.

Lorsqu'il débarqua à l'aéroport international de Miami, il s'empressa de réserver un autre vol à destination de la République dominicaine. Neuf heures plus tard, Richard Allen Goodwin était assis dans un bar, à s'envoyer des doses de tequila et à savourer sa liberté.

Chapitre 40

Toots, Sophie, Mavis et Ida guettaient l'arrivée d'Abby et de Chris au *Polo Lounge.* Toots désirait partager la joie de ses merveilleuses et excitantes nouvelles avec ceux qu'elle aimait le plus au monde.

—Abby est toujours à l'heure. Je me demande ce qui la retient, dit Mavis. J'ai hâte de lui annoncer que j'ai encore perdu quatre kilos. Je sais que ça ne se voit pas beaucoup, mais c'est un début. Être ici avec vous, les filles, c'est la meilleure chose qui aurait pu m'arriver.

—Nous sommes toutes fières de toi, répondit Toots, consciente que Mavis était toujours très sensible aux compliments.

Elle ne doutait pas une seconde que sa vieille amie triompherait des difficultés, mais ça prendrait du temps.

—Je pense que j'ai pris un ou deux kilos moi-même avec tous ces Froot Loops et ces cafés sucrés que j'engloutis, annonça Sophie. Mais, avant que tu dises quoi que ce soit, Mavis, je ne suis pas près de renoncer à la cigarette. Faire des ronds de fumée, ça, ça m'éclate.

Joignant le geste à la parole, elle en sortit une de son paquet, avant de se rappeler que fumer était interdit dans les restaurants californiens.

—J'ai vraiment fait cette manucure aujourd'hui. Je crois bien que les comprimés m'aident. Et je n'ai pris que deux douches. Mes mains respirent enfin! Il me reste beaucoup de progrès à faire, mais les microbes ne m'obsèdent déjà plus autant. D'après le docteur Sameer, je récupère plus rapidement que la plupart de ses patientes. Je crois même qu'il en pince pour moi. Il est plutôt mignon, vous ne trouvez pas ? ajouta Ida, l'œil coquin.

Toots regarda Sophie.

Sophie regarda Toots.

— Tu vois ? Je te l'avais bien dit ! Putain, je le savais ! Un homme ! Tu vois ? Tu ne peux pas survivre sans un homme dans ta vie, Ida. C'est ton problème, la peur d'être seule, alors tu blâmes ces pauvres microbes et ce pauvre vieux Thomas avec. Quelle hypocrite tu fais !

— Arrête, Sophie. Cela dit, Ida, je suis d'accord avec elle, intervint Toots en jetant un autre coup d'œil à sa montre. Je parie qu'Abby est coincée dans un bouchon. Voilà bien la seule chose qui me déplaît dans cette ville. Avant l'arrivée de ma fille, je voulais vous annoncer que *The Informer* redeviendra opérationnel dans six semaines, peut-être plus tôt si les rénovations avancent bien. Pour le moment, tout le monde s'est regroupé dans le garage d'Abby pour continuer à bosser. Elle a entendu dire que les nouveaux propriétaires désiraient conserver l'anonymat. Ça ne paraît pas l'ennuyer. Elle est juste excitée à l'idée de récupérer son job et d'avoir carte blanche. Le nouveau rédac' chef semble l'apprécier. Retourner travailler enthousiasme Abby. Oh, regardez, la voilà ! Bon, rappelez-vous : plus un mot.

Abby repéra sa mère et les trois marraines. Elle leur fit signe en se frayant un passage vers la table qui leur était réservée depuis que Toots avait versé au serveur un si généreux pourboire au déjeuner de la veille. Il lui avait chuchoté à l'oreille qu'elles seraient les mieux placées pour observer les allées et venues des stars – d'où ce pourboire royal.

— Maman, tu rayonnes positivement ! Ça t'arrive seulement quand il y a un homme dans ta vie. Aurais-tu fait une rencontre ? Dis-moi que tu ne songes pas à te remarier, tout de même ?

— Oh, pour l'amour du Ciel, Abby, fais un peu confiance à ta vieille mère ! Je suis simplement heureuse de me retrouver avec mes amies et ma fille. Pas question de me remarier ! Je ne dis pas que je n'envisagerais pas de sortir avec quelqu'un, juste qu'un mariage est hors de question.

— Bien. Il est grand temps que tu commences à jouir de ta retraite dorée. Et vous aussi.

— À t'entendre, Abby, se mêla Sophie, on est fin prêtes pour la maison de retraite. Moi, en tout cas, je compte bien croquer la vie à belles dents. Nous devrions prendre des vacances, je pense.

— Ne sommes-nous pas déjà en vacances ? lança Mavis.

— Mais si. Dès demain, j'ai pris rendez-vous pour nous toutes dans un centre de cure. Le grand jeu : masques, massages, manucure, pédicure. Vous vous rappelez, j'avais promis de mettre en place un changement de look dès notre arrivée ? Voilà qui est fait. J'ai aussi retenu les services de la maquilleuse de Cher. Vous savez que Cher a soixante-trois ans. Alors, si l'une de vous veut changer d'avis maintenant, qu'elle oublie ! Tu te sens prête, Ida ? ajouta Toots.

Dire que toutes trois étaient encore sous le choc du rétablissement subit d'Ida était un doux euphémisme.

— Oui.

— Et l'épilation à la cire dont nous parlions ? rappela Mavis.

Abby regarda sa mère et secoua la tête.

— Ne me dis pas que tu t'y mets aussi ?

— Non, je ne te le dirai pas, même si Ida s'est fait faire le maillot... Plus d'une fois, d'ailleurs.

— Et comment tu sais ça ? s'enquit Abby.

— Ida, insista Toots, dis-lui que c'est vrai.

— C'est vrai, Abby. J'étais toujours prête à tenter de nouvelles expériences. Et je le suis encore, c'est juste que... j'ai eu un petit... revers.

Sophie s'empressait de l'ouvrir dès que se présentait la moindre occasion d'exaspérer Ida.

— Tant qu'il y a un homme dans le coup, hein ? Je te parie 5 dollars que nous n'aurons pas à te traîner en salle d'épilation, ou je ne sais quel autre nom on lui donne.

— Lèche mon cul tout pelé, Sophie ! rétorqua Ida avec un sourire mauvais.

Toutes éclatèrent de rire – sans cesser de surveiller l'entrée. Abby observait les chères vieilles amies, soupçonnant que ce déjeuner impliquait davantage qu'elle ne l'avait d'abord cru.

Leur serveur, Manolo, approcha avec une bouteille de champagne.

— Madame ?

Toots détestait fêter prématurément les bonnes nouvelles, mais elle décida qu'au fond cela importait peu. Une célébration était une célébration.

— Oui, Manolo, allez-y.

— Maman, du champagne au déjeuner ? Les gens qui travaillent, dont je suis, ne peuvent pas se le permettre. Libre aux visiteurs d'en déguster si tôt dans la journée si ça leur chante ; ils peuvent toujours faire la sieste, eux.

— Abby, depuis quand on a besoin d'un prétexte pour déguster du champagne ? Pourquoi les gens pensent qu'il faut invariablement une raison à tout ce qu'ils font ? C'est complètement idiot. Comme de préserver la belle vaisselle et l'argenterie au cas où la reine viendrait. Tu as besoin de te détendre, ma chérie.

— OK, maman, je vais me détendre.

Abby avait désormais la conviction que sa mère tramait quelque chose et que ses trois marraines étaient au parfum. Quoi que ça puisse être.

Manolo remplit les flûtes en cristal du rosé pétillant.

— Même le champagne est rose ! s'exclama Mavis. J'en boirai une gorgée seulement. Je suis au régime.

— Ne t'inquiète pas, Mavis, je viderai ta flûte, la rassura Sophie.

— Oh, tenez, le voilà !

Abby suivit la direction du regard de sa mère. Chris Clay, en chair et en os. Elle le dévisagea, puis le toisa de pied en cap. Ce corps tout en muscles, si sexy.

Chris se pencha pour embrasser Toots sur la joue, puis fit de même avec les marraines. Quand il en vint à Abby, il eut une légère hésitation avant de l'embrasser sur les lèvres. Pendant plus de trois secondes. Devant sa mère et ses marraines.

— Tu m'as manqué, Abby.

— Je t'ai manqué ? Ça, ça m'étonnerait. Nous sommes à Hollywood. J'ai entendu dire que tu sortais avec la prochaine grande star ?

— Qui t'a dit ça ? demanda Chris.

— Moi, répondit Toots. Maintenant, si vous arrêtiez de vous chamailler, tous les deux ? Je vous ai invités pour une célébration spéciale. Chris, tu n'as pas de flûte à champagne.

Elle chercha du regard Manolo, qui s'empressa de revenir servir le dernier arrivé.

— J'aimerais proposer un toast, dit-elle, la prunelle pétillante. Aux nouveaux départs!

Tous levèrent haut leurs flûtes, reprenant en chœur:

— Aux nouveaux départs!

— Maman, je sais qu'il y a quelque chose que tu ne dis pas, je connais cette expression sur ton visage.

— Abby, si tu n'avais pas vingt-huit ans, je t'ordonnerais de filer dans ta chambre.

Manolo refit une apparition, en apportant la carte.

Les dix minutes suivantes, tous se plongèrent dans leur lecture. Quand le serveur revint prendre leurs commandes, il régnait autour de la table un air d'excitation mal contenue.

Tous étaient à un tournant de leur vie, et les choses ne pouvaient que s'améliorer.

— Je ne veux pas d'un autre hamburger, dit Abby en étudiant le menu. Je ne sais pas trop ce que je veux.

— Laisse-moi commander pour toi, proposa Chris.

— Je ne crois pas que ce soit une idée géniale. Il lui faut parfois une demi-éternité pour prendre une décision, remarqua Toots.

Manolo attendait les commandes.

Chris prit la parole, grillant tout le monde:

— Cette charmante demoiselle aimerait un filet de bœuf, saignant, une pomme de terre au four avec du fromage et du bacon, plus les légumes du jour. Ne les faites pas trop cuire surtout, qu'ils soient bien croquants.

Toots et les trois marraines dévisagèrent Chris comme s'il venait de tomber du ciel pour atterrir sur leur table.

— Comment sais-tu ce qu'Abby aime commander ? lui demanda Toots. Elle ne commande jamais… sauf… enfin, peu importe. Je crois que vous avez un secret, vous deux. J'ai raison ? (Elle vit sa fille rougir, puis dévisagea Chris et le vit sourire d'une oreille à l'autre.) Eh bien, il y a anguille sous roche, c'est certain ! Et je pense que c'est merveilleux ! J'ai vu combien vous vous dévoriez du regard, tous les deux.

— Maman ! Je t'en prie, pas maintenant ! Souviens-toi que nous sommes ici pour fêter quelque chose !

— Je sais, Abby, je ne l'ai pas oublié. Je suis peut-être âgée, mais pas sénile.

— Cesse d'entretenir le suspense.

— Toots, ma chérie, je suis d'accord avec ma filleule. Tu adores nous tenir en haleine, dit Mavis.

— Crache le morceau, Toots, ou je te botte le train au beau milieu du *Polo Lounge* !

Sophie riait, ses yeux marron au regard chaleureux luisant comme du whisky ambré.

— Ida, tu ne veux rien ajouter ? l'encouragea Toots.

Pourquoi tout le monde est-il toujours si pressé ?

— Non, je voudrais juste qu'on en finisse avant que nos plats arrivent.

— Oh, très bien, je ne vais pas vous laisser sur des charbons ardents ! Ce matin, j'ai eu un appel : mon offre a été acceptée.

Toots savoura l'instant, dévisageant ceux qui étaient tout pour elle. Devant leur air ébahi, elle précisa :

— Comme je disais, j'ai reçu un appel téléphonique m'informant que mon offre d'achat d'une belle propriété avait été acceptée.

Hormis les bribes de conversations aux autres tables, le tintement des couverts en argent contre la porcelaine et le bruissement de la brise qui balayait le patio, Toots aurait juré qu'on entendait les mouches voler.

— Me voilà officiellement la nouvelle propriétaire du manoir de feu Aaron Spelling.

Mavis, Ida et Sophie furent prises d'un fou rire.

Chris et Abby se levèrent et firent le tour de la table pour étreindre Toots.

— Maman, tu es cinglée, tu le sais, ça, au moins ? Tu es aussi la meilleure mère du monde. Je suis tellement heureuse que tu sois la mienne ! Sophie, Mavis, Ida, je n'aurais pas pu espérer meilleures marraines que vous. J'ai hâte d'avoir un couchage d'appoint. Pensez un peu, nous allons pouvoir traîner ensemble ! Et maman, dès que ce mystérieux nouveau propriétaire de *The Informer* aura remis le journal sur les rails, je veillerai à ce que tu aies le premier numéro tout droit sorti des presses !

Toots sourit jusqu'à ce qu'elle voie danser une petite lueur dans les yeux de sa fille. Elle connaissait ce regard.

— Quoi ?

Abby sourit.

— Tu sais que je ne vis que pour les scoops, pas vrai ? Eh bien, mesdames, monsieur, sachez que je suis sur le plus gros scoop que cette ville ait connu depuis bien longtemps ! Ça fera la une du premier numéro ! Ne songez même pas à me demander de quoi il s'agit, car sinon ce ne serait plus la révélation de l'année. Vous devrez vous armer de patience, comme tout le monde.

Abby se tourna vers Chris Clay, le regard perçant.

— Ne t'avise plus jamais de commander pour moi. Je suis tout à fait capable de le faire moi-même.

(Se détournant, elle réussit à trouver le cœur de sourire aux autres.) Navrée, mais je dois filer, j'ai une tonne de choses sur le feu. Je vous verrai plus tard.

Elle les salua d'un geste joyeux en quittant le patio. Tous la suivirent du regard sans qu'elle leur jette un dernier coup d'œil en partant.

— C'était quoi, ça ? s'étonna Toots, pleine d'appréhension.

— Je pense que quelque chose lui a mis la puce à l'oreille, répondit Sophie, et qu'elle s'apprête à te démasquer, Toots.

— J'ai vu luire des larmes dans ses yeux. Du moins, je crois, hésita Mavis.

— Non ! s'interposa Ida du ton péremptoire de celle qui sait tout. C'est à vous que ça s'adressait, jeune homme. C'est à vous qu'elle va s'attaquer avec son scoop.

Chris vit que les femmes qui l'entouraient le regardaient maintenant comme s'il était un alien débarqué d'une autre planète. Même Toots, qui posait d'ordinaire sur lui un regard d'amour et d'affection. Devait-il fondre en larmes ou bien se lever et filer à sa voiture ? Il n'en savait plus rien. Il opta pour le repli : bondissant de sa chaise en se confondant en excuses, il quitta les lieux.

— J'ai besoin d'une cigarette, dit Sophie. Allons prendre l'air sur le parking, Toots, tu veux ?

Tirant furieusement sur leur clope un instant plus tard, les deux femmes se regardèrent.

— Tu crois qu'elle sait, Sophie ? Ida a raison ? Chris… non, c'est forcément à propos de nous. Oh, bon sang, qu'allons-nous faire ?

Sophie souffla un glorieux rond de fumée, le regardant onduler au-dessus de la tête de son amie.

— Elle a des soupçons, Toots. Il se pourrait qu'Ida ait raison. Je pense aussi qu'il y a anguille sous roche, entre Abby et Chris. Au fait, sais-tu qu'on a livré un tapis de prière au bungalow d'Ida ce matin ? Ma femme de chambre me l'a appris. Je suis d'avis de continuer avec nos plans. Retournons finir ce champagne. Nous avons tout l'après-midi pour préparer la prochaine étape. J'ai des idées géniales à ce sujet.

— Tu sais quoi, Sophie, j'en ai quelques-unes aussi. À nous deux, nous assurerons à ma fille une palanquée de scoops ces prochains mois ! Il pourrait même y avoir une exclusivité dans les tuyaux.

Sophie leva la main, et Toots frappa dedans.

— Eh, Toots, tu te rends compte qu'à nous quatre nous avons deux cent soixante ans d'expérience ?

— Que veux-tu dire ?

— Nous n'avons qu'à puiser dans l'expérience de toute notre vie ! Tu as dit que tu voulais faire d'Abby une force qui compte dans l'industrie de la presse people. Quoi, tu veux aussi que je te fasse un dessin ?

Toots s'esclaffa, ses éclats de rire se répercutant d'un bout à l'autre du parking.

— J'aime ta façon de penser, Sophie. Je crois bien que tu es aussi retorse que moi.

— Je vais prendre ça comme un compliment, Toots.

— Encore une chose : je ne suis pas prête à renoncer à la cigarette.

— Moi non plus.

— Et je pense qu'il est temps de faire honneur à ce champagne.

EN AVANT-PREMIÈRE
Découvrez la suite des aventures
de Toots et ses amies dans :

EXCLUSIF
(version non corrigée)

Bientôt disponible chez Milady Romance

Traduit de l'anglais (États-Unis) par Anne Dobigeon

Prologue

Teresa Amelia Loudenberry, « Toots » pour les intimes, s'agrippa aux draps de coton égyptien du lit comme à un gilet de sauvetage. Elle s'y accrochait avec l'énergie du désespoir, si bien que ses articulations étaient aussi blanches que le linge. Des veines bleutées formaient en saillant comme de petits canaux sur ses mains dont la peau, sinon, était encore douce et lisse. De minuscules gouttes de sueur perlèrent sur son front avant de s'écouler le long de son visage pour aller se perdre dans sa chevelure auburn éparpillée sur l'oreiller.

Toots se redressa dans son lit, réveillée en sursaut par ce qu'elle prit pour un troupeau d'oies sauvages emprisonnées dans sa poitrine. Respirant profondément pour ralentir les battements affolés de son cœur, elle fit courir une main le long des draps peu familiers, effleura l'amas de couvertures soyeuses rejetées sur le côté, puis plissa les yeux pour tenter de reconnaître l'endroit où elle se trouvait. En regardant autour d'elle, elle distingua plusieurs ombres floues contournant le pied du lit, telles des bouffées de fumée d'un bleu translucide et inquiétant. Toots en compta quatre. Quatre formes agglutinées autour de son lit. Elle aurait pu jurer qu'à l'intérieur de chacune d'elles se dessinaient des visages qu'elle croyait reconnaître mais sur lesquels elle ne parvenait pas vraiment à mettre de nom. Son cœur s'emballa et ses mains se mirent à trembler comme les dernières feuilles mortes sur la branche d'un arbre dépouillé par l'hiver. Désorientée, Toots ferma les yeux très fort pour essayer de se convaincre qu'elle était la proie d'un horrible cauchemar.

Oui mais voilà, sa peau demeurait moite, son rythme cardiaque précipité et elle savait qu'elle se forçait à garder les yeux fermés. Non, ce n'était décidément pas un rêve.

Lentement, elle ouvrit les yeux, l'un après l'autre. La brume, ou le brouillard, enfin dieu sait ce qu'elle avait bien pu voir, s'était dissipée même si elle sentait comme un courant d'air froid persistant autour du lit. D'un geste brusque, Toots alluma la lampe de chevet et regarda l'heure au réveil.

Trois heures du matin. N'était-ce pas l'heure fatidique, celle des sorcières ? D'où tenait-elle ça ? Probablement d'une de ces émissions idiotes sur les fantômes dont Sophie était friande ces derniers temps. Dans tous les cas, Toots en savait assez pour comprendre que quelque chose de surnaturel l'avait tirée de son profond sommeil. Un fantôme, une apparition, quelque chose n'appartenant pas au monde des vivants traînait dans la chambre et provoquait une sorte de picotement le long de son échine. Effrayée, tremblant de tous ses membres, Toots s'extirpa du lit et se mit à arpenter la pièce encore si peu familière, demeurant malgré tout sur le qui-vive et mal à l'aise.

Faisant les cent pas pour tenter de se calmer les nerfs, Toots s'autorisa quelques regards furtifs à travers la pièce décorée de façon tapageuse qu'elle appelait désormais sa chambre. Lorsqu'elle songeait à toutes les rénovations à venir, elle regrettait presque de ne pas avoir conservé son bungalow à l'hôtel Beverly Hills pour y attendre la fin des travaux. Quelle personne saine de corps et d'esprit pouvait vivre, et même dormir, dans cette déco rose pétant et mauve, version Barbie prostituée ? Toots jeta un coup d'œil au plafond, s'attendant à y trouver un miroir, des lumières noires, et autres gadgets, mais fut de nouveau surprise de constater qu'il n'y avait là qu'un plafond. Elle se demanda ce que les premiers propriétaires, Lucille Ball et Desi Arnaz, devaient penser de leur ancienne demeure. Il n'y avait aucun doute là-dessus, ils ne pouvaient que se retourner dans leur tombe. L'agent immobilier avait expliqué qu'une ancienne pop star avait loué la maison aux héritiers de Ball et Arnaz, puis décrété qu'elle arrangerait celle-ci à son goût tant qu'elle l'habiterait. Des années auparavant, à l'époque où Toots avait visité Graceland, la résidence d'Elvis à Memphis, elle l'avait trouvée de bien mauvais goût. Comparée à cette propriété cependant, Toots devait bien admettre que la vieille bicoque du King était suffisamment raffinée pour figurer dans la revue Maisons & Décors.

Certes, l'extérieur de cette maison de Malibu était relativement bien conservé. Surplombant l'océan Pacifique, cette villa de trois étages avait son charme, dotée comme elle l'était de grandes baies vitrées donnant sur des vues magnifiques. En stuc blanc et toit de tuiles rouge brique, avec plusieurs petits balcons et des terrasses se déployant à tous les niveaux, la propriété offrait un panorama splendide, où que l'on se trouve. « Mer et montagne, que demander de plus ? », s'était exclamé l'agent immobilier. Non, c'était la décoration intérieure qui avait horrifié Toots. Rose vif et mauve, avec des bleus et des verts criards dans six des chambres pour compléter le désastre.

Toots avait failli faire marche arrière et décliner l'offre, mais elle n'était pas idiote. Trois millions huit pour une propriété située en haut d'une falaise, à Malibu rien de moins que ça, c'était donné. Elle avait fait un chèque du montant total en sachant pertinemment qu'il lui en coûterait autant sinon plus pour faire refaire toute la déco.

Voilà où ça l'avait menée : à moitié morte de peur, elle était en train de perdre la raison. Et dire qu'elle avait occupé le bungalow d'Elizabeth Taylor à l'hôtel Beverly Hills. Elle n'avait tout de même pas quitté ça pour vivre ce cauchemar ? Pas de doute, elle devenait folle.

Prenant une grande respiration, Toots examina attentivement les abords du lit. Il n'y avait rien d'anormal, et tout semblait à sa place. Après tout, ces nuages de fumée n'étaient peut-être que le fruit de son imagination délirante. Peut-être, mais son intuition lui disait qu'il y avait autre chose.

Toots avait toujours cru qu'il existait une vie après la mort, elle savait aussi que les esprits ou les âmes ne parvenaient pas toujours à rejoindre l'autre côté, mais qu'en était-il de ça ? Des nuages transparents qui flottaient dans sa chambre et prenaient la forme de visages ? Des bouches articulant des mots, mais desquelles ne sortaient aucun son ? Non, cela n'avait absolument rien à voir avec l'image qu'elle se faisait des âmes errantes et des esprits égarés, mais semblait plutôt sortir tout droit de La Quatrième Dimension.

Ayant vécu une vingtaine d'années à Charleston, en Caroline du Sud, Toots connaissait bien ces histoires de lieux hantés et d'apparitions d'êtres depuis longtemps disparus. Lorsqu'elle avait emménagé à Charleston, elle avait suivi plusieurs visites guidées ayant pour thème les fantômes et avait découvert tous les récits sur ces phénomènes surnaturels censés s'être produits à travers les siècles. Pourtant, Toots n'avait jamais vécu quelque chose d'approchant de près ou de loin à une expérience fantasmagorique.

Jusqu'à ce jour.

Lorsqu'elle s'installa à Los Angeles, elle ne prêta qu'une oreille distraite à ces racontars qui circulaient sur les vieux cinémas, les anciens studios cinématographiques et les demeures historiques hantés par certains acteurs et actrices de Hollywood. Elle était Hollywood, au pays des rêves, pas à celui des cauchemars !

En décidant d'acheter une maison qui lui permettrait de se rapprocher d'Abby et de diriger The Informer, ce journal à sensation dont elle s'était récemment portée acquéreur, Toots n'avait pas eu l'intention de partager son espace vital avec un… ou plusieurs esprits.

— Fichez-moi le camp d'ici tout de suite ! hurla Toots dans la pièce faiblement éclairée. Elle perçut dans sa voix les accents de bravade qui sonnaient faux et espéra que Sophie, dormant dans la chambre de l'autre côté du couloir, ne l'ait pas entendue. Dieu merci, Ida et Mavis étaient à l'étage supérieur. Toots savait bien ce que ses amies de toujours diraient si elles apprenaient que quelque chose d'étrange s'était produit dans sa chambre.

Hé, mais en voilà une bonne idée ! Le tout nouvel intérêt de Sophie pour le paranormal venait, Toots en avait décidé ainsi, de lui gagner un séjour dans la plus grande et la plus luxueuse chambre à coucher de la maison.

Ayant décidé d'aborder le sujet dès la première heure le lendemain matin, Toots retourna se coucher en s'interrogeant sur la façon dont elle allait procéder pour convaincre Sophie de faire l'échange avec elle sans éveiller ses soupçons. Elle arriva à la conclusion que cela était impossible : cette histoire était beaucoup trop flippante pour qu'elle tienne sa langue.

Toots regretta presque de ne pas avoir poursuivi les négociations pour l'achat du manoir d'Aaron Spelling. Vouloir posséder une propriété de plus de 5 200 mètres carrés et finir par l'acheter s'était révélé une épreuve à laquelle elle n'avait pas été préparée. La veuve de l'ancien magnat de la télévision avait été très claire en précisant à l'agent immobilier qu'elle voulait être présente afin de se faire une idée sur chaque acheteur potentiel. Bien sûr, tout le monde n'était pas à même de faire une offre. Il fallait tout d'abord déposer un acompte et c'est après que ça devenait vraiment intéressant.

Toots n'arrivait tout simplement pas à croire ce qui lui arrivait. Jamais au cours de sa vie elle ne s'était abaissée à ce point pour avoir le droit de visiter un bien immobilier. En quoi cela faisait-il une différence qu'il ait appartenu à l'ex-magnat de la télévision, Aaron Spelling ? Pour elle, une maison n'était qu'une maison, plus exactement un manoir, enfin, dans ce cas précis, un véritable palais. On pouvait tout s'acheter en y mettant le prix, ou tout du moins c'est ce que Toots croyait, mais aller jusque là ?

Elle regarda les trois autres acheteurs potentiels, deux femmes et un homme, qui attendaient, assis, dans le bureau de l'agent immobilier. Toots en était sûre, l'homme était gay. Vêtu d'une chemise de soie à imprimé léopard et d'un pantalon noir ajusté, il portait des bagues en or à chaque doigt des deux mains. Toots estima à pas moins de huit le nombre de piercings à ses oreilles – huit anneaux d'or, alignés selon leur taille, du plus petit au plus grand. De l'or brillait aussi à ses poignets et une chaîne soulignait une de ses chevilles maigres et pâles. Une paire de lunettes de soleil gigantesque lui mangeait le visage. Toots se demanda un instant qui cela pouvait être, et finit par décider que c'était bien le cadet de ses soucis.

Elle poursuivit son examen avec la femme qui se tenait à sa droite. Bien qu'elle n'en fût pas tout à fait certaine, elle crut reconnaître Joan Collins, sans les tonnes de maquillage qui recouvraient habituellement son visage. Toots lui jeta un coup d'œil furtif alors que la femme regardait ailleurs. Oui, c'était bien elle ; Toots aperçut des cicatrices toutes fraîches près des oreilles. Chirurgie esthétique, sans aucun doute, et la raison fort probable pour laquelle elle n'était pas maquillée. Elle en parlerait à Abby ; cette info pourrait peut-être alimenter quelque potin dans The Informer.

La femme à sa gauche regardait droit devant elle. Elle était demeurée parfaitement immobile depuis son arrivée. Toots eut soudain envie de lui enfoncer son coude dans les côtes, juste pour voir si elle allait réagir, mais elle se ravisa, car cela n'était pas digne d'une dame. Le simple fait d'imaginer la scène suffit à la faire sourire.

L'agent immobilier, une élégante jeune femme brune que l'on aurait pu situer quelque part entre la trentaine et la cinquantaine, ouvrit finalement la porte de son bureau.

— Madame Loudenberry, madame Spelling et Madison vont vous recevoir.

Toots se leva et lissa sa jupe droite de couleur noire.

— Madison ?

— La chienne de madame Spelling.

— Je vois, fit Toots en emboîtant le pas de l'agent immobilier, bien qu'elle n'eût aucune idée de ce qu'elle voulait dire. Qu'est-ce qu'un foutu chien venait faire dans la vente d'une maison ?

La femme de l'agence s'arrêta et se retourna pour parler à Toots.

— Madame Spelling s'enorgueillit de la façon dont Madison juge les gens. Autant vous prévenir tout de suite avant que vous rencontriez madame Spelling : si vous ne plaisez pas à son chien, vous ne serez pas autorisée à visiter le domaine.

Tout à coup, Toots fut prise d'une envie de s'enfuir à toutes jambes, d'abandonner cette affaire, mais sa curiosité était piquée au vif et elle ne put se résoudre à quitter les lieux.

— Un chien, dites-vous ? fit-elle en regardant sa jupe noire, ses nu-pieds assortis et son corsage de couleur crème qui, espérait-elle, seraient du goût de Madison ; l'idée même la fit rire.

— Si vous voulez bien me suivre, insista l'agent immobilier.

Pourquoi n'a-t-on plus de secrétaires aujourd'hui ? se demanda Toots.

Elle suivit la femme dans un long couloir au bout duquel elles se retrouvèrent face à une porte close. Un faible grognement se faisait entendre de l'autre côté.

— Écartez-vous s'il vous plaît, dit l'agent immobilier.

Toots s'exécuta, craignant à tout moment de se faire attaquer par Madison.

La femme ouvrit alors la porte sur une luxueuse pièce de style moderne. À gauche du bureau, assise sur un long canapé blanc, se tenait la seule, l'unique Candy Spelling, la veuve d'Aaron Spelling. L'image d'un poisson s'imposa instantanément à l'esprit de Toots : les mêmes lèvres charnues, les mêmes yeux globuleux. Toots se demanda si la veuve au maquillage outrancier souffrait de problèmes de thyroïde. Quant au tas de fourrure sur ses genoux, il devait s'agir de la fameuse Madison.

La veuve ne prit pas la peine de se lever ni même d'adresser à la visiteuse quelques mots de bienvenue. D'un geste de la main de Candy, Madison bondit des genoux de sa maîtresse pour s'arrêter lorsqu'il ou elle – Toots n'avait pas poussé ses investigations assez loin encore – aurait atteint ses pieds. Toots allait se baisser pour caresser le chien lorsqu'un « Non ! » provenant de la blonde sur le canapé se fit entendre.

— Elle est incorruptible !

— Ne touchez pas à Madison, expliqua la femme de l'agence immobilière. Cela ne prendra que quelques instants, donnez-lui une ou deux minutes.

Ainsi, le mignon petit toutou était une femelle, une vraie bonne petite chienne, dans toutes les acceptions du terme. Toots savait à quel point certaines femelles pouvaient se montrer sourcilleuses. Les femelles du genre humain, en tout cas.

La chienne, une adorable petite boule de poils blanc et beige, fit trois fois le tour de Toots, s'arrêta exactement là où elle avait commencé son inspection, aboya trois fois, s'accroupit et entreprit de laisser sa marque par une flaque d'urine s'élargissant juste devant les sandales noir brillant de Toots.

— Vous venez de recevoir l'autorisation de pénétrer dans le manoir Spelling, conclut l'agent.

La demeure, entre autres équipements, disposait d'une piste de bowling, d'une cave à vins, d'un institut de beauté et d'une pièce à humidité ambiante contrôlée pour le stockage de l'argenterie. Il y avait également une roseraie sur le toit de la maison, une bibliothèque, des courts de tennis et une salle de projection. Tout ce que l'on pouvait désirer se trouvait au manoir Spelling.

Lorsque Toots découvrit le tapis roulant dans la chambre de maître principale, elle retira immédiatement sa candidature. Changer d'avis lui avait coûté la bagatelle de 50 000 dollars, ce qui l'avait rendue furieuse, mais elle refusait de vivre dans une maison équipée d'un tapis roulant. L'objet lui rappelait ce vieil épisode de I Love Lucy dans lequel Lucy et Ethel sont employées à l'usine de chocolats pour emballer les confiseries qui défilent devant elles sur un tapis roulant. L'affaire tourne au désastre lorsque le tapis accélère de plus en plus et que les deux amies, pour parvenir à maintenir la cadence, tentent de fourrer les chocolats où elles peuvent, dans leur bouche, sous leur chapeau et dans leur corsage. Toots s'imagina ses sacs et ses paires de chaussures projetés dans les airs, puis elle-même éborgnée par l'un de ses talons aiguille brutalement éjecté du tapis et décréta que son œil valait bien les cinquante billets de mille qu'elle avait perdus.

Conservant la lumière allumée, elle se faufila sous l'amas de couvertures et de draps sans ouvrir les yeux pour autant. Convaincue désormais que ce qui l'avait réveillée plus tôt avait quitté sa chambre, elle se détendit et se laissa glisser dans un demi-sommeil, où les rêves se succédèrent si rapidement qu'ils ne lui laissèrent presque aucun souvenir.

On verrait bien le lendemain.

DÉCOUVREZ AUSSI DANS LA MÊME COLLECTION :

Chez votre libraire
13 juillet 2012

Fern Michaels — Les Marraines : *Exclusif*

Achevé d'imprimer en mai 2012
Par CPI Brodard & Taupin - La Flèche (France)
N° d'impression : 68907
Dépôt légal : juin 2012
Imprimé en France
81120771-1